"十四五"职业教育国家规划教材

汽车发动机电控系统检修

第 2 版

主　编　侯红宾　李　卓　谢　焕
副主编　景忠玉　陈俊杰　段卫洁
参　编　李　静　张　波　白云生　张志龙
　　　　郭文龙

机械工业出版社

本书是"十四五"职业教育国家规划教材。

本书以汽车类相关专业的教学指导方案为依据，紧扣汽车电控发动机课程标准，以汽车电控发动机典型工作任务为主线，涵盖发动机电控系统的认知、进气系统的检修、燃油供给系统的检修、电控点火系统的检修、污染物控制系统的检修、发动机电控系统故障诊断与排除六个项目。每个项目设置若干任务，每个项目包括学习目标、典型工作任务、项目分析、知识准备、任务实施、巩固与提高，将发动机电控系统的构造、原理与实际工作任务紧密结合起来，培养学生的职业技能、职业素养和学习能力。

本书可作为职业院校汽车类专业的教材，也可作为汽车技术培训、汽车维修技术人员的学习参考用书。

本书配有电子课件、电子教案及工作页，凡选用本书作为授课教材的教师，均可登录 www.cmpedu.com 以教师身份注册、免费下载教学资源。咨询电话：010-88379201。

图书在版编目（CIP）数据

汽车发动机电控系统检修 / 侯红宾，李卓，谢焕主编. -- 2 版. -- 北京：机械工业出版社，2025. 10. ("十四五"职业教育国家规划教材). -- ISBN 978-7-111-79467-7

Ⅰ. U472.43

中国国家版本馆 CIP 数据核字第 20254RE437 号

机械工业出版社（北京市百万庄大街 22 号　邮政编码 100037）
策划编辑：于志伟　　　　　责任编辑：于志伟　谢熠萌
责任校对：韩佳欣　张　薇　封面设计：鞠　杨
责任印制：单爱军
北京盛通印刷股份有限公司印刷
2025 年 11 月第 2 版第 1 次印刷
184mm×260mm・18.75 印张・515 千字
标准书号：ISBN 978-7-111-79467-7
定价：59.50 元（含工作页）

电话服务　　　　　　　　　网络服务
客服电话：010-88361066　　机　工　官　网：www.cmpbook.com
　　　　　010-88379833　　机　工　官　博：weibo.com/cmp1952
　　　　　010-68326294　　金　书　网：www.golden-book.com
封底无防伪标均为盗版　机工教育服务网：www.cmpedu.com

关于"十四五"职业教育
国家规划教材的出版说明

为贯彻落实《中共中央关于认真学习宣传贯彻党的二十大精神的决定》《习近平新时代中国特色社会主义思想进课程教材指南》《职业院校教材管理办法》等文件精神,机械工业出版社与教材编写团队一道,认真执行思政内容进教材、进课堂、进头脑要求,尊重教育规律,遵循学科特点,对教材内容进行了更新,着力落实以下要求:

1. 提升教材铸魂育人功能,培育、践行社会主义核心价值观,教育引导学生树立共产主义远大理想和中国特色社会主义共同理想,坚定"四个自信",厚植爱国主义情怀,把爱国情、强国志、报国行自觉融入建设社会主义现代化强国、实现中华民族伟大复兴的奋斗之中。同时,弘扬中华优秀传统文化,深入开展宪法法治教育。

2. 注重科学思维方法训练和科学伦理教育,培养学生探索未知、追求真理、勇攀科学高峰的责任感和使命感;强化学生工程伦理教育,培养学生精益求精的大国工匠精神,激发学生科技报国的家国情怀和使命担当。加快构建中国特色哲学社会科学学科体系、学术体系、话语体系。帮助学生了解相关专业和行业领域的国家战略、法律法规和相关政策,引导学生深入社会实践、关注现实问题,培育学生经世济民、诚信服务、德法兼修的职业素养。

3. 教育引导学生深刻理解并自觉实践各行业的职业精神、职业规范,增强职业责任感,培养遵纪守法、爱岗敬业、无私奉献、诚实守信、公道办事、开拓创新的职业品格和行为习惯。

在此基础上,及时更新教材知识内容,体现产业发展的新技术、新工艺、新规范、新标准。加强教材数字化建设,丰富配套资源,形成可听、可视、可练、可互动的融媒体教材。

教材建设需要各方的共同努力,也欢迎相关教材使用院校的师生及时反馈意见和建议,我们将认真组织力量进行研究,在后续重印及再版时吸纳改进,不断推动高质量教材出版。

机械工业出版社

前　言

随着汽车工业的快速发展和高新技术在汽车上的广泛应用，汽车维修服务行业开始向专业化、精细化和智能化等方向发展。编者在深入参与汽车维修企业生产实践的基础上，采用基于工作过程的项目式教学的编写体例，对汽车发动机电控系统的教学内容进行了改革，并依据职业院校汽车类专业人才培养目标，遵循职业院校学生的认知规律编写了本书。

本书是由从事多年一线教学工作的骨干教师和学科带头人通过企业调研，对汽车类相关专业的岗位职业能力进行分析，依据国家2025年公布的汽车检测与维修技术专业教学标准，研究总结人才培养方案，并在企业、行业专家指导下编写而成的。

本书坚持正确的政治方向，以国家和社会的需求为导向，将习近平新时代中国特色社会主义思想和党的二十大精神融入教材，以全力打造精品教材为出发点，全面贯彻党的教育方针，落实立德树人的根本任务，培养德智体美劳全面发展的社会主义建设者和接班人，重点突出职业教育的特色，其主要特点如下：

1. 考虑到不同院校办学条件特别是实训条件的不同，本书尽可能地引入新技术、新知识、新工艺、新方法，使学校教育能跟上行业发展的步伐。

2. 在结构安排和表达方式上，强调由浅入深、循序渐进，通过大量生动的案例和图文并茂的表现形式，使学生能够轻松掌握所学内容。

3. 在编写理念上，根据职业院校学生的培养目标及认知特点，打破了传统的理论—实践—再理论的认知规律，代之以实践—理论—再实践的认知规律，突出"做中学，学中做"的教育理念。

4. 在教学思想上，坚持理论与实践、知识学习与技能训练一体化，贯彻"做中学，学中做"的职教理念，强调实践与理论的有机统一，技能上力求满足企业用工需要，理论上做到"适度、够用"。

全书共六个项目，每个项目都由若干任务组成，以完成项目的工作步骤为主线，便于调动学生自主学习和实践的积极性。每个项目包括学习目标、典型工作任务、项目分析、知识准备、任务实施、巩固与提高。在本次修订过程中，内容上增加了可变进气正时、可变进气升程系统检修。并依据国家第七阶段机动车污染物和温室气体协同控制标准，增加了颗粒物捕集器，降低颗粒物等污染物排放限值相关内容。

本书由侯红宾、李卓、谢焕担任主编，景忠玉、陈俊杰、段卫洁担任副主编，参与编写的有李静、张波、白云生、张志龙、郭文龙。本书在编写过程中参考了相关著作、文献资料、企业维修资料，在此一并向相关作者表示真诚的感谢。

由于编者水平有限，书中难免有错漏之处，敬请读者批评指正。

编　者

二维码清单

名　称	图　形	名　称	图　形
废气涡轮增压		节气门位置传感器	
层次排放控制系统		二次空气供给系统	
活性炭罐		可变进气升程工作原理	
可变配气相位		曲轴箱通风系统	

目　录

前　言

二维码清单

项目一　发动机电控系统的认知 ··· 1
　[学习目标] ·· 1
　[典型工作任务] ··· 1
　[项目分析] ·· 1
　[知识准备] ·· 1
　　第一课　发动机电控系统概述 ··· 1
　　第二课　发动机电控系统的组成和控制方式 ··· 6
　[任务实施] ··· 10
　　任务　发动机电控系统认知 ··· 10
　[巩固与提高] ··· 10

项目二　进气系统的检修 ·· 13
　[学习目标] ··· 13
　[典型工作任务] ·· 13
　[项目分析] ··· 14
　[知识准备] ··· 14
　　第一课　进气系统概述 ··· 14
　　第二课　空气流量传感器 ·· 17
　　第三课　进气歧管压力传感器 ·· 20
　　第四课　进气温度传感器 ·· 23
　　第五课　电子节气门 ·· 25
　　第六课　可变进气增压控制系统 ··· 31
　　第七课　涡轮增压控制系统 ··· 33
　　第八课　可变进气系统 ··· 39
　[任务实施] ··· 49
　　任务一　进气系统的认知 ·· 49
　　任务二　空气流量传感器的检修 ··· 50
　　任务三　进气歧管压力传感器的检修 ··· 51
　　任务四　进气温度传感器的检修 ··· 52
　　任务五　电子节气门的检修 ··· 53

任务六　可变进气增压控制系统的检修 …………………………………… 55
　　　任务七　涡轮增压控制系统的检修 ………………………………………… 56
　　　任务八　可变进气系统的检修 ……………………………………………… 57
　　[巩固与提高] …………………………………………………………………… 58

项目三　燃油供给系统的检修 …………………………………………………… 60
　　[学习目标] ……………………………………………………………………… 60
　　[典型工作任务] ………………………………………………………………… 60
　　[项目分析] ……………………………………………………………………… 60
　　[知识准备] ……………………………………………………………………… 61
　　　第一课　燃油供给系统概述 ………………………………………………… 61
　　　第二课　燃油泵及控制电路 ………………………………………………… 65
　　　第三课　燃油压力调节器 …………………………………………………… 71
　　　第四课　缸外喷射喷油器 …………………………………………………… 74
　　　第五课　高压油泵和燃油压力调节阀 ……………………………………… 77
　　　第六课　燃油压力传感器 …………………………………………………… 81
　　　第七课　缸内直喷喷油器 …………………………………………………… 84
　　　第八课　冷却液温度传感器 ………………………………………………… 87
　　[任务实施] ……………………………………………………………………… 91
　　　任务一　燃油泵及控制电路的检修 ………………………………………… 91
　　　任务二　缸外喷射喷油器及控制电路的检修 ……………………………… 92
　　　任务三　高压油泵和燃油压力调节阀的检修 ……………………………… 93
　　　任务四　燃油压力传感器的检修 …………………………………………… 94
　　　任务五　缸内直喷喷油器的检修 …………………………………………… 95
　　　任务六　冷却液温度传感器的检修 ………………………………………… 96
　　[巩固与提高] …………………………………………………………………… 97

项目四　电控点火系统的检修 …………………………………………………… 99
　　[学习目标] ……………………………………………………………………… 99
　　[典型工作任务] ………………………………………………………………… 99
　　[项目分析] ……………………………………………………………………… 99
　　[知识准备] ……………………………………………………………………… 100
　　　第一课　电控点火系统概述 ………………………………………………… 100
　　　第二课　曲轴位置传感器 …………………………………………………… 105
　　　第三课　凸轮轴位置传感器 ………………………………………………… 110
　　　第四课　爆燃传感器 ………………………………………………………… 113
　　　第五课　电控点火系统 ……………………………………………………… 115
　　[任务实施] ……………………………………………………………………… 120
　　　任务一　电控点火系统的认知 ……………………………………………… 120
　　　任务二　曲轴位置传感器的检修 …………………………………………… 122
　　　任务三　凸轮轴位置传感器的检修 ………………………………………… 124
　　　任务四　爆燃传感器的检修 ………………………………………………… 127

任务五　电控点火系统的检修 ·· 129
　　［巩固与提高］ ·· 132

项目五　污染物控制系统的检修 ··· 134

　　［学习目标］ ·· 134
　　［典型工作任务］ ·· 134
　　［项目分析］ ·· 134
　　［知识准备］ ·· 135
　　　第一课　燃油蒸发控制系统 ·· 135
　　　第二课　二次空气喷射系统 ·· 137
　　　第三课　废气再循环系统 ·· 142
　　　第四课　氧传感器 ·· 146
　　　第五课　汽油机颗粒捕集器 ·· 152
　　［任务实施］ ·· 158
　　　任务一　燃油蒸发控制系统的检修 ·· 158
　　　任务二　二次空气喷射系统的检修 ·· 159
　　　任务三　废气再循环系统的检修 ·· 160
　　　任务四　氧传感器故障的检修 ·· 161
　　　任务五　汽油机颗粒捕集器的检修 ·· 162
　　［巩固与提高］ ·· 163

项目六　发动机电控系统故障诊断与排除 ···································· 165

　　［学习目标］ ·· 165
　　［典型工作任务］ ·· 165
　　［项目分析］ ·· 165
　　［知识准备］ ·· 166
　　　第一课　车载诊断系统 ·· 166
　　　第二课　信号技术与测量 ·· 171
　　　第三课　故障诊断流程 ·· 174
　　　第四课　发动机 ECU 无法通信故障 ·· 175
　　　第五课　起动机不转故障 ·· 177
　　　第六课　发动机无法起动故障 ·· 178
　　　第七课　发动机运行不良故障 ·· 181
　　［任务实施］ ·· 184
　　　任务一　发动机 ECU 无法通信故障诊断与排除 ···················· 184
　　　任务二　起动机不转故障诊断与排除 ······································ 185
　　　任务三　发动机无法起动故障诊断与排除 ······························ 186
　　　任务四　发动机运行不良故障诊断与排除 ······························ 187
　　［巩固与提高］ ·· 188

参考文献 ·· 190

汽车发动机电控系统检修第 2 版工作页

项目一 发动机电控系统的认知

知识目标

1. 了解电控系统发展历程。
2. 掌握发动机电控系统的特点及结构,理解数据闭环控制逻辑。
3. 了解新能源混合动力控制策略,理解党的二十大提出的"双碳目标"对发动机技术革新的指导意义。

技能目标

1. 能独立指认电控系统各部件,运用系统工程思维解决复杂问题。
2. 能使用示波器和诊断仪进行数据流读取。

素养目标

1. 形成国产电控系统技术攻关意识,建立技术伦理观,树立"质量强国"理念。
2. 培养绿色维修意识,严格执行废油回收等规程,落实生态文明建设要求。
3. 强化团队协作中的责任担当,通过分组项目培养现代工匠职业操守。

发动机电控系统认知。

本项目主要认知汽车发动机电控系统。通过学习,知道发动机电控系统的发展历程、组成和作用,能区分不同类型的电控系统。

学习方式采用观看多媒体课件、相互讨论和现场教学等。

第一课 发动机电控系统概述

一、发动机电控系统的发展历程

发动机电控系统(Engine Electronic Control System)是汽车的核心控制系统之一,它通过电子技术对发动机的工作过程进行实时监测与智能控制,以实现动力输出优化、排放降低、燃油经济性提升等目标。

发动机电控系统主要包括电控点火系统（ESA）、电控燃油喷射系统（EFI）、废气再循环（EGR）系统、怠速控制系统（ISC）和进气系统等。一般来说，将电控燃油喷射系统、电控点火系统以外的其他控制系统统称为辅助控制系统。

汽车发动机电控系统的发展历程是汽车工业技术革新与环保法规推动的缩影，其演进可分为以下几个关键阶段：

1. 萌芽期（20世纪60年代前）

最早的汽车电气系统仅包含点火装置和前照灯等基础部分。20世纪30年代，真空电子管收音机的引入是汽车电子化的初步尝试，但因其体积大、抗振性差，未能普及。1958年，集成电路（IC）的发明为汽车电子控制奠定了基础。硅二极管和晶体管逐步替代传统电磁元件（如电压调节器），提升了发动机工作的可靠性。

2. 初期发展阶段（20世纪60~70年代）

1967年，博世（Bosch）开发出首款电子燃油喷射系统（L-Jetronic），通过传感器和ECU控制空燃比，成为发动机电控系统的起点。20世纪70年代，美国颁布排放法规，强制要求采用闭环控制系统，推动了氧传感器和催化转化器的普及。1978年，福特EEC系统诞生，作为首个基于微处理器的电控系统，整合七个传感器（如节气门位置传感器、曲轴位置传感器等）和四个执行器，实现了排气再循环、点火正时控制。次年，引入氧传感器和三元催化转化器（TWC），优化空燃比控制，显著降低排放，并提高燃油经济性。

3. 快速发展阶段（20世纪80~90年代）

1980年，功能集成与自诊断技术快速发展，新增爆燃传感器和怠速闭环控制，引入自检功能，支持两位数故障码（DTC）读取。1983年，采用多点燃油喷射（MPFI），整合动力系统控制模块（PCM），故障码升级为三位数，支持更复杂的诊断。1994年，OBD-II标准实施，统一故障诊断接口，强制监测排放系统效率，电控系统走向标准化与全球化。

4. 现代集成与智能化阶段（2000年至今）

此阶段从分布式ECU转向域控制器（如动力域、车身域），如特斯拉Model3等车型，通过区域控制器减少线束长度和ECU数量，提升算力效率。

随着新能源与混合动力控制技术的发展以及智能化与互联化的趋势，电控系统扩展至混合动力管理，如能量回收、多模式驱动策略，以响应"双碳目标"。车联网（V2X）技术推动ECU与云端协同，实现远程诊断和OTA升级。人工智能（AI）应用于燃烧优化、故障预测，如基于大数据的发动机健康管理。

通过上述历程可见，发动机电控系统从单一功能控制发展为高度集成、智能化的核心系统，既是技术创新的产物，也是社会需求与法规驱动的结果。

二、汽车发动机电控系统的发展趋势

汽车发动机电控系统作为汽车的核心技术，其发展趋势正由技术创新、环保法规和市场需求共同推动。

1. 智能化

智能化传感技术和计算机技术的发展，加快了汽车的智能化进程。汽车智能化相关的技术问题已受到汽车制造商的高度重视，人工智能（如深度学习、强化学习）被广泛应用于燃烧优化和故障预测。通过5G和V2X技术，车辆与云端、路侧设备实时交互数据，支持远程诊断和OTA（Over-The-Air）升级，通过无线技术（如蓝牙、Wi-Fi）实现参数远程标定和系统迭代，减少线下维护成本。域控制器替代传统分布式ECU，减少线束长度，同时支持复杂算法的实时处理。

2. 电动化与新能源技术集成

对于搭载混合动力与增程式系统的车辆，电控系统需协调发动机、电机和动力蓄电池的协同工作。如比亚迪 DM-i 系统通过智能算法实现 43% 的热效率，兼顾动力与能效。在氢燃料与燃料电池控制中，氢发动机电控系统需解决高压喷射（如丰田 Mirai）和热管理难题，响应"双碳目标"。对于应用 48V 轻混技术的车辆，通过电控优化起停策略和能量回收，油耗降低 15%~20%。

3. 网络化与集成控制架构演进

多域控制器与集中式架构作为发展趋势之一，从分布式 ECU 转向动力域、车身域集成，提升算力利用率和系统响应速度，如博世开发的域控制器可同时管理发动机、变速器和制动系统。通过标准化通信协议，如 CAN、FlexRay 和 LIN 总线技术实现各子系统数据共享，支持实时协同控制，未来 FlexRay 或成为自动驾驶主流协议。

4. 安全性与冗余设计强化

功能安全标准（ISO 26262）要求电控系统在失效时仍能保持基本功能，提升系统可靠性。

在故障预测与健康管理方面，未来可基于大数据分析实现故障预警，结合云端诊断可缩短维修周期。

三、发动机电控系统的功能

发动机电控系统是一个综合控制系统，是车辆动力系统的"智能中枢"，通过实时感知、精准计算与高效执行，可实现发动机性能优化、排放控制和能源高效利用。

1. 基础控制功能

（1）燃油喷射控制　通过空气流量传感器（MAF）和氧传感器实时监测进气量与尾气中的氧含量，ECU 动态调整喷油脉宽，将空燃比（λ）控制在理论值（14.7±0.1）范围内（国六标准要求）来进行精准空燃比调节。执行多模式喷射策略，如丰田 D-4S 双喷射系统，在低负荷时采用歧管喷射可以减少积炭，高负荷时切换缸内直喷可以提升动力。

（2）点火控制　发动机控制系统可使发动机在不同转速和不同负荷条件下，根据各相关传感器信号，判断发动机的运行工况和运行条件，选择最理想的点火提前角点燃可燃混合气。

在发动机控制系统中，当点火时刻采用闭环控制时，就能把点火提前角控制在接近临界爆燃点或使发动机有轻微的爆燃，以最大限度地发挥发动机的潜能，提高动力性。

（3）怠速与节气门控制　通过电子节气门（ETC）和怠速电机（ISC）维持稳定转速，降低冷起动排放。

2. 优化管理功能

（1）可变气门正时（VVT）与升程（VVL）控制　根据工况调整气门开闭时机（如本田 i-VTEC），优化进排气效率，提升低速转矩和高速功率。

（2）涡轮增压协同控制　通过废气旁通阀（Wastegate）和电子增压器（e-Turbo）调节增压压力，消除涡轮迟滞（如保时捷 VTG 可变截面涡轮）。

（3）停缸技术（Cylinder Deactivation）　在低负荷工况下关闭部分气缸（如通用 Active Fuel Management），可使油耗降低 10%~15%。

3. 安全防护功能

（1）故障诊断与自保护（OBD）　实时监测传感器、执行器状态，触发故障码，进入"跛行模式"（Limp Home），确保基本行驶能力。

（2）冗余控制与失效应对　关键传感器（如曲轴位置传感器）双路信号校验，主 ECU 失效时备份模块接管控制（符合 ISO 26262 功能安全标准）。

4. 智能扩展功能

（1）自适应学习与标定　基于长期驾驶数据（如燃油品质、海拔变化）动态修正控制参数（如 EGR 率），适应复杂环境。

（2）车联网与云端协同　通过 OTA 远程升级 ECU 程序，优化控制策略。

（3）多系统协同控制　与变速器 TCU、车身稳定系统（ESP）联动，实现动力链全局优化（如换档时主动降低转矩输出）。

5. 环保协同功能

（1）尾气后处理联动控制　与三元催化转化器（TWC）、颗粒捕集器（OPF）协同，通过精准喷油和点火策略控制催化器温度，确保污染物转化效率超过 95%（满足国六排放标准）。

（2）混合动力能量管理　在混动系统中协调发动机起停与电机输出（如比亚迪 DM-i），实现纯电驱动、串联发电、并联驱动多模式切换。

（3）氢燃料与碳中和适配　氢发动机电控系统需控制高压直喷（如丰田 Mirai 的 70MPa 氢喷射）和 NO_x 生成，匹配燃料电池系统的能量分配策略。

四、发动机电控系统的特点

当前的发动机电控系统功能齐全、控制精度高、动态响应快，且可以为发动机控制提供更大的控制自由度。例如，电控燃油喷射系统可按照运行工况的不同，对喷油参数（喷油量、喷油定时、喷油压力和喷油速率等）进行最优的综合控制，并可考虑各种因素对发动机性能的影响。综上所述，发动机电控系统的特点如下：

1. 排放污染低

汽油直接喷射系统能根据发动机的不同工况迅速准确地提供与其相匹配的最佳空燃比，使汽油完全燃烧，同时与三元催化剂配合使用可以有效地减少 CO、HC 和 NO_x 等有害气体的排放量。尤其是在发动机急减速时，具有断油的功能。急减速时，节气门关闭，但发动机仍高速旋转，进入气缸内的空气量减少，进气歧管内的真空度增大。发动机转速高于一定值时，会自动切断供油，可完全排除 HC，使发动机的排放符合现行的排放法规要求。

2. 发动机的最大功率高

因为电控发动机的进气不必预热，进、排气管可以分别布置在发动机缸体的两侧，如为了结构紧凑，进、排气管可布置在发动机缸体的同侧，但两者之间需有良好的隔热，从而使吸入气缸的空气密度较大，进而提高发动机的最大功率。

3. 耗油量低，经济性能好

电控发动机可以做到使发动机在各种工况下，精确地控制混合气的空燃比为最佳值，并且汽油是在一定压力下喷出的，雾化品质好，同时进气管道不受汽油雾化的限制，可以设计得更加合理，使混合气向各缸均匀分配，燃油消耗量低。

4. 发动机的低温起动性能好

电控发动机内设有补充空气调节器和冷起动喷油器（冷起动阀），且汽油的供给量不受进气流速的限制，因此，可改善发动机的低温起动性能。

5. 急速平稳，工况过渡圆滑，工作可靠、灵敏度高

电控发动机由于计算机的运算速度极快，能根据各个传感器输入的电信号迅速做出反应，及时而准确地将适量汽油喷到进气门附近，所以发动机的急速稳定，加速性能好，工况过渡圆滑，操作灵敏度高，且故障率低，发动机电控单元（ECU）在 10 万 km 内的故障率仅为千分之一。

五、发动机电控系统的工作原理及类型

1. 工作原理

发动机电控系统基于"感知—决策—执行"三级闭环控制逻辑,通过传感器、ECU 和执行器的协同工作,基于预设 MAP 图(如点火 MAP、喷油 MAP)和实时数据(如转速、负荷)计算最佳控制策略,实现精准控制。发动机起动时,ECU 进入工作状态,相应程序从 ROM(只读存储器)中被读取至 CPU,这些程序可以用来控制点火时刻、燃油喷射和怠速等。通过 CPU 的控制,指令逐个地循环执行。执行程序中所需要的发动机信息来自各个传感器。从传感器来的信号,首先进入输入电路进行处理。如果是数字信号,则直接经 I/O 接口进入微处理器;如果是模拟信号,则经 A/D 转换器转换成数字信号后才经 I/O 接口进入微处理器。大多数信息暂时存储在 RAM(随机存取存储器)内,根据指令再从 RAM 送到 CPU。有时需将存储在 ROM 中的参考数据引入 CPU,使输入传感器的信息与之进行对比,即对来自有关传感器的每一条信息依次取样,并与参考数据进行比较。CPU 对这些数据进行比较运算后,做出决定并发出输出指令信号,经 I/O 接口,必要的信号还要经 A/D 转换器变成模拟信号,最后经输出电路控制执行器动作。

2. 主要类型

汽车动力系统的电控系统通过精准感知、智能决策、高效执行的闭环控制逻辑,实现动力、环保与能效的平衡,可根据控制功能和技术架构分为以下类型:

(1)按控制功能分类 电控系统按控制功能分类详见表1-1。

表1-1 按控制功能分类

类 型	功能描述	典型应用
燃油喷射控制系统	控制喷油量、喷油时刻和多段喷射策略	缸内直喷(GDI)、混合喷射(如丰田 D-4S)
点火控制系统	动态调整点火提前角,抑制爆燃	丰田 VVT-i、马自达 SPCCI 压燃技术
进气控制系统	管理节气门开度、可变进气歧管长度(如本田 i-VTEC)	涡轮增压协同控制(保时捷 VTG 涡轮)
排放控制系统	与后处理系统(TWC、OPF)联动,优化催化转化器温度与再生策略	国六标准车型(如大众 EA888Gen3)
故障自诊断系统(OBD)	实时监测故障并生成 DTC 码(如 P0171 混合气过稀),支持维修诊断	通用、宝马全系车型

(2)按技术架构分类 电控系统按技术架构分类详见表1-2。

表1-2 按技术架构分类

类 型	架构特点	代表系统
分布式 ECU 架构	各子系统独立控制(如 EMS、TCU 分离),通过 CAN 总线通信	早期车型(如2000年大众 PQ35 平台)
域集中式架构	动力域控制器集成发动机、变速器控制,算力共享	特斯拉 Model3 区域控制器
中央计算平台架构	车载中央计算机(如 NVIDIA DRIVE)统一处理所有控制任务	蔚来 ET7、小鹏 G9

(3)新能源扩展类型 新能源汽车电控系统的扩展类型详见表1-3。

表 1-3　新能源汽车电控系统的扩展类型

类　　型	功 能 特 点	应 用 案 例
混合动力控制系统	协调发动机、电机和动力蓄电池的能量分配（串联/并联/混联模式）	比亚迪 DM-i、丰田 THS-II
氢燃料电控系统	控制高压氢气喷射（70MPa）、热管理及 NO_x 抑制	丰田 Mirai、现代 NEXO
增程式电控系统	管理增程器（发动机-发电机）起停策略，优化发电效率	理想 ONE、问界 M5

第二课　发动机电控系统的组成和控制方式

一、组成

发动机电控系统主要由传感器、控制器和执行器组成，主要包括进气系统、燃油供给系统、点火控制系统、污染物控制系统和电控系统五个子系统，每个子系统均有相应的传感器和执行器，如图 1-1 所示。

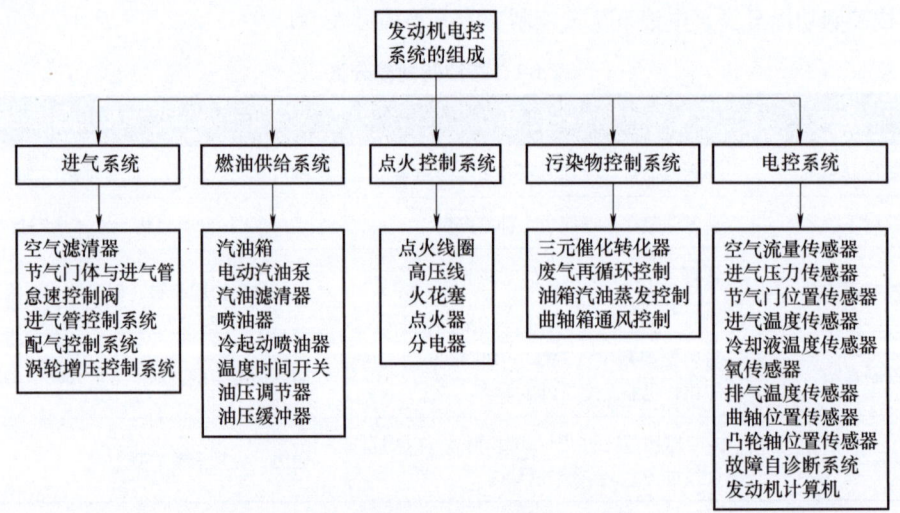

图 1-1　发动机电控系统的各子系统

进气系统各部分的作用是：空气滤清器过滤空气；空气流量传感器检测发动机进气量，其内的进气温度传感器用来检测进气温度，使进气量计量更准确；节气门体控制发动机进气量和发动机怠速。进气系统通过动力阀等配气控制系统保证流过进气道的空气量最大。

燃油供给系统各部分的作用是：汽油箱内汽油由电动汽油泵泵出，经汽油滤清器过滤后，油压调节器将其压力调整为比进气管压力高约 250kPa 的状态。当油路压力超过规定值时，一部分汽油回到汽油箱，大部分经分配油管配送给各个喷油器。当 ECU 发出信号控制喷油器通电时，与进气量相适应的汽油被喷射到进气歧管或气缸内。

点火控制系统的作用是：根据不同工况，以合适的能量来准时点燃空气与汽油形成的混合气，使发动机工作。

污染物控制系统的作用是：减少发动机工作时对大气的污染。汽车发动机的污染物来自油箱、发动机曲轴箱和排气管。

发动机电控系统装有信号输入装置（传感器）、控制器和执行器，如图1-2所示。发动机电控系统ECU通过发动机的各种传感器随时监测发动机的工作，然后通过各种执行器来控制空气、汽油的混合比和点火正时等，使发动机在发挥最佳效能的同时保持较低的废气排放。

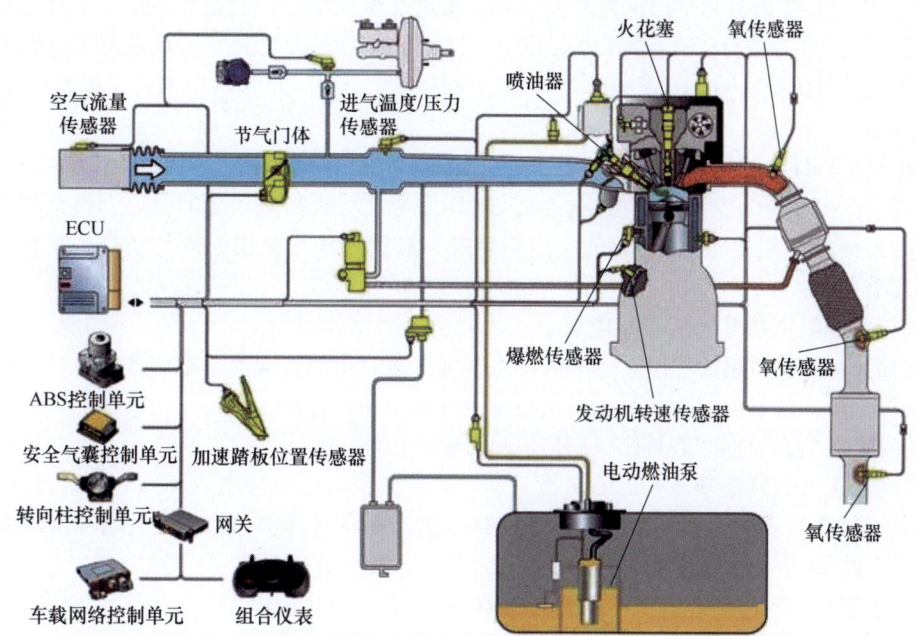

图1-2 发动机电控系统的组成

1. 传感器（信号输入装置）

在汽车发动机电控系统中，传感器的作用是将汽车各部件运行的状态参数转换成电信号并输送到各种控制器，用以监测各部件运行情况和环境条件。下面介绍九种常见的发动机电控系统的传感器：

（1）空气流量传感器　空气流量传感器监测吸入发动机的进气量，并将信号输入ECU，以便确定喷油量的多少，是燃油喷射重要的参考信号。

（2）进气歧管压力传感器　进气歧管压力传感器通过测量进气歧管绝对压力间接检测进气量，并将信号输入ECU，以确定喷油量，也是燃油喷射过程中重要的参考信号。

（3）节气门位置传感器　节气门位置传感器监测节气门的开度（如节气门全闭、部分开启和全开等）及开度变化情况，并将信号输入ECU，以此对燃油喷射及自动变速器换档等进行控制。

（4）曲轴位置传感器　曲轴位置传感器也可称为发动机转速传感器，它检测发动机曲轴的转速与转角，并将信号输入ECU，以便控制喷油提前角和点火提前角的大小，是燃油喷射和点火控制的主控制信号。

（5）凸轮轴位置传感器　凸轮轴位置传感器（又称为气缸识别传感器）检测活塞上止点位置信号，以便控制喷油和点火时刻，是点火控制的主控制信号。

（6）冷却液温度传感器　冷却液温度传感器向ECU提供冷却液温度信号，用于修正喷油量和点火提前角，是燃油喷射和点火控制的修正信号。

（7）进气温度传感器　进气温度传感器向ECU提供发动机进气温度信号，作为燃油喷射和点火控制的修正信号。

（8）氧传感器　氧传感器检测废气中氧气的含量，向ECU输入可燃混合气空燃比反馈信号，以便修正喷油量并实现空燃比的闭环控制。

(9) 爆燃传感器 爆燃传感器检测发动机是否爆燃及爆燃强度,并将信号输入ECU,以便修正点火提前角并实现点火提前角闭环控制。

除以上传感器向ECU输入控制信号之外,还有点火开关信号、发电机负荷信号、空调开关信号(A/C)、档位开关信号和空档位置开关信号、蓄电池电压信号、制动开关信号、动力转向开关信号、巡航(定速)控制开关信号等输入ECU,以更好地对喷油量和点火提前角等进行控制,适应汽车的不同运行工况。

2. 控制器

发动机控制器即电子控制单元(ECU),可以接收来自传感器的信息并存储相关信息,经计算和分析处理后发出相应的控制指令给执行器。ECU作为发动机控制系统的核心,可被视为发动机控制系统的大脑,具有强大的数学运算、逻辑判断、数据处理与数据管理等功能,其作用主要体现在以下几个方面:

1) 给传感器提供参考(基准)电压。
2) 存储分析计算所用的程序、车型的特点参数、运算中的数据及故障信息。
3) 运算分析,即根据信息参数求出执行命令并输出给执行器。
4) 将输出的信息与标准值对比,查出故障并输出故障信息。
5) 自我修正(自适应功能)。

ECU是以微型计算机为核心组成的电子控制装置,并在内存中存储着设计者事先编制的程序或控制软件,即ECU由硬件和软件两部分组成。其中,硬件部分包括:

1) 主控芯片:英文缩写MCU(如英飞凌TC39x,算力≥2000MIPS)。
2) 信号调理电路:A/D转换、滤波与抗干扰设计(EMC符合ISO 7637标准)。
3) 通信模块:CAN/FlexRay总线接口,支持与TCU、ESP等子系统协同。

软件部分包含:

1) 控制算法:PID控制、模糊逻辑、MAP查表(如点火MAP、喷油MAP)。
2) 标定数据:基于台架试验的优化参数(如EGR率、VVT相位)。
3) 诊断程序:OBD-Ⅱ协议(支持UDS诊断服务,如P0171故障码解析)。

3. 执行器

执行器是电控系统的执行机构,执行器接收ECU发来的各种指令,完成具体的执行动作。发动机电控系统中主要的执行器及其功能如下:

1) 燃油泵。电动燃油泵供给燃油喷射系统规定压力的燃油。
2) 喷油器。喷油器根据ECU的喷油脉冲信号精确控制燃油喷射量并将燃油喷入进气管(或气缸)内。
3) 怠速控制阀(或电子节气门)。怠速控制阀或电子节气门根据发动机的负荷情况,控制发动机的怠速转速。
4) 点火线圈。精确控制点火能量与提前角独立点火(COP)。
5) 废气再循环阀(EGR)。控制废气回流率,降低燃烧温度与减少NO_x生成。

其他执行器还有可变气门机构(VVT)、冷却风扇、空调压缩机、自诊断显示与报警装置等。另外,汽车还设置了专门的故障诊断通信接口,主要用于与专用故障诊断仪相连接,进行车外诊断,读取故障信息和参数。

二、控制方式

发动机电控系统的控制方式按有无反馈可以分为开环控制和闭环控制,其工作原理和特点如下:

1. 开环控制

发动机工作时，ECU 根据传感器的信号对执行器进行控制，而控制的结果（如燃烧是否完全、怠速是否稳定、是否有爆燃发生等）是否达到预期目标无法做出分析，控制的结果对控制过程没有影响，这种控制方式称为开环控制，如图 1-3 所示。

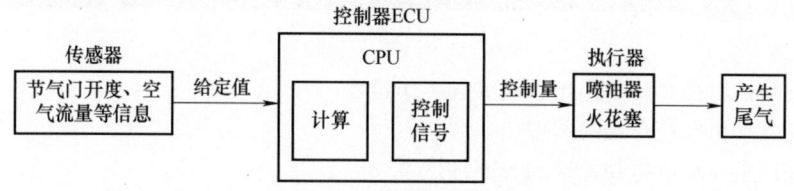

图 1-3　开环控制示意图

开环控制的特点是在控制器与被控对象之间只有正向控制作用而没有反馈控制作用，要实现精确控制，其控制系统 ROM 中必须预先存储可能遇到的各种工况及运行条件所需控制参数的精确调整数据，这样才能保证输出的控制信号能产生预期的发动机响应。而控制数据一旦存入 ECU 的 ROM 中，就不再变动。

2. 闭环控制

对开环控制的控制过程进行分析可知，开环控制系统调整空燃比和点火提前角的准确程度受到发动机技术状况和控制程序及数据的限制。另外，开环控制系统无法将影响空燃比和点火提前角的其他控制参数一一兼顾，因此很难做到精确地控制。

闭环控制实质上就是反馈控制。闭环控制的特点是在控制器与被控对象之间，不仅存在着正向作用，而且存在着反馈作用，即系统的控制结果对控制量有直接影响。在开环控制的基础上，控制系统根据实际检测到的控制结果的反馈信号来决定增减输出控制量的大小，如图 1-4 所示。

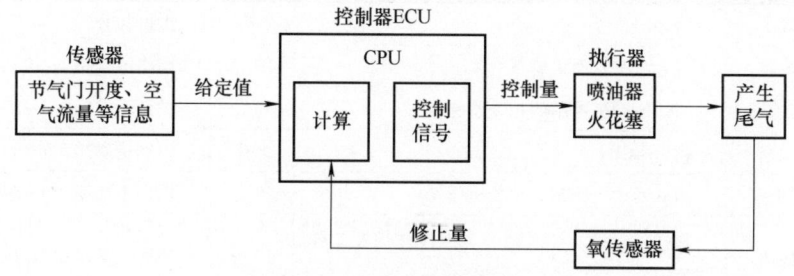

图 1-4　闭环控制示意图

其中，喷油量控制由 ECU 根据氧传感器输出的氧浓度信号来判断进入气缸中的可燃混合气的浓度（空燃比）是否合适，从而修正燃油供给量，实现空燃比的闭环控制，使可燃混合气空燃比保持在理想状态下。当氧传感器检测到排气中的氧含量太低时，表示可燃混合气浓度太大（空燃比太小）需减少油量；反之可燃混合气太稀（空燃比太大）时应增加喷油量。

点火时刻的闭环控制是采用爆燃传感器检测发动机是否产生爆燃作为反馈信号，从而决定点火时刻是应提前还是推迟（增大或减小点火提前角），使实际点火时刻能贴近爆燃界限曲线变化。

怠速控制也是采用闭环控制来实现的，它借助于曲轴位置传感器检测发动机实际怠速转速，与 ECU 中存储器存储的怠速目标转速相比较，判断怠速转速是高于还是低于怠速目标转速，从而来决定是关小或开大怠速旁通空气阀（或电子节气门），以使怠速稳定在设定的目标。

 任务实施

 任务 发动机电控系统认知

1. 目的描述

1) 知道发动机电控系统的作用、组成和工作过程。
2) 能识别发动机电控系统的类型。
3) 能熟练识别发动机电控系统的各部件。
4) 能积极主动参与任务,能与小组成员团结协作,能执行实训室"6S"规定。

2. 任务准备

1) 知识准备。
完成相关理论知识的学习。
2) 设备准备。
汽车、电控发动机台架、演示课件(或仿真软件)。

3. 任务步骤

1) 老师演示或播放微课:汽车发动机电控系统部件认知。
2) 学生练习部件识别和功能描述,并完成相关习题。

4. 任务评价

任务评价内容及标准见表1-4。

表1-4 任务评价内容及标准

序号	项目	操作内容	分值	评分标准
1	准备	清理工位	5分	酌情扣分
2	打开舱盖	打开汽车发动机舱盖	10分	操作不当扣1~10分
3	传感器识别	指认发动机控制的相关传感器	30分	识别不准确扣1~30分
4	模块识别	指认ECU	5分	识别错误扣5分
5	执行器识别	指认发动机控制的相关执行器	20分	识别不准确扣1~20分
6	功能描述	描述发动机电控系统的各部件作用及工作过程	10分	描述不准确扣1~10分
7	完成时间	小组15min	5分	超时1~5min 扣1~5分
8	安全文明	无安全隐患,无不文明操作	5分	未达标扣1~5分
9	6S作业	工量具清洁归位 工作场地清洁	5分 5分	漏一项扣1分,未做扣5分 清洁不彻底扣1~5分,未做扣5分
		总分	100分	

 巩固与提高

一、填空题

1. 怠速转速控制实际上主要是对_____的反控制。
2. 现代汽油机电控系统尽管种类繁多,但作为一个控制系统,它们具有与其他控制系统相同

的三个基本组成部分：_____、_____和_____。

3. 空燃比反馈控制系统是根据_____的反馈信号调整喷油量的多少来达到最佳空燃比控制的。

4. 发动机正常运转时，主ECU根据发动机_____和_____信号确定基本点火提前角。

5. 氧传感器的作用是_____。

6. 点火提前角随着发动机的负荷增大而_____。

7. 汽油机的主要排放污染物是_____、_____、_____。

二、单项选择题

1. （　　）是汽车中使用的传感器的作用。
A. 存储控制单元的输入信号
B. 传感器测量物理量并转换成电气控制单元的输入信号
C. 控制执行器
D. 传感器传输到控制单元的物理变量

2. （　　）是燃油喷射发动机执行器。
A. 曲轴位置传感器　　　　　　　　B. 节气门位置传感器
C. 空气流量传感器　　　　　　　　D. 活性炭罐电磁阀

3. （　　）是利用压电效应制成的。
A. 曲轴位置传感器　B. 大气压力传感器　C. 爆燃传感器　D. 氧传感器

4. 节气门直动式怠速控制是通过调节（　　）来控制空气流量的方法实现的。
A. 旁通气道的空气通路面积　　　　B. 主气道的空气通路面积
C. 主气道或旁通气道的空气通路面积　D. 阻风门

5. 空气流量传感器安装在（　　），进气压力传感器安装在（　　）。
A. 进气歧管中，进气总管中　　　　B. 节气门之后，节气门之后
C. 节气门之前，节气门之后　　　　D. 节气门之后，节气门之前

三、判断题

1. 发动机电控燃油喷射系统与化油器系统相比可以提高燃油经济性。（　　）
2. 电控系统通常由传感器、执行器和控制模块组成。（　　）
3. 按照传感器的数量与安装位置，发动机电控系统可以分为开环控制和闭环控制。（　　）
4. 开环控制可以根据反馈的结果对输入的量进行调控。（　　）
5. 发动机电控系统采集各种数据来反映发动机实时工况，经过分析、计算和处理，控制执行器做出相应的合理的反应。（　　）
6. 发动机的负荷不同，最佳点火提前角和喷油量也不同。（　　）
7. 为了减少环境污染，电控发动机在所有运转工况都根据氧传感器信号对发动机进行反馈控制。（　　）
8. 空燃比反馈控制的前提是氧传感器产生正常信号。（　　）
9. 空气流量传感器、空调开关信号、点火控制器（点火模块）都是发动机ECU的信号输入装置。（　　）
10. 喷油器、EGR阀、活性炭罐电磁阀都是执行器。（　　）

四、简答题

1. 汽车电控系统的发展经历了哪些阶段？
2. 发动机电控系统未来的发展趋势有哪些？
3. 电控系统由几部分组成？各部分的作用是什么？

4. 请简要说明发动机电控系统的工作过程。
5. 曲轴位置传感器和凸轮轴位置传感器在电控系统中的作用分别是什么？
6. 电控燃油喷射系统的工作原理是什么？
7. 发动机上常用的电控子系统有哪些？（至少说出六个）
8. 开环控制和闭环控制各有何特点？

五、试指出图 1-5 中各编号部件名称

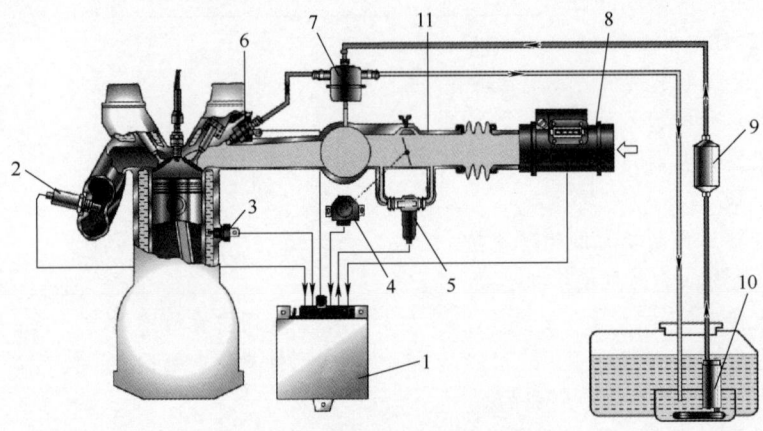

图 1-5　发动机电控系统的基本组成

序号	名　　称	序号	名　　称
1		7	
2		8	
3		9	
4		10	
5		11	
6			

项目二 进气系统的检修

知识目标

1. 了解空气流量传感器、进气歧管压力传感器、节气门体、节气门位置传感器、涡轮增压器、进气温度传感器的功用。
2. 掌握不同类型节气门位置传感器、空气流量传感器、进气歧管压力传感器、进气温度传感器等的工作原理。
3. 能够正确描述可变进气系统的作用、组成和工作原理。
4. 能够正确描述涡轮增压器的组成。
5. 掌握涡轮增压器的工作原理。

技能目标

1. 能够在实车上指认空气滤清器、进气歧管压力传感器、空气流量传感器、节气门体、节气门位置传感器、涡轮增压器和进气温度传感器。
2. 能够使用诊断仪对进气系统故障进行检测,缩小或确定故障部位。
3. 能够根据诊断仪检测结果,分析可能的故障原因。
4. 能够正确查阅维修手册,制订检修工作计划。
5. 能够使用万用表等设备对进气系统的电路部件进行故障诊断。
6. 能够根据维修手册要求,对部件检修更换。

素养目标

1. 在对进气系统进行故障诊断与排除时,必须坚持问题导向。
2. 在分析进气系统故障原因时,必须坚持系统观念,注重把握部件之间的相互关系。
3. 在学习过程中注重沟通表达能力、团队合作能力的培养。

1. 进气系统的认知。
2. 空气流量传感器的检修。
3. 进气歧管压力传感器的检修。
4. 进气温度传感器的检修。
5. 电子节气门的检修。
6. 可变进气增压控制系统的检修。
7. 涡轮增压控制系统的检修。
8. 可变进气系统的检修。

本项目主要学习发动机进气系统的结构以及与进气相关传感器的类型、功用、工作原理及检修方法。进气系统是发动机的重要组成部分，进气系统出现故障会影响可燃混合气的配制，导致可燃混合气变浓或者变稀，从而导致发动机加速无力、怠速不稳和排放不达标等故障现象。通过本项目的学习，使学生掌握进气系统的组成，进气系统相关传感器的功用、类型和工作原理，能够根据诊断仪的指引完成对相关传感器的检查。

学习方法采用讲授、学习海报法、小组合作、小组学习和个人学习法等。

第一课　进气系统概述

一、进气系统的作用、组成和原理

1. 进气系统的作用

进气系统又称为空气供给系统，其功能是向发动机输送清洁、干燥、充足而稳定的空气，以满足发动机的需求，避免空气中杂质及大颗粒粉尘进入发动机燃烧室造成发动机异常磨损。对流入发动机气缸的空气质量进行直接或间接计量，使其在系统中与喷油器喷出的燃油形成空燃比符合要求的可燃混合气。

2. 进气系统的组成

进气系统由空气滤清器、进气波纹管、进气温度传感器、空气流量传感器、节气门体、节气门位置传感器、进气歧管和进气歧管压力传感器等组成，如图 2-1 所示。有些带进气增压控制系统的发动机，进气系统还装有涡轮增压器、谐波增压机构等，在后面的内容中再做具体介绍。

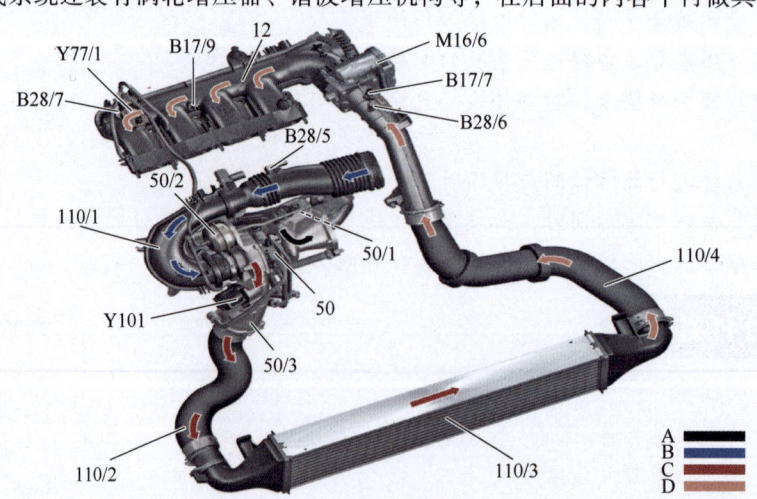

图 2-1　发动机进气系统的结构图

12—增压空气分配器　50—涡轮增压器（ATL）　50/1—增压压力控制阀　50/2—增压压力控制阀真空室　50/3—消声器　110/1—进气道　110/2—增压空气冷却器的增压空气管　110/3—增压空气冷却器　110/4—连接到节气门促动器的增压空气管　B17/7—节气门上游的增压空气温度传感器　B17/9—节气门下游的增压空气温度传感器　B28/5—空气滤清器下游的压力传感器　B28/6—节气门上游的压力传感器　B28/7—节气门下游的压力传感器　M16/6—节气门体　Y77/1—增压压力控制压力转换器　Y101—旁通转换阀　A—排气　B—进气　C—增压空气　D—冷却后空气

（1）**空气滤清器** 空气滤清器的主要作用是清除空气中的微粒杂质。如果滤芯阻塞，就会造成发动机进气量不足，进而造成发动机输出功率不足，燃油经济性变差。空气滤清器由滤芯和壳体两部分组成，如图2-2和图2-3所示。滤芯分为纸质滤芯、织物滤芯和油浴滤芯。目前，我国汽车上多采用纸质滤芯，此滤芯需定期更换。

（2）**进气温度传感器** 进气温度传感器用来检测发动机吸入空气的温度。由于吸入空气温度的变化会引起空气密度变化，因此要用进气温度传感器修正进气量和喷油量。进气温度传感器的安装位置有进气软管上、进气管动力腔、空气滤清器内、空气流量传感器内、进气压力传感器内等多种。图2-4所示为进气温度传感器。

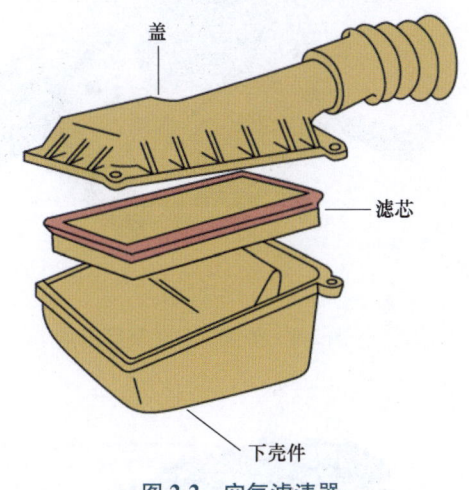

图2-2 空气滤清器

图2-3 空气滤清器滤芯

（3）**空气流量传感器** 空气流量传感器又称为空气流量计，是用来直接测量发动机进气质量的装置。它将吸入的空气转换成电信号送至ECU，作为决定喷油量的基本信号之一。常用的类型有热膜式空气流量传感器（图2-5）和热线式空气流量传感器。

（4）**进气歧管压力传感器** 进气歧管压力传感器将进气管内的压力转化成电压信号，并通过测得的进气压力和发动机转速，间接地计算出进入的空气质量，如图2-6所示。

图2-4 进气温度传感器　　图2-5 热膜式空气流量传感器　　图2-6 进气歧管压力传感器

（5）**节气门体** 节气门体安装在空气流量传感器和发动机之间的进气管上，用来改变进气通道面积，从而控制进气量和发动机运行工况。常见的类型有电子节气门体和传统拉索式节气门体。电子节气门体由节气门位置传感器和节气门电机组成，如图2-7所示；传统拉索式节气门体由机械拉索、节气门、节气门轴组成，如图2-8所示。

在传统节气门中，节气门与驾驶人的加速踏板通过节气门拉锁联动。驾驶人踩下加速踏板通过节气门拉索对节气门进行机械定位。现在汽车上广泛采用电子节气门。驾驶人踩下加速踏板，加速踏板位置传感器将加速踏板的位置转换为电信号，并传递给发动机ECU，ECU实时将驾驶人输入的进气信号传递给节气门电动机,节气门电动机转动到相应的角度。

(6) 增压器 为了增加发动机的进气量,从而提升发动机的动力性能,很多汽车将吸入气缸的空气压缩。压缩的方式有废气涡轮增压、进气谐波增压和机械增压等。目前采用较多的是废气涡轮增压(图2-9)和进气谐波增压(图2-10)。

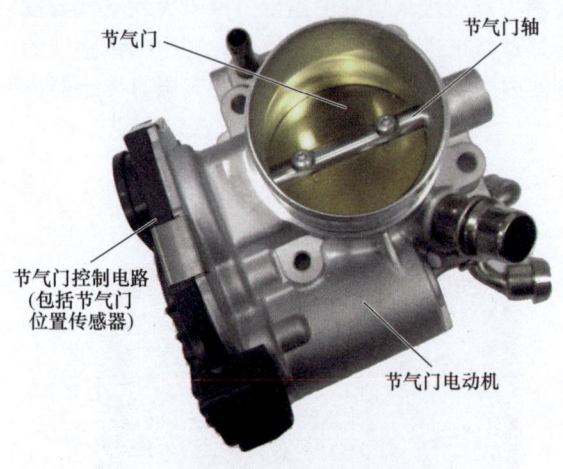

图 2-7 电子节气门体

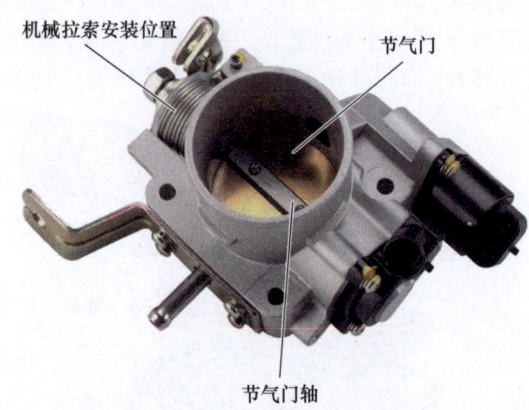

图 2-8 传统拉索式节气门体

图 2-9 涡轮增压器

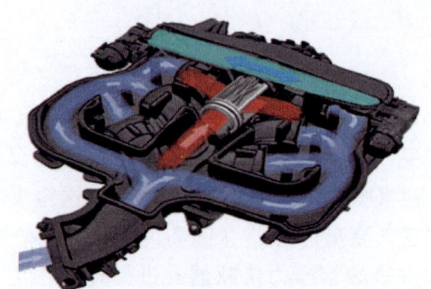

图 2-10 谐波增压和进气长度可调

二、空气流经路径

在进气行程,进气门打开排气门关闭。曲轴转动带动活塞从上止点向下止点运行,活塞上方压力降低,空气被吸入气缸。不同车型的发动机配置不同,空气流经的路径也有所不同。下面介绍三种常见的进气系统空气流经路径,具体车型请参考进气系统图。

1. 装有进气歧管压力传感器的气流路径

空气滤清器→进气温度传感器→节气门体(节气门位置传感器)→进气歧管压力传感器→进气歧管→进气门→气缸。

2. 装有空气流量传感器的气流路径

空气滤清器→空气流量传感器(集成进气温度传感器)→节气门体(节气门位置传感器)→进气歧管→进气门→气缸。

3. 带有废气涡轮增压器的气流路径

空气滤清器→进气歧管压力传感器(空滤后)→废气涡轮增压器→增压空气冷却器→节气门上游进气压力传感器→节气门上游进气温度传感器→节气门体→节气门下游温度传感器→节气门下

游压力传感器（进气歧管压力传感器）→进气歧管→进气门→气缸。

第二课 空气流量传感器

空气流量传感器是测量发动机进气量的装置，它将吸入的空气量转换成电信号送至 ECU，作为决定喷油量的基本信号。空气流量传感器的类型包括体积流量型翼片式和卡门旋涡式，体积流量型翼片式传感器，当进气温度和进气压力变化时，其质量流量会受到影响，因此逐渐被检测结果更为准确的质量流量型传感器热线式和热膜式空气流量传感器所取代。

一、热线式空气流量传感器的结构原理

1. 热线式空气流量传感器的结构

热线式空气流量传感器由取样管、铂金属丝制成的热线、铂金属制成的温度补偿薄膜电阻、控制电路板等组成。

热线式空气流量传感器发热元件为铂金属丝。按其安装位置的不同分为主测量式和旁通道式，其结构如图 2-11 和图 2-12 所示，主测量式热线式空气流量传感器的特点是将热线和进气温度传感器都放到进气主通路中；旁通道式热线式空气流量传感器的特点是将热线缠在绕线管上，与进气温度传感器一起都放在旁通气路内。

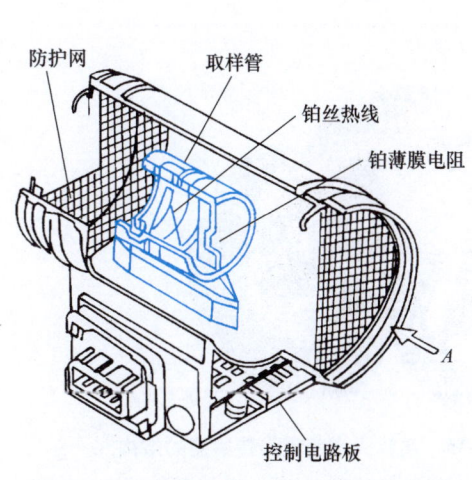

图 2-11 主测量式热线式空气流量传感器

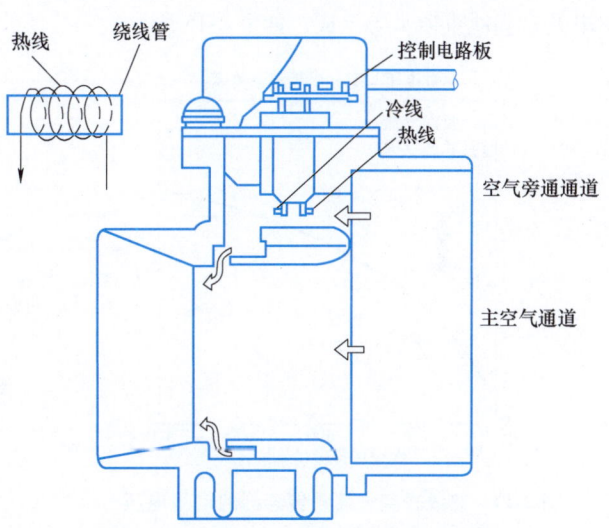

图 2-12 旁通道式热线式空气流量传感器

2. 热线式空气流量传感器的工作原理

热线式、热膜式空气流量传感器都是利用热交换原理制成的，如图 2-13 所示。流过发热元件的空气流量越大，气流带走的热量越多，发热元件为维持恒温所需要的加热电流也就越大；反之，加热电流也越小，因此该加热电流的大小就反映了进气流量的大小。传感器的内部电路只要将该加热电流转变为电压，即可作为传感器的信号。

由于发热元件与气流之间的热交换还受气流温度的影响，因此传感器内部都设有热敏电阻和温度补偿电阻，用于消除温度对输出信号的影响。

热线式空气流量传感器的信号电压随着进气量的增加而增大，信号电压的最大值不超过 5V，具体变化曲线如图 2-14 所示。

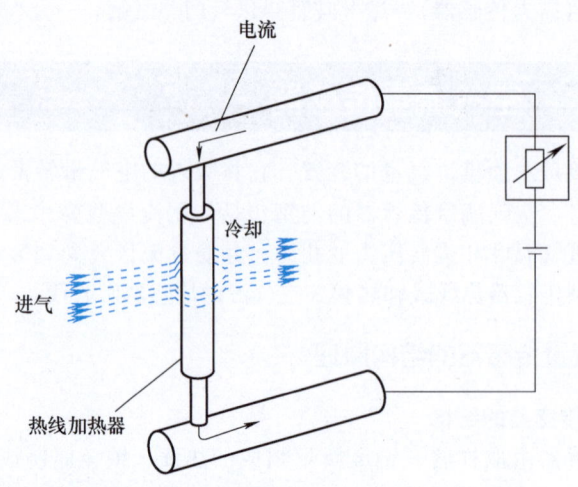

图 2-13 热线式空气流量传感器的工作原理图

二、热膜式空气流量传感器的结构原理

1. 热膜式空气流量传感器的结构

热膜式空气流量传感器由外壳、滤网、导流格栅、贴有铂金属的树脂膜温度补偿电阻、控制电路盒和线束插头等组成，如果 2-15 所示。

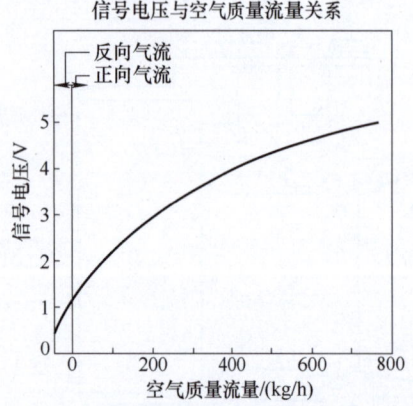

图 2-14 热线式空气流量传感器的信号电压

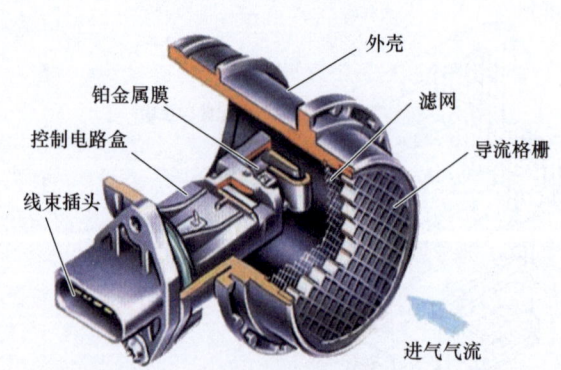

图 2-15 热膜式空气流量传感器的结构

图 2-16 所示为热膜式空气流量传感器控制电路盒的内部结构，热膜式空气流量传感器电气插头共 5 只，电气插头 1 为附件温度传感器（部分车型悬空不用）；电气插头 2 为 +12V 加热电源；电气插头 3 为搭铁；电气插头 4 为 +5V 参考电压；电气插头 5 为信号输出。

目前，很多车型的热膜式空气流量传感器与温度传感器集成在一起，热膜式空气流量传感器需安装在空气滤清器之后，应保证滤清器在其使用寿命范围内效率达到 99%，以减少污染，为了防止空气中的灰尘对空气流量传感器的污染，有些空气还设有加热装置，将灰尘燃烧掉。

2. 带有回流识别功能的热膜式空气流量传感器的工作原理

热膜式空气流量传感器与热线式空气流量传感器基本原理相同，在此不再赘述。下面介绍一种带有回流识别功能的热膜式空气流量传感器，这种传感器通过打开和关闭气门，在进气管内产生进气质量的回流。带有回流识别功能的热膜式空气流量传感器识别回流的空气质量并将其作为信号传输给发动机控制单元，使空气质量的测量非常准确。带有回流识别功能的热膜式空气流量传感器装有两个进气温度传感器,如图 2-17 所示,V_1 和 V_2 为温度传感器。进气时,空气从 V_1 向 V_2 方向在传感器元件上流过,空气使传感器 V_1 冷却。由于空气经过加热元件加热,V_2 的冷却程度没有 V_1 那样高,因此 V_1 的温度低于 V_2 的温度,电子电路根据温差识别进气量。

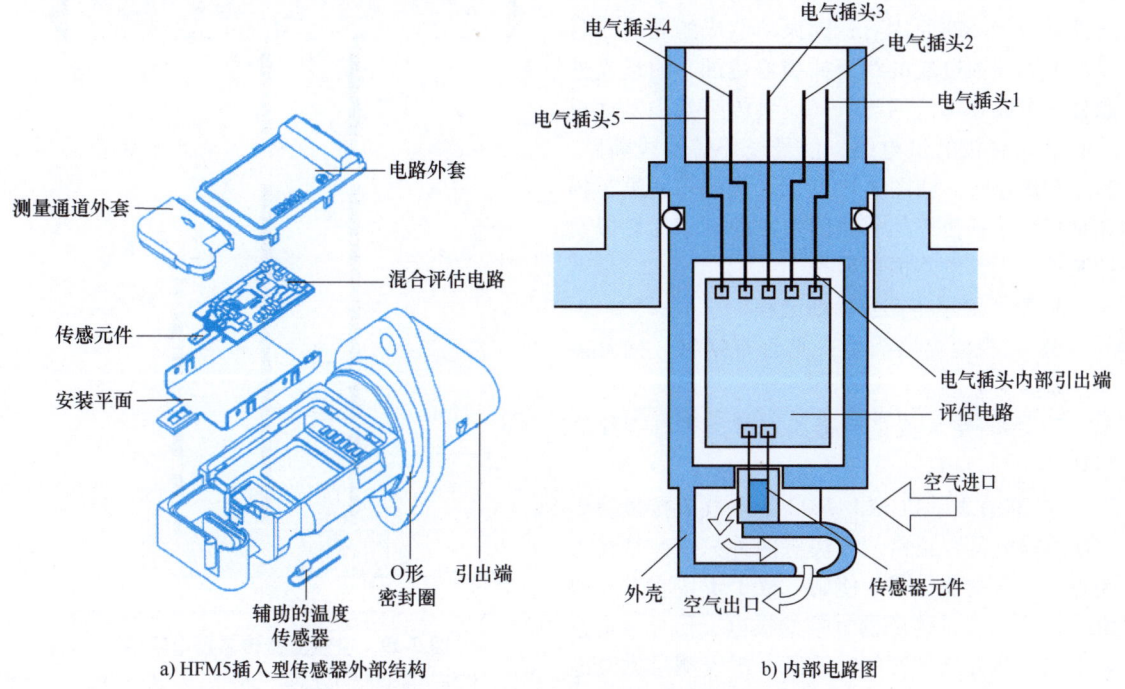

图 2-16　热膜式空气流量传感器控制电路盒的内部结构

如图 2-18 所示,空气反向流动时,V_2 的冷却程度高于 V_1,因此 V_2 的温度低于 V_1 的温度。电子电路识别出此时是回流空气,电子电路从进气量中减去回流空气质量并将结果通知发动机控制单元。这种传感器通过对比 V_1 与 V_2 的温度差,来判断空气是否发生回流。

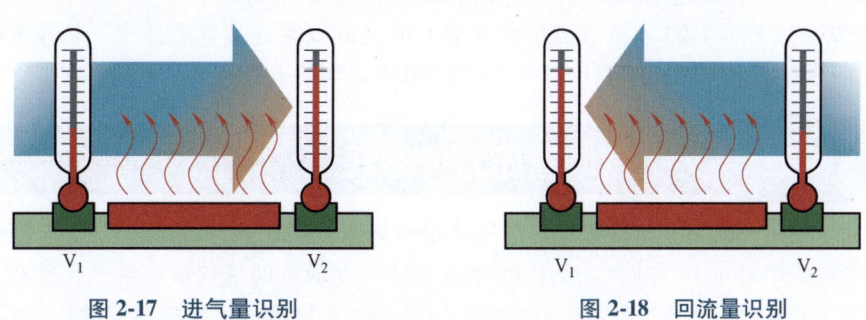

图 2-17　进气量识别　　　　　　图 2-18　回流量识别

三、空气流量传感器的检修

1. 空气流量传感器失效可能引起的故障现象

空气流量传感器失效后,通过节气门位置传感器和曲轴位置传感器提供的节气门开启角度和发动机转速信号计算进入的空气质量。由于采用替代信号,可能会造成空气质量计算不准确,导致混合气浓度过浓或者过稀,引起发动机起动困难、怠速不稳、动力下降和油耗增大等故障现象。

2. 空气流量传感器失效的原因

空气流量传感器失效包括元件本身失效、电路损坏和控制单元端子损坏三大类。其中，造成元件本身损坏的原因有：因振动造成的元件本身损坏、因腐蚀造成的线束插接器锈蚀、测量元件漂移。电路损坏包括与空气流量传感器和发动机控制单元直接的供电线、信号线、搭铁线断路、短路和虚接等，如图2-19所示。控制单元端子损坏是指由于插拔不当等原因造成的端子损坏以及控制单元内部电路损坏等。

3. 空气流量传感器诊断流程

1）目视检查插头接口是否有锈蚀、接触点连接是否有松动。

2）检查空气流量传感器本身是否有裂纹和损坏。

3）检查发动机ECU J623给空气流量传感器G70的供电是否正常。方法有两种：一种是在关闭点火开关的前提下，使用三根T形线将发动机ECU与空气流量传感器直接的供电、信号、搭铁线引出。打开点火开关，使用万用表测量供电电压正常值为7.5~14V，信号电压正常值为1~5V；

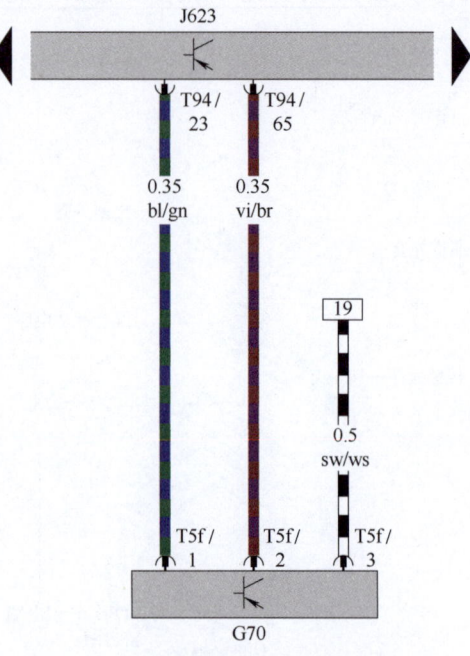

图2-19 空气流量传感器电路图
G70—空气流量传感器 J623—发动机ECU

另一种方法是断开空气流量传感器线束插头，打开点火开关，使用万用表测量来自发动机ECU端的端子，如果有7~14V，该端子从发动机ECU供电正常；如果没有7~14V，请检查线束是否断路和发动机ECU供电端子是否正常。

4）检查空气流量传感器G70信号电压是否正常。采用第一种方法，两人配合，一人着车踩加速踏板，信号电压应随着加速踏板踩下角度增大而增大，最大值为5V。

5）检查发动机ECU J623和空气流量传感器G70之间线束连接是否正常。断开蓄电池负极，用万用表欧姆档测量T94/23到T5f/1、T94/65到T5f/2之间的电阻应该小于1Ω。

第三课 进气歧管压力传感器

进气歧管压力传感器属于间接测量式空气流量传感器，ECU通过进气歧管压力传感器测量发动机进气歧管内的绝对压力，结合发动机的转速来计算发动机的进气量。由于其具有工作可靠、尺寸小和成本低等优点，起初在许多中低端车上应用。随着EGR和涡轮增压技术在汽车上的应用，有些中高端汽车在现有空气流量传感器中通过附加进气歧管压力传感器对EGR系统进行诊断，在涡轮增压器前、后装有压力传感器来检测涡轮增压器工作是否正常。

一、进气歧管压力传感器的结构原理

1. 进气歧管压力传感器的结构

压力传感器种类较多，其信号产生的原理也多种多样，但其外形及结构都大同小异。目前，车上应用较多的是半导体压敏电阻式进气歧管压力传感器。半导体压敏电阻式进气歧管压力传感

器的外形如图 2-20 所示，它是利用半导体的压电效应原理制成的，这种传感器是将硅片的周边固定在基座上，再将整体封入一壳体内，并在壳体内形成真空，当通道口与进气管相连接时，进气管内的压力就会使传感器内的膜片产生压力，此时由应变电阻组成的电桥电路就会输出与进气管内压力成比例的电压。由于基准压力是真空的压力，使用这种压力传感器可以测定出绝对压力。该传感器具有体积小、精度高、成本低、可靠性与抗振性好等特点，在汽车上得到了广泛应用。

2. 进气歧管压力传感器的工作原理

如图 2-22 所示，进气歧管压力会随着进气量的增大而加大，气体压力作用在硅片上，硅片发生变形，进气压力越大，硅片变形越大；进气压力越小，硅片变形越小。硅片变形引起其电阻阻值变化，从而导致图 2-21 的电桥中输出的信号电压发生变化。信号电压的变化随着进气量的增加线性增大，如图 2-23 所示。

图 2-20　半导体压敏电阻式进气歧管压力传感器的外形

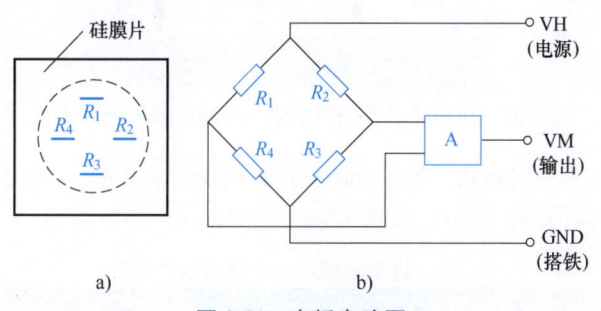

图 2-21　电桥电路图

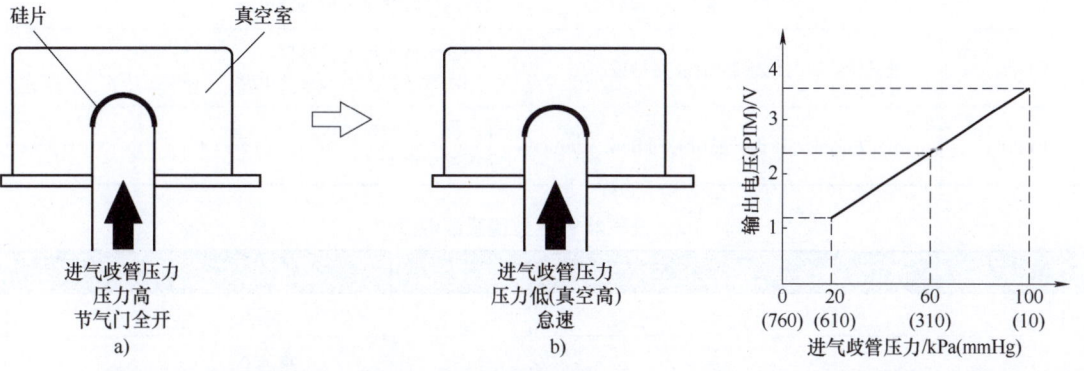

图 2-22　进气歧管压力传感器的工作原理示意图　　图 2-23　进气歧管压力传感器信号电压

二、进气歧管压力传感器的检修

下面以大众迈腾 2.0L 发动机进气歧管压力传感器为例，介绍传感器的检查方法。迈腾发动机进气歧管压力传感器的电路连接如图 2-24 所示，G71 为进气歧管压力传感器，G42 为进气温度传感器，两个传感器共用搭铁线。

1）读取故障码。将诊断仪 VAS6150 连接到车辆诊断插口，开启诊断仪，按提示选择车辆，单击"诊断"识别车辆，快测以后单击"读取故障存储器"菜单，当传感器或电路有故障时，发动机 ECU 会存储相关故障码（表2-1）。

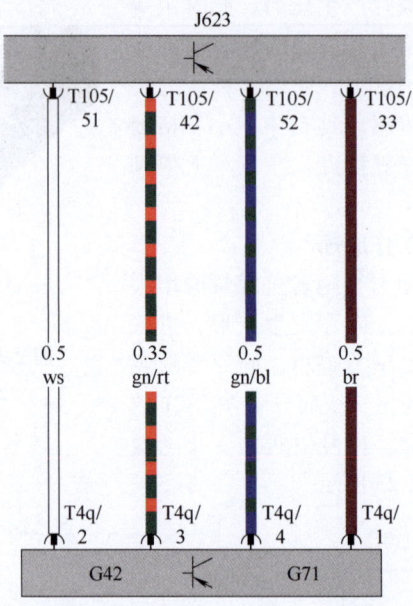

图 2-24　迈腾发动机进气歧管压力传感器的电路连接

2）读取数据流。使发动机暖机，通过诊断仪选择测量值菜单项，读取数据流（表2-2）。如果传感器数据流不在正常范围内，说明传感器或电路有故障。

表 2-1　进气歧管压力传感器故障码表

故障码	故障码的含义	故障部位
P1155	进气歧管压力传感器对正极短路	1）进气歧管压力传感器 2）进气歧管压力传感器电路
P1156	进气歧管压力传感器断路/对搭铁短路	1）进气歧管压力传感器 2）进气歧管压力传感器电路
P1158	进气歧管压力传感器信号错误	1）进气歧管压力传感器 2）发动机 ECU

表 2-2　进气歧管压力传感器数据流

测试条件	标准值/kPa
急速	55~73
急加速	最大87
急减速	最小6

3）测量进气压力信号。拆下进气歧管压力传感器，连接好传感器线束，按图2-25所示对传感器施加真空压力，根据进气歧管压力传感器信号曲线，测量传感器信号电压是否符合标准。电压范围为0.5~4.5V，对应于15~120kPa 的进气压力，如果电压不符合标准，则更换进气歧管压力传感器。

4）测量电路。

① 检查供电电路。断开进气歧管压力传感器插接器，打开点火开关，用万用表测量传感器1号端子与车身搭铁之间的电压。标准电压为5V。

项目二　进气系统的检修

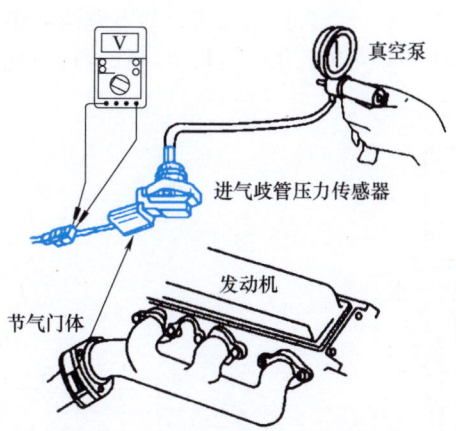

图 2-25　进气歧管压力信号的检查

② 检查连接电路。断开进气歧管压力传感器插接器，断开发动机 ECU 插接器，根据电路图，对电路电阻进行测量（表 2-3），如果测量值不在标准范围内，则说明电路有故障，需要对电路进行维修。

表 2-3　进气歧管压力传感器电路检查表

检测项目	标准值	检测条件
传感器端子 1、4 与车身搭铁	10kΩ 或更大	始终
传感器端子 1 与 ECU 端子 33	小于 1Ω	始终
传感器端子 4 与 ECU 端子 52	小于 1Ω	始终
传感器端子 3 与 ECU 端子 42	小于 1Ω	始终

第四课　进气温度传感器

为了更好地反映车辆的状况，汽车上装有温度传感器，常用的温度传感器是进气温度传感器和冷却液温度传感器，有涡轮增压器的汽车在中间冷却器前后也装有温度传感器，用以监测中间冷却器的工作效果。无论是冷却液温度传感器还是进气温度传感器，均采用的是负温度系数的热敏电阻，将温度信号转换为电压信号传给 ECU。

一、进气温度传感器的基本结构与工作原理

进气温度传感器主要由负温度系数热敏电阻、金属引线和壳体组成。负温度系数热敏电阻简称为 NTC，是指电阻值随温度的上升而减小的电阻。

进气温度传感器采用两端子，一般安装在发动机进气管上，或者和空气流量传感器制成一体，用于测量发动机进气温度。ECU 利用进气温度信号可以将进气的体积流量换算为质量流量，同时还可以根据进气温度来实现特定的控制功能，如在低温时，可以增大喷油量，以便发动机稳定运转，其实物图如图 2-26 所示。

进气温度传感器的结构如图 2-27 所示，其核心元件为

图 2-26　进气温度传感器实物图

NTC，两个插头一个为信号插头，另一个为搭铁插头，其电路图如图 2-28 所示。发动机 ECU 内部提供一个 5V 的供电电压，经过 ECU 内部分压电阻 R_1 后，再经过热敏电阻 R_t 后通过 ECU 内部搭铁。

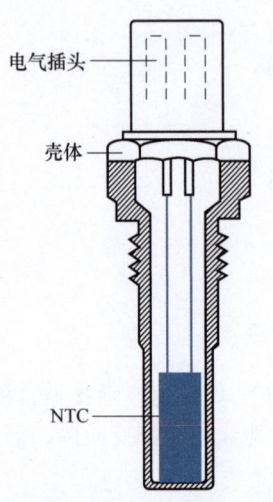

图 2-27 进气温度传感器的结构

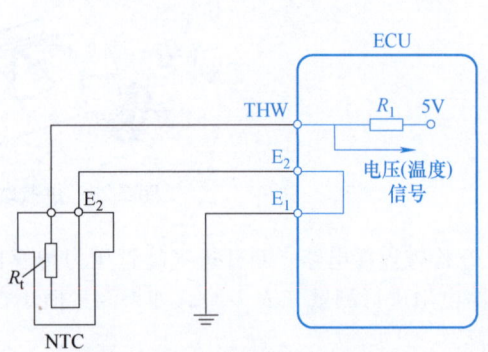

图 2-28 进气温度传感器的电路图

进气温度传感器传给发动机 ECU 的信号电压为热敏电阻 R_t 在与 R_1 的串联电路中分得的电压，其最大值不超过 5V。当进气温度升高时，热敏电阻 R_t 的电阻随之降低，信号电压也随之降低。

二、进气温度传感器的诊断与检修

1. 进气温度传感器失效故障现象

进气温度传感器失效一般不会有明显的故障现象，因为当发动机 ECU 检测不到进气温度传感器信号或是当检测到信号超过正常范围时，将会采用其他温度传感器信号进行替代。

2. 进气温度传感器失效的原因

进气温度传感器常见的故障包括电路故障和元件本身故障。电路（图 2-29）故障包括信号线和搭铁线短路、断路和虚接。元件本身故障主要是热敏电阻断路和进气温度传感器信号超出规定范围，温度范围为 $-40 \sim 140℃$。

3. 进气温度传感器的检修

1）读取故障码。将诊断仪连接到诊断插口，将点火开关置于"ON"位置。读取故障码，当进气温度传感器本身或电路有故障时，发动机 ECU 会存储相关的故障码。

2）读取数据流。使发动机暖机，通过诊断仪读取数据流，数据流应与当前空气温度相同，温度范围为 $-40 \sim 140℃$。如果传感器数据流不在正常范围内，说明传感器本身或电路有故障。

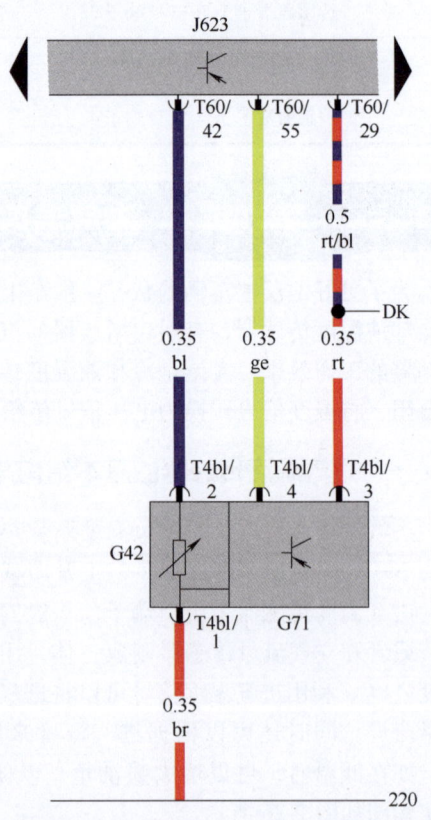

图 2-29 大众迈腾进气温度传感器电路图

3）测量电阻值及信号。断开进气温度传感器线束，根据进气温度传感器特性曲线测量温度与电阻的对应关系，如图 2-30 所示，用万用表测量进气温度传感器的电阻值。进气温度传感器的电阻随着温度在 0.23~300kΩ 的范围内变化。连接进气温度传感器线束，将点火开关置于"ON"位置，测量传感器信号电压是否符合标准。电压范围约为 0.5~4.5V。

4）测量电路。

① 检查信号电路。如图 2-29 所示，断开进气温度传感器插接器，打开点火开关，用万用表测量进气温度传感器 G42 端子 T4b1/2 与车身搭铁之间的电压，标准电压为 5V。电压值为 0V 时，关闭点火开关，用万用表欧姆档测量端子 T60/42 与 T4b1/2 的电阻，如果小于 1Ω，检查 J623 端子；如果为无穷大，说明端子 T60/42 与 T4b1/2 电路断路。

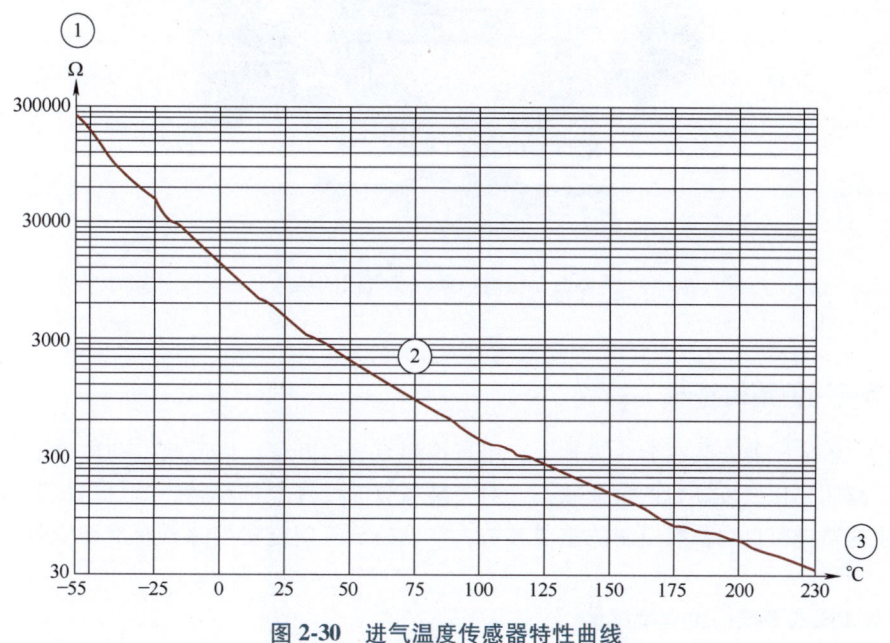

图 2-30　进气温度传感器特性曲线

② 检查连接电路。断开进气温度传感器插接器，断开发动机 ECU 插接器，断开蓄电池负极，使用万用表欧姆档测量端子 T4b1/2 对蓄电池负极电阻，应该不超过 1Ω，如果为无穷大，说明进气温度传感器接电线断路。

第五课　电子节气门

一、节气门体总成的结构及控制原理

1. 机械拉索式节气门

如图 2-31 所示，节气门是一个圆形的钢片，中间有一根轴和节气门拉索连接，并由节气门拉索控制。节气门体分为机械执行器、节气门片和节气门位置传感器三部分。当驾驶人踩下加速踏板时，通过机械机构拉动节气门拉索，节气门拉索拉动节气门轴转动，节气门片随节气门转动。

2. 电子节气门的总成结构

电子节气门总成由节气门、节气门执行器（驱动电机）和节气门角度传感器等构成，具体结构如图 2-32b 所示。当驾驶人踩下加速踏板时，加速踏板位置传感器将加速踏板的位置信号传送给发动机 ECU，发动机 ECU 根据发动机转速信号、加速踏板位置等信号计算出节气门转动角度，控制

节气门驱动电机动作,带动节气门轴转动至相应位置。节气门位置传感器将节气门轴转动的角度信号传给发动机 ECU。

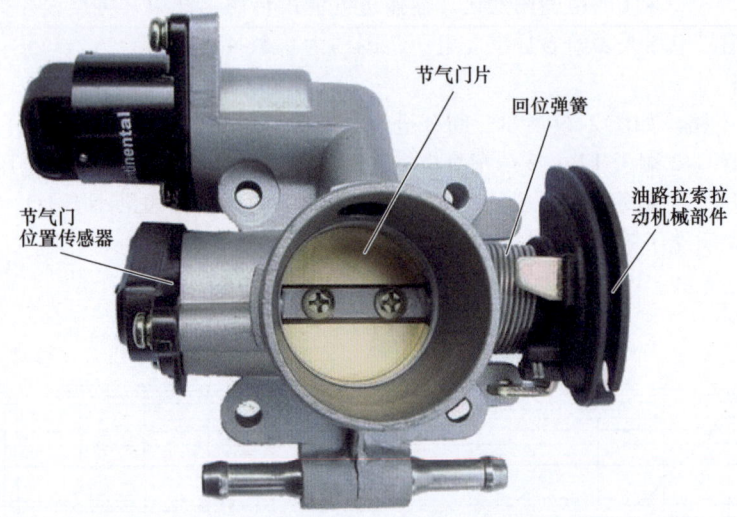

图 2-31 机械拉索式节气门的结构

二、节气门位置传感器

节气门位置传感器安装在节气门轴上,用来检测节气门开度,以反映发动机的不同工况(怠速、加速、减速)以及发动机的负荷状态。对于装备自动变速器的车辆,节气门位置传感器信号还是自动变速器进行自动换档控制的重要参数。常见的节气门位置传感器有滑动变阻式和霍尔式两种类型。

1. 滑动变阻式节气门位置传感器

如图 2-33 所示,滑动变阻式节气门位置传感器是电位器式的角度传感器,有一个或两个特性,带触头的滑动臂与节气门轴连接,滑动触头在薄膜电阻上滑动,将节气门的转角转换成与转角成比例的相对电压值,滑动变阻式节气门位置传感器的工作电压为 5V。

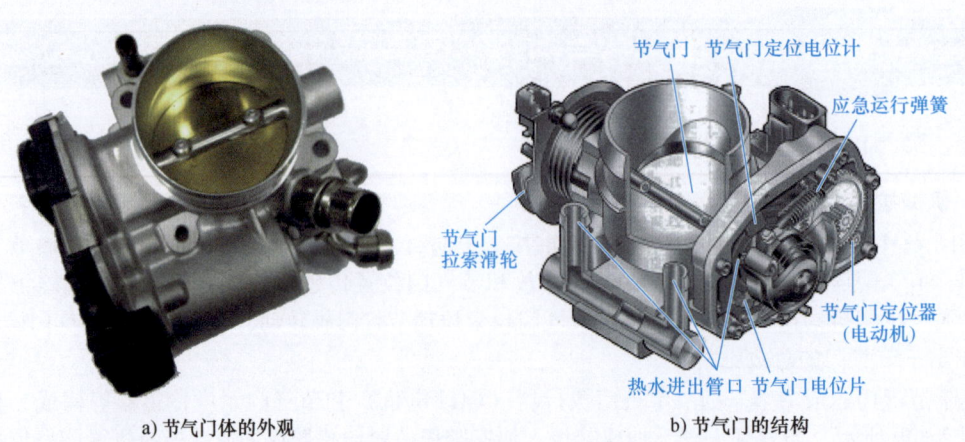

a) 节气门体的外观　　b) 节气门的结构

图 2-32 节气门的外观和结构

项目二 进气系统的检修

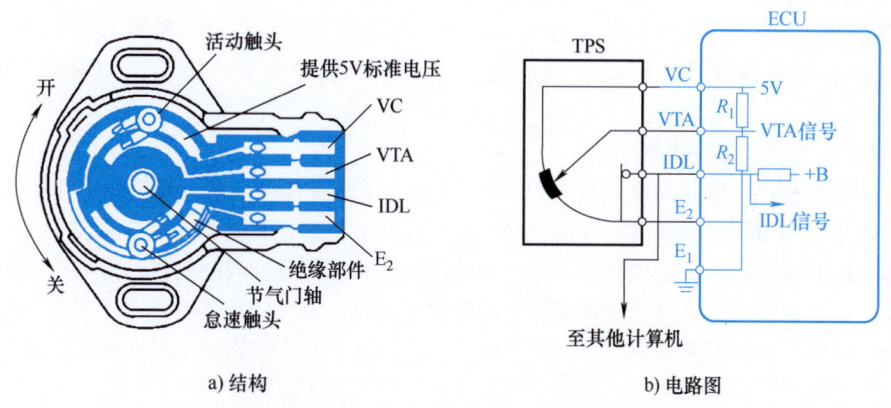

a) 结构　　　　　　　　　　　　　　b) 电路图

图 2-33　滑动变阻式节气门位置传感器

2. 霍尔式节气门位置传感器

霍尔式节气门位置传感器包括固定在轴上的磁铁、能根据磁通量密度输出电压的霍尔IC以及介于两者之间具有引导磁通量功能的定子，如图2-34所示。节气门全闭时，通过霍尔IC的磁通量密度保持在最小值，以得到最小的电压输出；节气门全开时，通过霍尔IC的磁通量密度保持在最大值，以得到最大的电压输出。节气门位置传感器同时有两个信号输出，从而可以提高系统监测的准确性，并加强了失效安全保护的功能，以提高可靠性。霍尔式节气门位置传感器的导通性不能用万用表检测，其性能好坏可以通过示波器检测信号电压波形来进行判断。

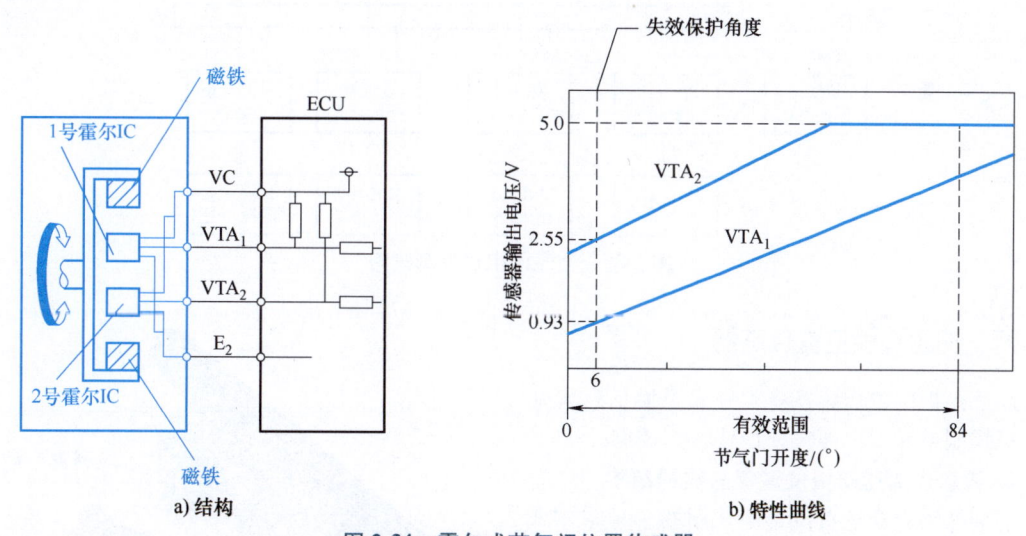

a) 结构　　　　　　　　　　　　　　b) 特性曲线

图 2-34　霍尔式节气门位置传感器

三、节气门驱动电机

节气门驱动电机是电子节气门的执行机构，由它来推动节气门，以控制节气门的开度，其工作受节气门控制单元控制。节气门驱动电机一般为步进电动机或直流电动机，两者的控制方式也有所不同。

1. 驱动步进电动机控制原理

驱动步进电动机常采用H桥电路结构，控制单元通过发出的脉冲个数、频率与方向控制电平对步进电动机进行控制。电平的高低控制步进电动机转动的方向；脉冲个数控制电动机转动的角度，即发出一个脉冲信号，步进电动机就转动一个步进角；脉冲频率控制电动机转速，转速与脉冲频率成正比。因此，通过对上述三个参数的调节可以实现对驱动步进电机精确定位与调速。

2. 控制直流电动机控制原理

控制直流电动机采用脉冲宽度调制（PWM）技术，其特点有频率高、效率高、功率密度高与可靠性高。控制单元通过调节脉冲宽度调制信号的占空比，来控制直流电动机转角的大小；电动机方向则是由和节气门相连的回位弹簧控制的。电动机输出转矩和脉冲宽度调制信号的占空比成正比，即当占空比一定，电动机输出转矩与回位弹簧阻力矩保持平衡时，节气门开度不变；当占空比增大时，电动机驱动转矩克服回位弹簧阻力矩，节气门开度增大；反之，当占空比减小时，电动机输出转矩和节气门开度也随之减小。

3. 控制策略

当驾驶人操纵加速踏板，加速踏板位置传感器产生相应的电压信号输入给节气门控制单元，节气门控制单元首先对输入的信号进行滤波，以消除环境噪声的影响，然后根据当前的工作模式、踏板移动量和变化率解析驾驶人意图，计算出对发动机转矩的基本需求，得到相应的节气门转角的基本期望值。然后再经过 CAN 总线和整车控制单元进行通信，获取其他工况信息以及各种传感器信号，如发动机转速、档位、节气门位置和空调能耗等，由此计算出整车所需求的全部转矩，通过对节气门转角期望值进行补偿，得到节气门的最佳开度，并把相应的电压信号发送到驱动电路模块，驱动电机使节气门达到最佳的开度位置。节气门位置传感器则把节气门的开度信号反馈给节气门控制单元，形成闭环的位置控制，如图 2-35 所示。

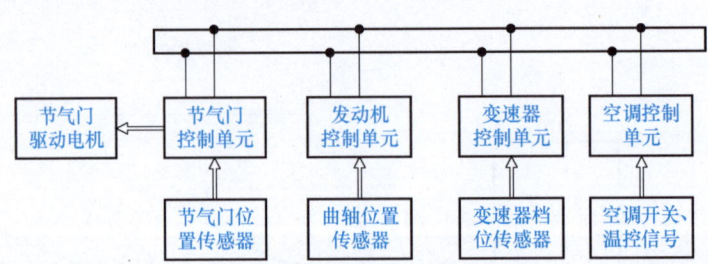

图 2-35 节气门电机控制策略

四、加速踏板位置传感器

加速踏板位置传感器将驾驶人意愿信息告知发动机控制单元，以便实现最佳转矩控制。

1. 霍尔式加速踏板位置传感器的结构

下面介绍大众进口汽车中采用的一种霍尔式加速踏板位置传感器，该霍尔式传感器与前面介绍的霍尔式传感器不同之处为磁场采用的是通电线圈而非永久磁铁，具体结构如图 2-36 所示。该传感器由两个垂直排列的浮动传感器构成，属于无摩擦结构。

2. 霍尔式加速踏板位置传感器的工作原理

霍尔式加速踏板位置传感器的工作原理如图 2-37 所示。

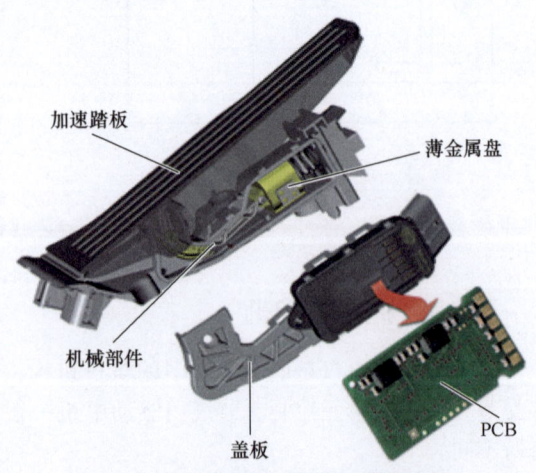

图 2-36 加速踏板位置传感器的结构

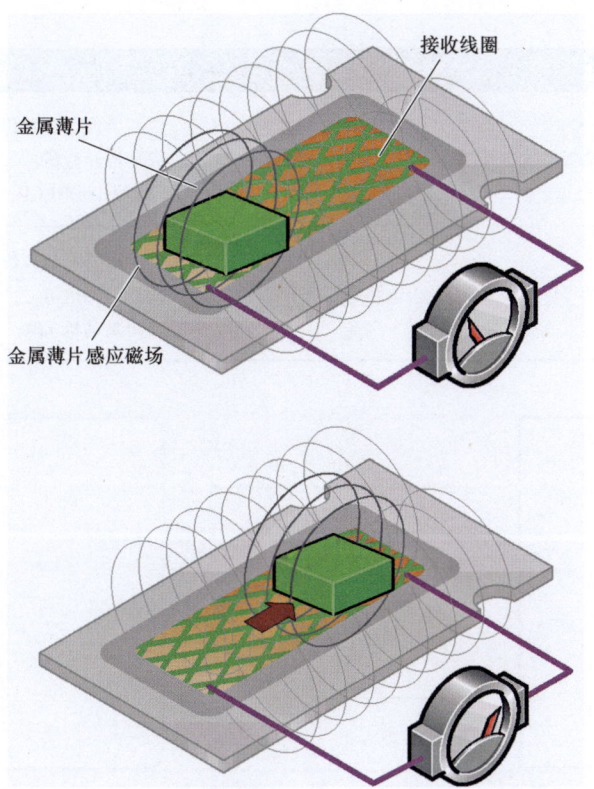

图 2-37 霍尔式加速踏板位置传感器的工作原理图

霍尔式加速踏板位置传感器为浮动传感器，无摩擦、使用寿命长，整体式传感器不需要进行强制低速档基本设定。

一个传感器信号失真或中断，如果另一个传感器处于怠速位置，则发动机进入怠速工况；如果是负荷工况，则发动机转速上升缓慢。若两个传感器同时出现故障，则发动机高怠速（1500r/min）或怠速运转。

五、节气门位置传感器的检修

下面以卡罗拉 1.6L 发动机节气门位置传感器为例介绍传感器的检查方法，该车节气门位置传感器的电路连接如图 2-38 所示。其采用两个霍尔式的节气门位置传感器，两个传感器的信号互相参考，能够有效识别出节气门位置传感器的故障。

1）读取故障码。将诊断仪连接到诊断插口，将点火开关置于"ON"位置。开启诊断仪，选择菜单项 Powertrain/Engine and ECT/DTC，读取故障码，当传感器本身或电路有故障时，发动机 ECU 会存储相关故障码（表 2-4）。

表 2-4 节气门位置传感器故障码

故障码	故障码含义	故障部位
P0120	节气门/踏板位置传感器/开关电路故障	1）节气门位置传感器 2）发动机 ECU
P0121	节气门/踏板位置传感器/开关电路范围/性能故障	1）节气门位置传感器 2）发动机 ECU

(续)

故障码	故障码含义	故障部位
P0122	节气门/踏板位置传感器/开关电路低输入	1) 节气门位置传感器 2) 电路故障 3) 发动机ECU
P0123	节气门/踏板位置传感器/开关电路高输入	1) 节气门位置传感器 2) 电路故障 3) 发动机ECU

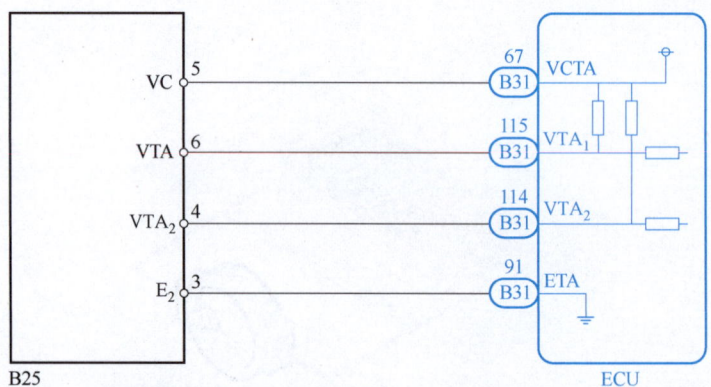

图 2-38 卡罗拉 1.6L 发动机节气门位置传感器的电路连接

2）读取数据流。通过诊断仪选择菜单项 Powertrain/Engine and ECT/Data List，读取数据流，数据流见表 2-5。如果传感器数据流不在正常范围内，则说明传感器本身或电路有故障。

表 2-5 节气门位置传感器数据流

检查项目	标准值	检测条件
1号节气门位置传感器电压	0.5~1.1V：加速踏板松开 2.6~4.5V：加速踏板完全踩下	在点火开关置于"ON"位置 （不要起动发动机）
2号节气门位置传感器电压	1.2~2.0V：加速踏板松开 3.4~5.0V：加速踏板完全踩下	在点火开关置于"ON"位置 （不要起动发动机）
1号加速踏板绝对位置	10%~22%：加速踏板松开 52%~90%：加速踏板完全踩下	在点火开关置于"ON"位置 （不要起动发动机）
2号加速踏板绝对位置	24%~40%：加速踏板松开 68%~100%：加速踏板完全踩下	在点火开关置于"ON"位置 （不要起动发动机）
节气门位置传感器是否检测到急速	ON：急速运转 OFF：发动机关闭	急速运转发动机熄火， 点火开关置于"ON"位置

3）测量信号。将点火开关置于"ON"位置，用万用表测量节气门位置传感器信号电压是否符合标准。传感器 1 电压范围为 0.5~4.5V，传感器 2 电压范围为 1.2~5.0V。

4）测量电路。

① 检查供电电路。断开节气门位置传感器连接线束，打开点火开关，用万用表测量传感器 5 号端子与 3 号端子之间的电压，标准电压值为 5V。

② 检查连接电路。断开节气门位置传感器与发动机 ECU 之间的连接线束，根据电路图，对电路电阻进行测量（表 2-6），如果测量值不在标准范围内，则说明电路有故障，需要对电路进行维修。

表 2-6 节气门位置传感器线束检查表

检测项目	标准值	检测条件
B25-5（VC）或 B31-67（VCTA）与车身搭铁	10kΩ 或更大	始终
B25-6（VTA）或 B31-115（VTA$_1$）与车身搭铁	10kΩ 或更大	始终
B25-4（VTA$_2$）或 B31-114（VTA$_2$）与车身搭铁	10kΩ 或更大	始终
B25-5（VC）与 B31-67（VCTA）	小于 1Ω	始终
B25-3（E$_2$）与 B31-91（ETA）	小于 1Ω	始终
B25-4（VTA）与 B31-114（VTA$_2$）	小于 1Ω	始终
B25-6（VTA）与 B31-115（VTA$_1$）	小于 1Ω	始终

第六课　可变进气增压控制系统

发动机在不同的工况时所需要的进气量大小不同，当发动机转速低时，所需要的进气量少；高转速时，发动机需要输出较大的转矩，所以需要提高发动机的进气量，以提高发动机输出功率。进气增压控制系统能够实现发动机在高速运转和低速运转时对进气量变化的要求，可变进气增压控制系统分为进气道长度可变增压控制系统、进气道横截面面积可变增压控制系统和谐波增压控制系统。

一、进气道长度可变增压控制系统

可变进气增压控制系统是利用改变进气管的长度或者截面面积来改变高低速时发动机进气量的大小，可分为动力阀控制系统和谐波增压控制系统两种。

1. 进气道长度可变增压控制系统的结构

如图 2-39 所示，进气道长度可变增压控制系统由真空软管、真空控制电磁阀和执行器总成等部件组成。该系统由发动机 ECU 控制，真空是执行器的动力源（图 2-40）。执行器安装在进气歧管中，通过改变进气道有效长度，实现中低速谐波增压。

2. 进气道长度可变增压控制系统的工作原理

当车辆处于中低速运行时，ECU 控制真空电磁阀打开真空管路，转换阀门关闭，此时处于长进气道状态，如图 2-41a 所示。

当发动机高转速运行时，ECU 控制真空电磁阀关闭真空管路，转换阀门开启，此时处于短进气道状态，如图 2-41b 所示。

采用进气长度可变增压控制的典型车型有别克凯越 1.6L，科鲁兹 1.6L LDE、1.8L 2HO 等发动机。

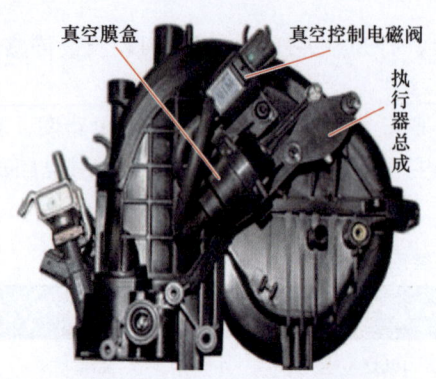
图 2-39 进气道长度可变增压控制系统的组成

图 2-40 进气道长度可变增压控制系统的整体结构

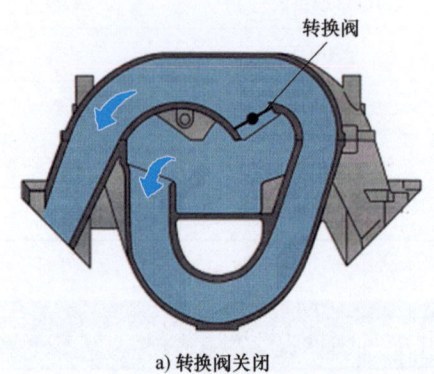
a) 转换阀关闭

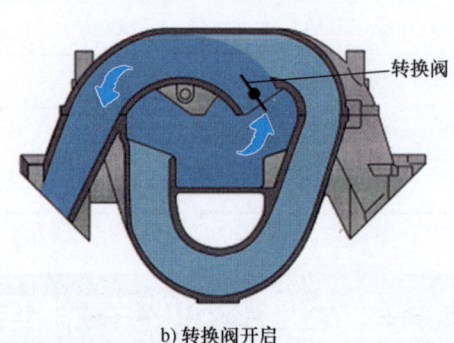
b) 转换阀开启

图 2-41 进气道长度可变增压控制系统的工作原理图

二、进气道横截面面积可变增压控制系统

进气道横截面面积可变增压控制系统是通过改变进气管截面面积来改变发动机高速和低速时进气量的一种控制系统，可以适应发动机不同转速和负荷时对进气量的需求，从而改善发动机的动力性。控制原理图如图 2-42 所示。

对于四气门的发动机，每个气缸有四个气门、两进气门、两排气门。通过两个进气门各配有一个进气通道，其中一个进气通道中装有进气转换阀。

发动机低速，中、小负荷时，转换阀关闭，只利用一个进气通道，进气通道的有效截面变小，进气流速提高，提高发动机低速转矩。

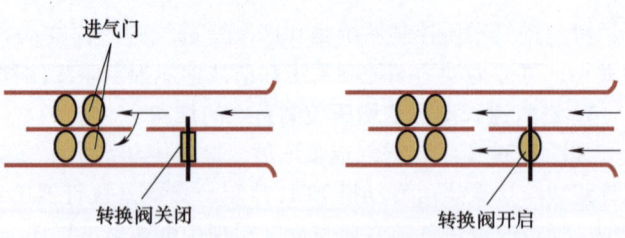

图 2-42 进气道横截面面积可变增压控制系统控制原理图

当发动机高转速大负荷工作时，发动机 ECU 控制转换阀开启，两条进气通道同时工作，此时进气截面增大，进气阻力减小，充气量增加，可提高发动机高速时的动力性（功率增加）。

采用进气道横截面面积可变增压控制系统典型车型有新赛欧 1.2L（LMU）/1.4L（LCU）、雪佛兰乐风乐驰发动机等。

三、谐波增压控制系统

谐波增压原理是指发动机进气门在关闭时气体会因为惯性而保持对进气门的撞击,然后形成反弹,在进气门和节气门之间形成振荡。如果下一次进气门打开时,振荡刚好冲到进气门,就会使这一次的进气出现一个微小的增压效应,使进气效率变得更强。奔驰 276.9 发动机进气系统是一种进气长度、横截面面积可变并带有谐振腔的进气系统。

如图 2-43a 所示,当发动机负荷低于 50%,发动机转速低于 3200r/min 的情况下,控制筒关闭,空气通过左右两侧长进气道进入气缸。如图 2-43b 所示,当发动机负荷高于 50%,发动机转速在 3200~4250r/min 情况下,控制筒关闭,控制单元根据发动机负荷和发动机转速,通过搭铁信号给谐振风门转换阀通电,谐振风门开启,部分气体进入谐振腔。如图 2-43c 所示,发动机负荷高于 50%,发动机转速高于 4250r/min,控制筒开启,谐振风门开启,气体通过左右两侧长进气道,控制筒控制短进气道和谐振腔进气,实现增压。

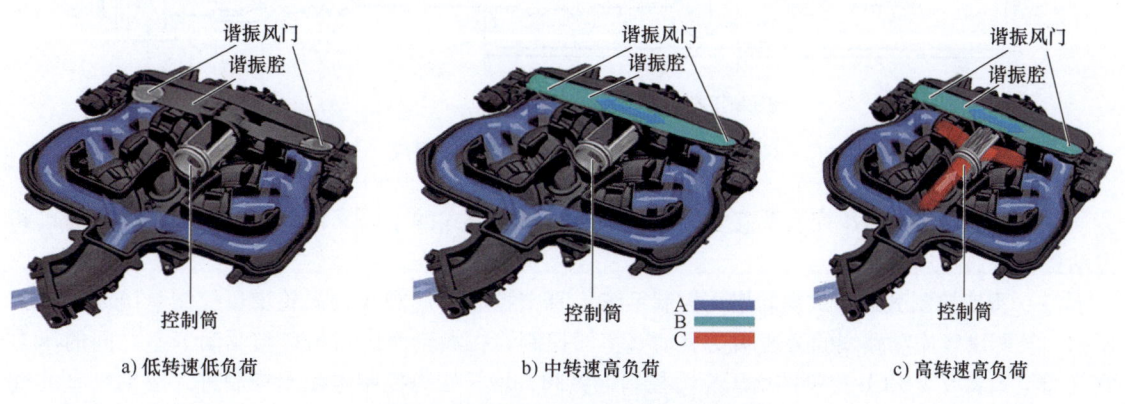

a) 低转速低负荷　　b) 中转速高负荷　　c) 高转速高负荷

图 2-43　奔驰 276.9 发动机进气系统

第七课　涡轮增压控制系统

涡轮增压控制系统是一种动力增压控制系统,按其动力源的不同,可分为机械增压、涡轮增压、复合增压和气波增压等形式。目前,应用较为广泛的是涡轮增压控制系统。

一、涡轮增压控制系统

1. 组成

涡轮增压控制系统是利用发动机排出废气能量来驱动增压装置进行工作。图 2-44 所示为真空控制旁通阀式的涡轮增压控制系统主要由增压器、冷却器和控制装置组成。当发动机工作时,发动机排出的废气冲击安装在排气管道中的动力涡轮,使动力涡轮转动,同时,动力涡轮带动与其同轴的安装在进气管道中的增压涡轮,使其一同转动。增压涡轮相当于一个空气压缩机,可将进气管道内的空气增压后送至气缸,以提高发动机的进气量,提高发动机的输出功率。另外,为了降低增压后空气的温度,在进气管道中通常安装有冷却器,以对增加后的空气进行冷却;为了实现对增压系统压力进行控制,还装有压力传感器、电磁阀及 ECU 等控制装置。

2. 控制过程

涡轮增压控制系统主要对进气增压压力进行控制。根据其控制方法的不同,可分为旁通气道控制式和涡轮转速控制式两种,目前在汽油发动机上主要采用旁通气道控制式涡轮增压控制系统。

图 2-44 涡轮增压控制系统的组成

旁通气道控制式涡轮增压控制系统根据废气旁通阀控制方式的不同又可分为真空控制旁通阀式和电动控制旁通阀式两种。

(1) 真空控制旁通阀式涡轮增压控制系统 真空控制旁通阀式的涡轮增压控制系统如图 2-45 所示。控制废气流动路线的旁通阀受驱动气室的控制，在涡轮增压器出口与驱动气室之间的压力空气通道中装有受 ECU 控制的增压压力控制电磁阀，增压压力控制电磁阀控制进入驱动气室的气体压力。ECU 根据发动机运行工况，根据内部存储的特性曲线控制增压压力控制电磁阀。当需要涡轮增压器工作时，ECU 控制增压压力控制电磁阀关闭，此时由涡轮增压器出口引入的压力空气，经增压压力控制电磁阀进入驱动气室，克服气室弹簧的压力推动旁通阀关闭排气旁通口，此时废气流经涡轮室使增压器工作。当增压压力高于设定压力时，ECU 控制增压压力控制电磁阀打开，通往驱动气室的压力空气被切断，在气室弹簧力的作用下，打开排气旁通口，废气不经涡轮室直接排出，增压器停止工作，进气压力下降，直到进气压力降至规定的压力时，ECU 又将增压压力控制电磁阀关闭，排气旁通口打开，涡轮增压器又开始工作。

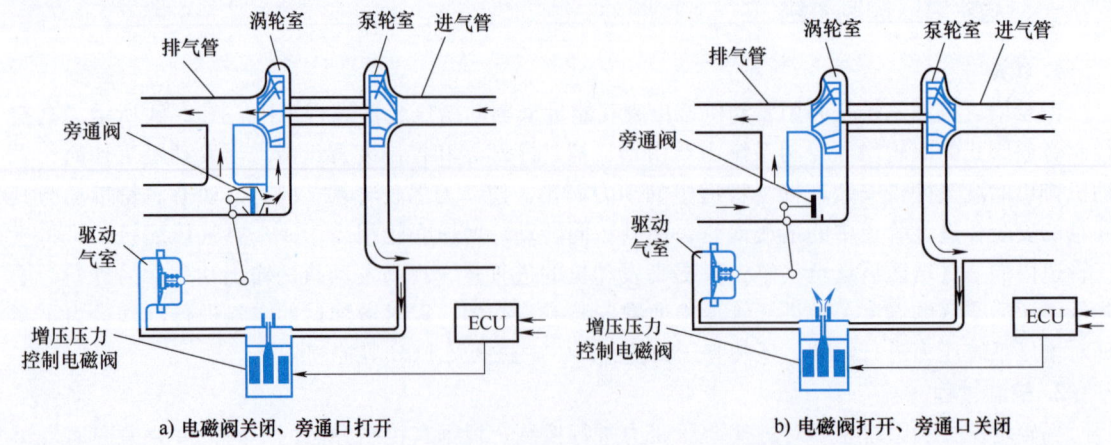

图 2-45 真空控制旁通阀式的涡轮增压控制系统

（2）电动控制旁通阀式涡轮增压控制系统　电动控制旁通阀式涡轮增压控制系统如图2-46所示。与真空控制旁通阀式涡轮增压控制系统相比，取消了真空管路和增压压力控制电磁阀，采用增压压力电动调节阀直接控制旁通阀的开启和关闭。当需要涡轮增压器工作时，ECU控制增压压力电动调节阀工作，增压压力电动调节阀电机通过减速机构驱动旁通阀关闭，此时废气流经涡轮室使增压器工作。当增压压力高于设定压力时，ECU控制增压压力电动调节阀通过减速机构驱动旁通阀开启，废气不经涡轮室直接排出，增压器停止工作，进气压力下降，直到进气压力降至规定的压力时，ECU又控制增压压力电动调节阀使旁通阀关闭，涡轮增压器又开始工作。

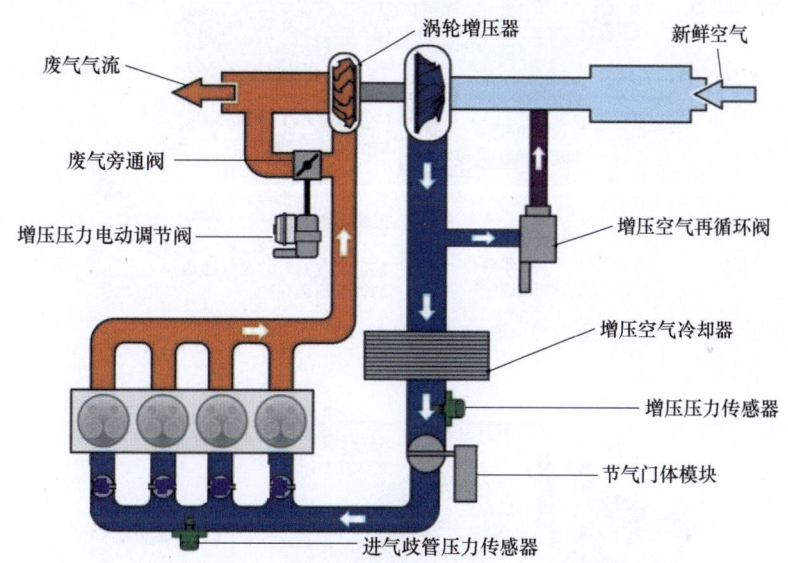

图2-46　电动控制旁通阀式涡轮增压控制系统

二、涡轮增压控制系统主要部件的结构

1. 涡轮增压器

真空控制旁通阀式涡轮增压器（图2-47）和电动控制旁通阀式涡轮增压器（图2-48）都由涡轮室和增压器等组成。涡轮室进气口与排气歧管相连，排气口接在排气管上；增压器进气口与空气滤清器管道相连，排气口接在进气歧管上。涡轮和叶轮分别装在涡轮室和增压器内，两者同轴刚性连接。涡轮壳采用新型铸钢材质制造，其耐温性好，压缩机外壳一般由铸铝制成。利用发动机排出的废气惯性冲力来推动涡轮室内的涡轮，涡轮带动同轴的叶轮，叶轮压送由空气滤清器管道送来的空气，使之增压后进入气缸。当发动机转速加快，废气排出速度与涡轮转速也同步加快，叶轮就压缩更多的空气进入气缸，空气的压力和密度增大可以燃烧更多的燃料，由此增加发动机的输出功率。

2. 增压压力控制阀

在真空控制式的涡轮增压控制系统中，发动机ECU通过增压压力控制阀向真空膜片室施加真空，如图2-49所示。发动机ECU通过一个按脉冲宽度调制的信号控制增压压力控制阀，这样就在真空膜片室上建立了决定旁通阀门开启度的真空。根据脉冲负载参数，真空可以无级改变，其特性曲线如图2-50所示。

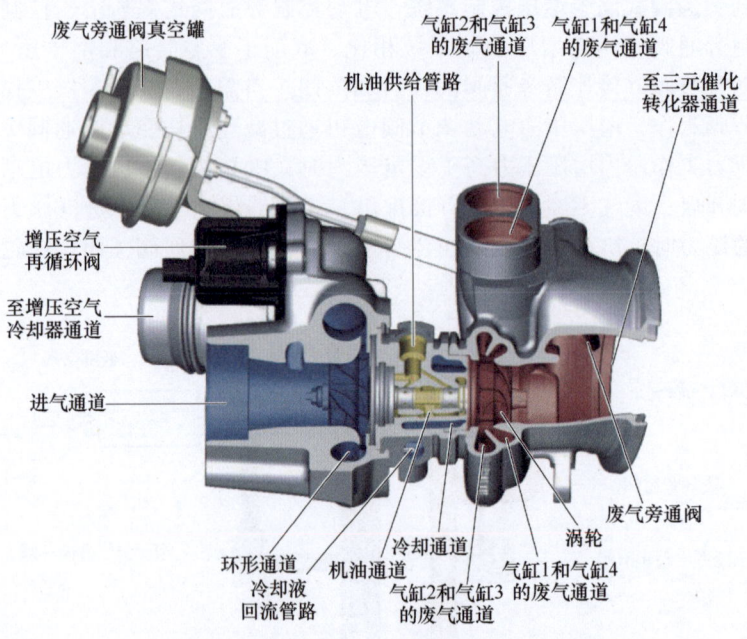

图 2-47 真空控制旁通阀式涡轮增压器

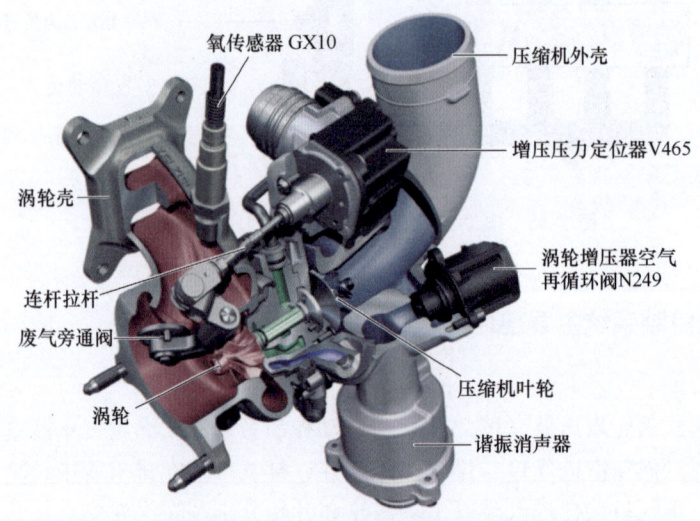

图 2-48 电动控制旁通阀式涡轮增压器

3. 增压压力电动调节阀

在电动控制旁通阀式涡轮增压控制系统中，通过增压压力电动调节阀直接驱动旁通阀，增压压力电动调节阀由电机和变速器组成，如图 2-51 所示。电机驱动可实现快速、精准的增压压力控制。增压压力电动调节阀的位置通过集成安装在调节阀外壳中的位置传感器识别，该传感器是一个霍尔式传感器。在变速器的机械部分上有一个连接有两块永久磁铁的电磁线圈座，它们沿纵向方向移动，移动的距离与推杆相同。霍尔式传感器检测电磁线圈的移动情况，并将信息发送至发动机 ECU，由此发动机 ECU 可确定废气旁通阀门的位置。

4. 增压压力传感器

涡轮增压控制系统的闭环控制是通过增压压力传感器来实现的，增压压力传感器安装在增压

项目二　进气系统的检修

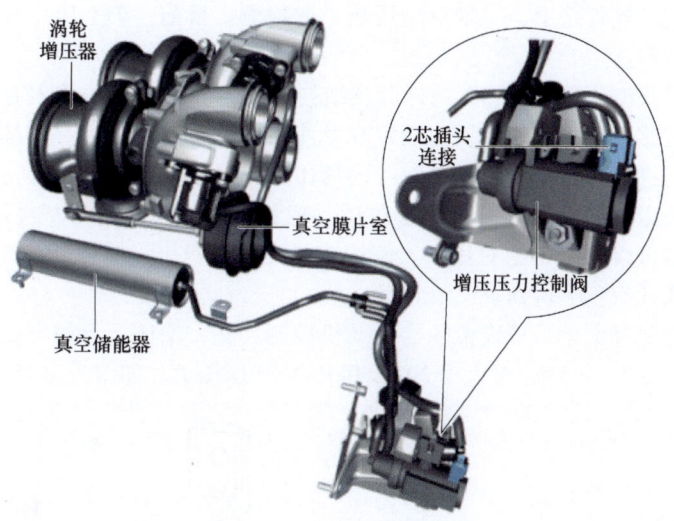

图 2-49　增压压力控制阀

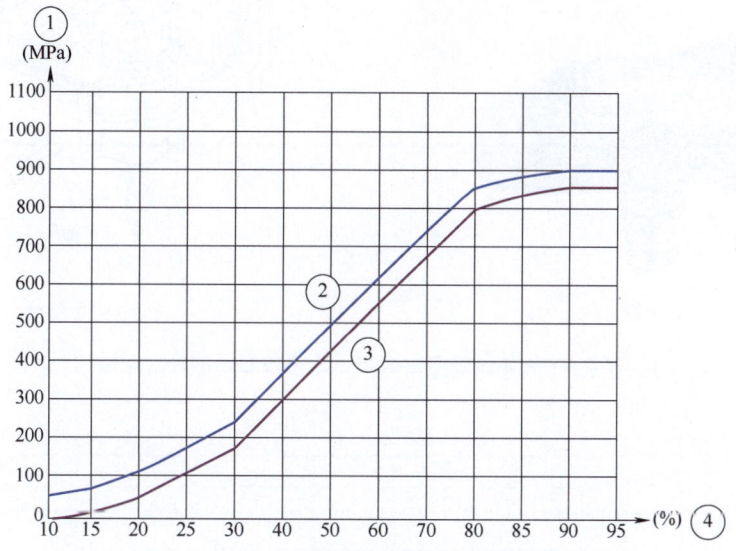

图 2-50　增压压力控制阀特性曲线

①—真空控制　②—最大特性线　③—最小特性线　④—脉冲负载参数

图 2-51　增压压力电动调节阀及传感器

器之后节气门之前的进气管路上,实现对增压压力的检测。目前,车上应用较多的是半导体压敏电阻式增压压力传感器。

半导体压敏电阻式增压压力传感器的外形及结构如图 2-52 所示。它是利用半导体的压电效应原理制成的,这种传感器是将硅片的周边固定在基座上,再将整体封入一壳体内,并在壳体内形成真空,当通道口与进气管相连接时,进气管内的压力就会使传感器内的膜片产生压力,此时由应变电阻组成的电桥电路就会输出与进气管内压力成比例的电压。由于基准压力是真空的压力,使用这种压力传感器可以测定出绝对压力。该传感器具有体积小、精度高、成本低和可靠性、抗振性好等特点,在现代汽车上得到了广泛应用。

增压压力的信息通过一条信号线传输给发动机控制装置,增压压力的有效信号根据压力变化而波动,测量范围为 0.5~4.5V,对应于 20~250kPa 的增压压力,如图 2-53 所示。

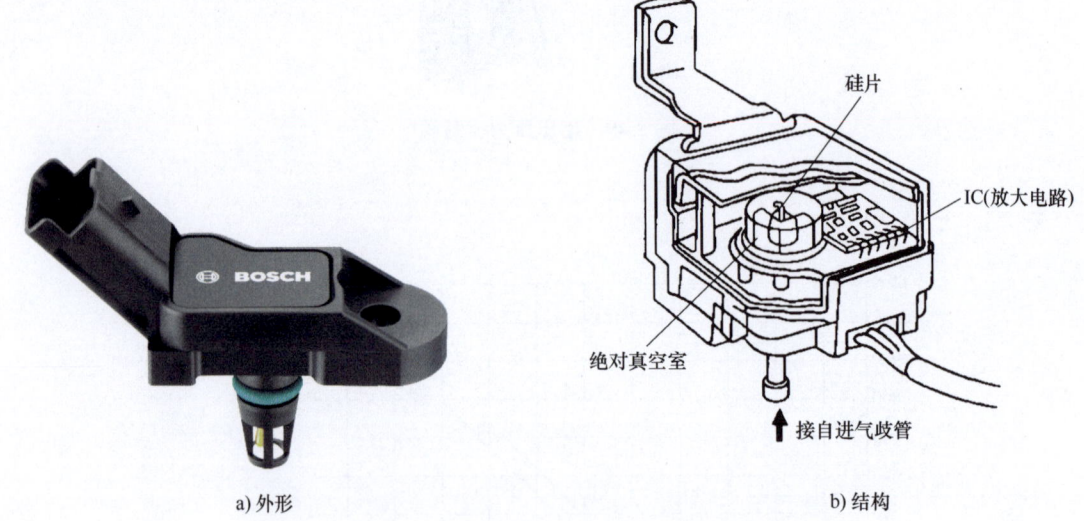

a) 外形　　　　　　　　　　b) 结构

图 2-52　半导体压敏电阻式增压压力传感器的外形及结构

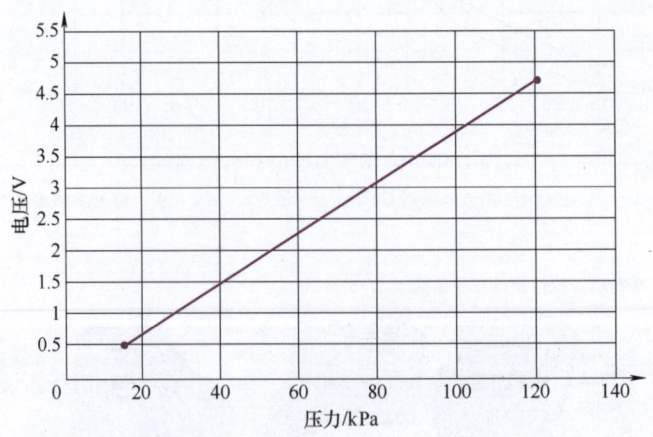

图 2-53　增压压力传感器的特性曲线

5. 增压空气再循环阀

如果发动机转速较高时关闭节气门,进气管内就会产生真空压力。由于至进气管的通道已被阻断,因此会在压缩机后形成无法消除的较大背压,涡轮增压器将承受可造成部件损坏的负荷。

增压空气再循环阀就是用于降低节气门快速关闭时出现的增压压力峰值,减小发动机噪声并保护涡轮增压器部件,其结构和工作原理图如图2-54所示。增压空气再循环阀直接固定在涡轮增压器上,发动机ECU控制增压空气再循环阀,增压空气再循环阀有两个位置,即打开和关闭,如图2-54b所示,当增压空气再循环阀打开时,形成一个围绕压缩机的循环,增压压力被疏导到压缩机的进气侧。

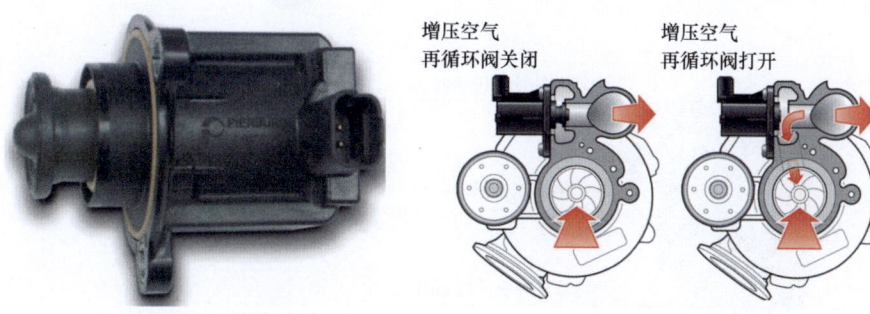

a) 增压空气再循环阀总成图　　　b) 增压空气再循环阀的工作原理图

图 2-54　增压空气再循环阀的结构和工作原理图

第八课　可变进气系统

发动机在高速运行和低速运行时,对气门正时和气门升程的要求是不同的。发动机高速运行每个气缸在一个工作循环内进气和排气的时间是非常短的,要想达到理想的充气效率,最大限度地减小气流阻力,充分利用气流惯性,也就是要求增大气门的重叠角或增大气门的升程。

发动机低速运行需要较小的气门重叠角和气门升程,否则,过大的气门重叠角或气门升程容易使废气回流,造成进气量下降,从而导致发动机怠速不稳,低速时转矩偏低。

为了同时满足发动机高转速和低转速两种工况的需求,汽车上开始配备了可变气门正时(Variable Valve Timing,VVT)系统和可变气门升程(Variable Valve Lift,VVL)系统。

可变气门正时系统只能改变气门开闭的时刻,不能改变气门开启持续的时间,气门重叠角可变。可变气门升程对气门开启的大小进行调节,进而改变单位时间内的进气量。

一、可变气门正时系统

1. 分类

根据可变气门正时系统调整范围分类可以分为单可变气门正时系统和双可变气门正时系统。

(1) 单可变气门正时系统　单可变气门正时系统通常安装在进气凸轮轴上,只对进气门的正时进行调整,不调整排气门正时。

(2) 双可变气门正时(Dual Variable Valve Timing,DVVT)系统　进排气凸轮轴上都安装了正时调整系统,同时调整进排气门正时。

根据气门正时调整的方式不同可分为非连续可变气门正时系统和连续可变气门正时系统。

(1) 非连续可变气门正时系统　它属于阶梯型调整,不能适时满足发动机在高低速时对进气量的要求。

(2) 连续可变气门正时系统　它属于线性调整,在一定角度范围内对气门正时进行连续调整。上汽通用发动机大多采用连续可变式DVVT系统,能够同时调整进排气门的正时。

2. 组成

双可变气门正时系统由凸轮轴位置传感器、发动机控制单元、凸轮轴位置执行器、可变进气正时电磁阀等部件组成，如图 2-55 所示。

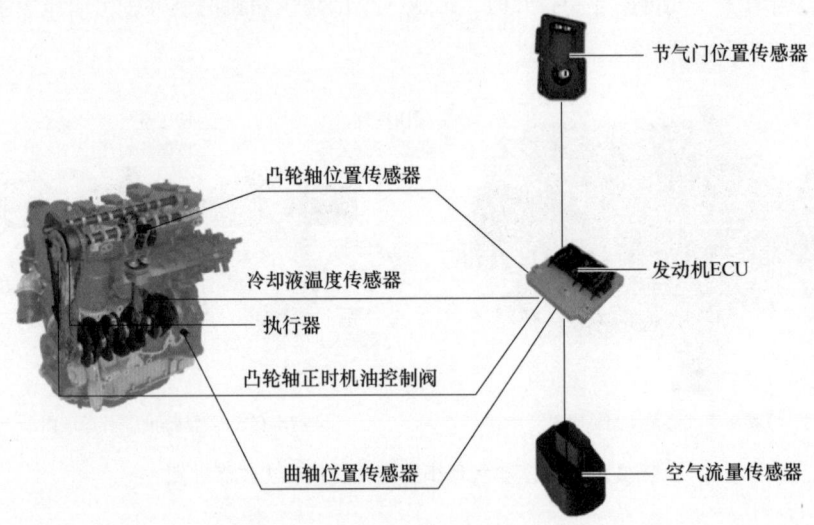

图 2-55 双可变气门正时系统的组成

（1）凸轮轴位置传感器　凸轮轴位置传感器的功用是采集配气凸轮轴的位置信号，并输入 ECU，以便 ECU 识别气缸 1 压缩上止点，从而进行顺序喷油控制、点火时刻控制和爆燃控制。此外，凸轮轴位置信号还用于发动机起动时识别出第一次点火时刻。因为凸轮轴位置传感器能够识别哪一个气缸活塞即将到达上止点，所以称为气缸识别传感器。与曲轴位置传感器结构相同，凸轮轴位置传感器常见的类型有磁电感应式、霍尔式和光电式三种类型。

1）磁电感应式。磁电感应式凸轮轴位置传感器（图 2-56）分上、下两层安装在分电器内。传感器由永磁感应检测线圈和转子（正时转子和转速转子）组成，转子随分电器轴一起旋转。正时转子有一、二或四个齿等形式，转速转子为 24 个齿。永磁感应检测线圈固定在分电器体上。若已知转速传感器信号和曲轴位置传感器信号，以及各缸的工作顺序，就可知道各缸的曲轴位置。磁电感应式转速传感器和曲轴位置传感器的转子信号盘也可安装在曲轴或凸轮轴上。

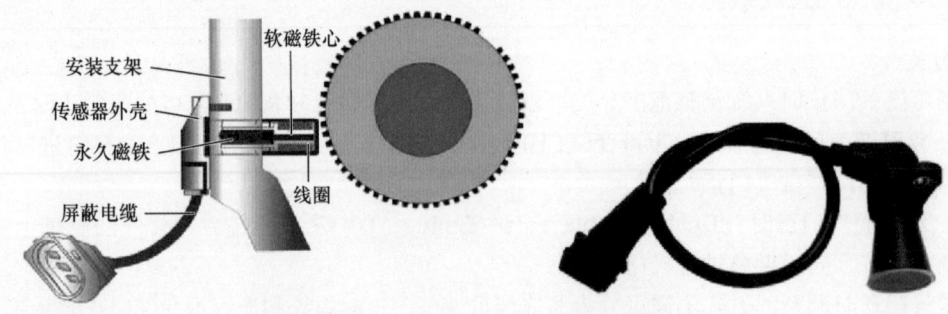

图 2-56 磁电感应式凸轮轴位置传感器

2）霍尔式。霍尔式凸轮轴位置传感器（图 2-57）是一种利用霍尔效应的信号发生器。霍尔信号发生器轮安装在凸轮轴链轮上，与链轮同轴，由封装的霍尔芯片和永久磁铁做成整体通过螺钉固定气缸盖进气侧。传感器轮上的缺口数和发动机气缸数相同。当传感器轮上的叶片进入永久磁铁与霍尔元件之间，霍尔触发器的磁场被叶片旁路，这时不产生霍尔电压，传感器无输出信号；当触发叶轮上的缺口部分进入永久磁铁和霍尔元件之间时，磁力线进入霍尔元件，霍尔电压升高，传感器输出电压信号。霍尔式凸轮轴位置传感器的安装位置、波形图如图2-58所示。

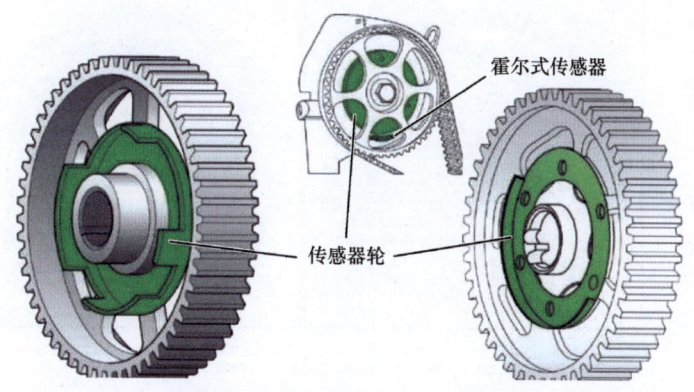

图2-57 霍尔式凸轮轴位置传感器

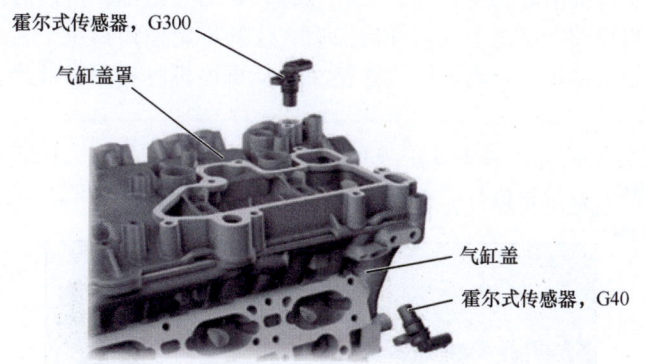

图2-58 霍尔式凸轮轴位置传感器的安装位置、波形图

3）光电式。光电式凸轮轴位置传感器如图2-59所示。信号转子位于发光二极管和光电二极管之间，当信号转子随分电器一起旋转时，由于信号转子上开有透光槽，发光二极管发出的光束会照射到光电二极管上，产生电动势，信号发生器输出高电平信号；当光束被遮住时，光电二极管不产生电动势，信号发生器输出低电平信号。这些信号经过电子电路整形和放大处理后，作为发动机ECU计算曲轴转角、发动机转速和确认活塞上止点位置的基准信号。

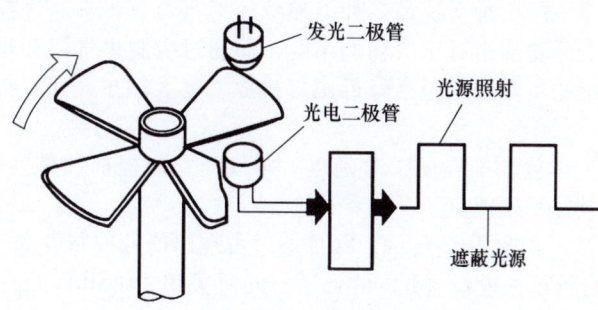

图2-59 光电式凸轮轴位置传感器

(2) 凸轮轴位置执行器 凸轮轴位置执行器（图 2-60）安装在进气凸轮轴和排气凸轮轴上，凸轮轴位置执行器由定子、转子、定位锁销和回位弹簧等组成。

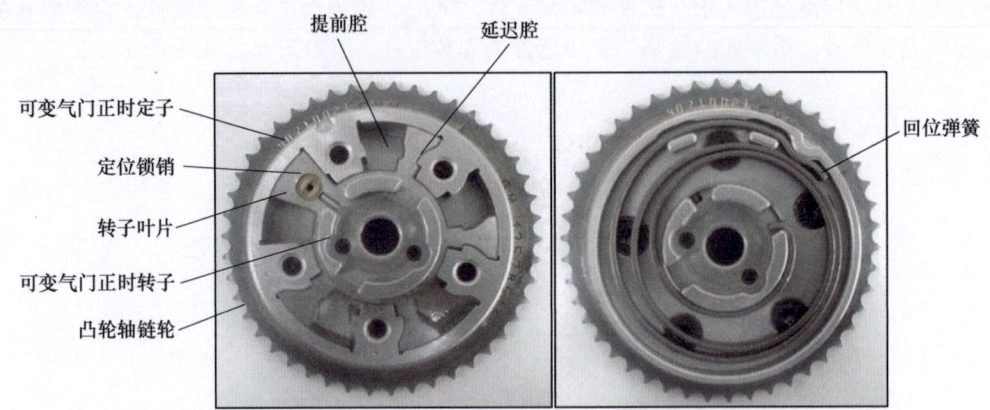

图 2-60　凸轮轴位置执行器

转子固定在凸轮轴前端，有五个叶片，其内部加工有进、回油油道，转子与定子之间形成可变气门正时工作油腔，即提前腔和延迟腔。工作过程，延迟腔进油，提前腔出油，转子相对定子逆时针转动，气门开启提前；反之，气门开启滞后。柱塞形定位锁销位于转子上，锁止定子与转子，液压压力控制锁销的锁止与分离。回位弹簧在发动机停机时利用自身弹力将转子旋转一定角度，使转子回位。

(3) 可变进气正时电磁阀（图 2-61） ECM 通过占空比控制可变气门正时电磁阀打开或关闭相关油道的时间，对凸轮轴位置执行器内部叶片两侧油腔的油压进行调节。

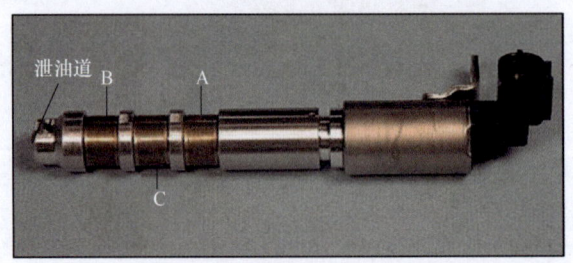

图 2-61　可变进气正时电磁阀
A—提前油道口　B—延迟油道口　C—主油道

3. 工作原理

发动机采用的双可变气门正时系统是一种电控液压运行装置，它通过控制机油所产生的液力来驱动执行器，从而改变凸轮轴相对于曲轴的角度，即通过控制进气门和排气门的气门重叠角来提高发动机性能。该系统的主要优点包括降低尾气排放、增大输出转矩、提高经济性能、提高怠速稳定性能。

双可变气门正时的工作包含排气门正时延迟、排气门正时提前和排气门正时保持三个过程。以排气门正时为例分析其控制原理。

(1) 排气门正时延迟 如图 2-62 所示，ECU 通过占空比信号控制可变气门正时电磁阀柱塞移动，打开主油道（C）与延迟油道口（B）的通道，同时关闭主油道与提前油道口（A）的通道。机油通过延迟油道口（B）进入执行器转子叶片右侧油腔内，同时转子叶片左侧油腔内机油从提前油道口（A）经过柱塞中心的油道从泄油道流回到油底壳。此时，转子叶片在右侧油压的作用下相对于定子向左侧移动一定角度,即排气门正时延迟了一定角度。

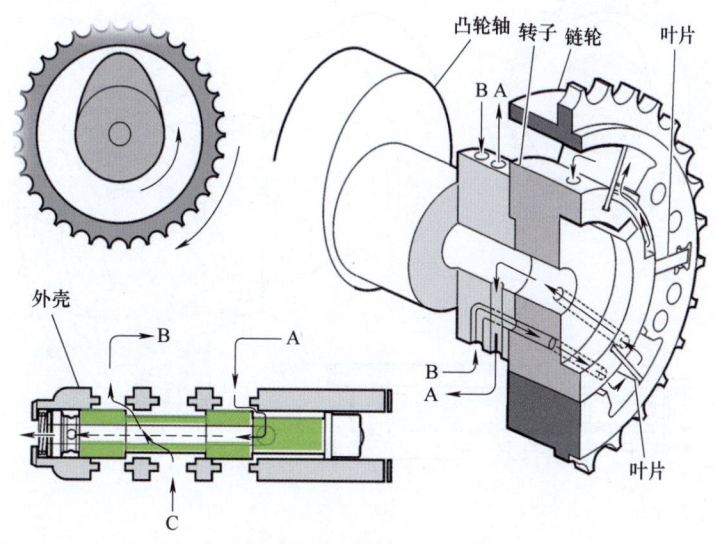

图 2-62 排气门正时延迟

(2) 排气门正时提前 如图 2-63 所示,ECU 通过占空比信号控制可变气门正时电磁阀柱塞移动,打开主油道(C)与提前油道口(A)的通道,同时关闭主油道与延迟油道口(B)的通道。机油通过提前油道口(A)进入执行器转子叶片左侧油腔内,同时转子叶片右侧油腔内机油从延迟油道口(B)经过柱塞中心的油道从泄油道流回到油底壳。此时,转子叶片在左侧油压的作用下相对于定子向右侧移动一定角度,即排气门正时提前了一定角度。

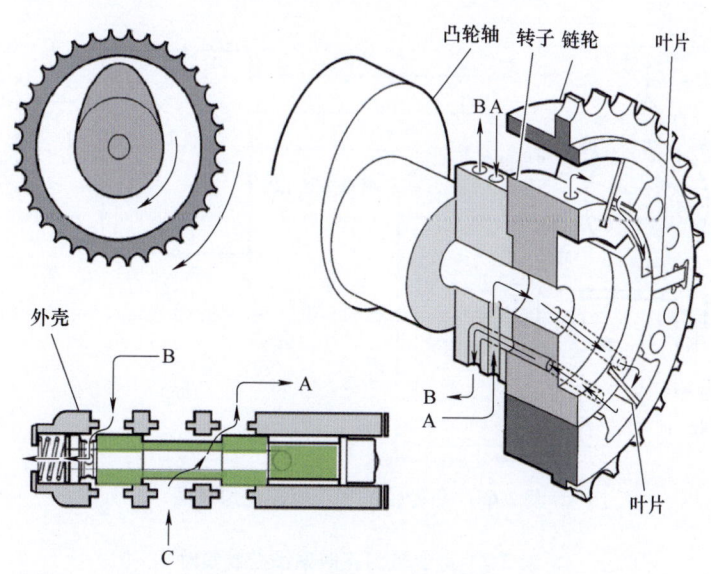

图 2-63 排气门正时提前

(3) 排气门正时保持 如图 2-64 所示,ECU 通过占空比信号控制可变气门正时电磁阀柱塞移动,打开主油道(C)与提前油道口(A)的通道和延迟油道口(B)的通道接通。机油通过提前油道口(A)和延迟油道口(B)经过柱塞中心的油道从泄油道流回到油底壳。排气门转子与定子保持不变。

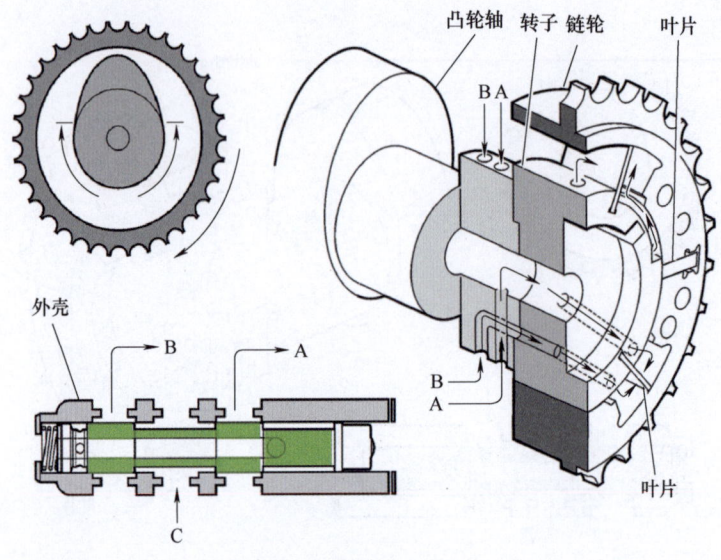

图 2-64 排气门正时保持

4. 凸轮轴进气正时控制策略

ECU 计算出理想凸轮轴位置,然后通过凸轮轴位置传感器得出实际凸轮轴位置,ECU 计算出两者的位置差值后,通过控制可变气门正时电磁阀来实现执行器定子与转子的相对运动,从而将实际凸轮轴位置调整到理想凸轮轴位置,如图 2-65 所示。ECU 通过这种循环控制大大提高了控制气门正时的精度,使发动机的性能在高低速都能充分发挥,同时提高了燃油经济性,详见表 2-7。

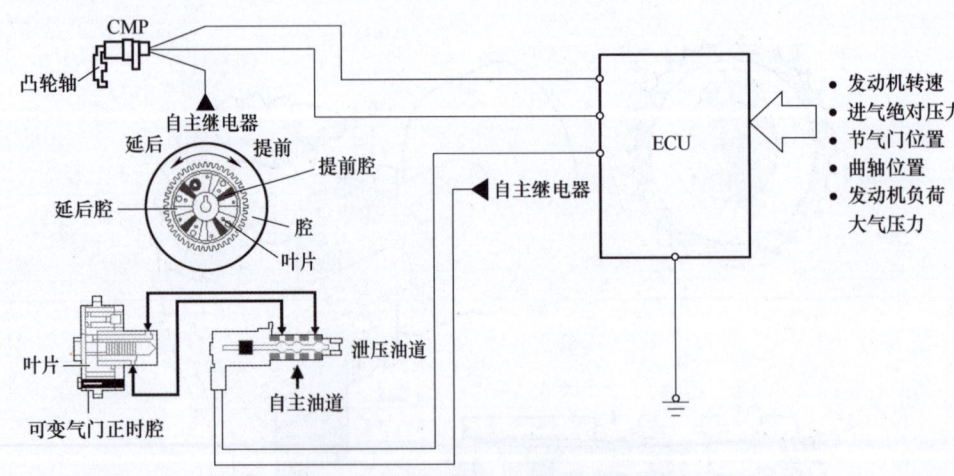

图 2-65 凸轮轴进气正时控制原理图

表 2-7 可变气门正时系统控制策略

行驶状态	凸轮轴位置的变化	目 标	结 果
急速	无变化	最小化的气门重叠	稳定的急速
发动机低负荷	延迟气门正时	减小气门重叠	稳定发动机的输出

（续）

行驶状态	凸轮轴位置的变化	目标	结果
发动机中度负荷	提前气门正时	增加气门重叠	在达到低排放的情况下，获得更佳的燃油经济性
在高负荷低 RPM 的情况下	提前气门正时	提前进气门的关闭	改善低-中负荷内的转矩
在高负荷高 RPM 的情况下	延迟气门正时	延迟进气门的关闭	改善发动机的输出

5. 可变气门正时系统的故障诊断

（1）**常见故障**　可变气门正时系统常见的故障有发动机不能起动或起动困难、怠速不稳、加速性能下降、油耗增加、发动机突然熄火等。

（2）**故障的原因**　引起可变气门正时系统故障的原因有可变气门正时电磁阀卡滞或内部滤网脏堵、可变气门正时电磁阀内部线圈短路或断路、可变气门正时线束插接器松动或接触不良、凸轮轴位置传感器故障、正时驱动链条松动或跳齿、机油品质较差等。

（3）**排除故障**

1）检查双可变气门正时系统。

2）检查可变气门正时电磁阀与 ECU 的线束连接是否良好。

3）检查可变气门正时电磁阀滤网是否脏堵，若脏堵，则使用相同规格的机油清洗电磁阀。

4）使用万用表测量可变气门正时电磁阀阻值，若阻值超出标准范围应更换新件。

5）利用蓄电池给可变气门正时电磁阀断续通电，查看电磁阀是否卡滞，若有卡滞应更换新件。

6）检查机油是否脏污或受到污染。

7）检查发动机正时和正时驱动链条张紧力是否正常。

8）使用诊断工具查看凸轮轴位置传感器和可变气门正时系统故障码，按照维修手册相关诊断流程进行排查。

二、可变气门升程系统

可变气门升程是一种通过改变气门开启高度来优化发动机性能的技术。它能够根据发动机的转速和负载需求，动态调整气门的升程，从而提升发动机的效率和动力输出。可变气门升程技术通过机械、电磁或液压控制方式，改变气门的最大开启高度。传统发动机的气门升程是固定的，无法同时满足高速和低速工况的需求。而可变气门升程技术通过调整气门升程，能够在不同转速下优化进气和排气效率，从而提高发动机的整体性能。

1. 分类

可变气门升程技术主要分为以下两类：

（1）**连续式气门升程调节（CVVL）**　连续式气门升程调节能够无级调节气门升程，适应更广泛的工况需求。

（2）**阶段式气门升程调节（DVVL）**　阶段式气门升程调节只能在预设的几个升程阶段之间切换，结构相对简单，但适应性较弱。在实际应用中，可变气门升程技术常与可变气门正时技术结合使用，形成可变气门升程与定时（VLT）系统，进一步提高发动机性能。

2. 组成

以大众 EA888 第三代发动机为例，介绍凸轮轴可变气门升程系统。此系统属于阶段式气门升程调节系统。以排气凸轮为例介绍，排气凸轮轴可变气门升程系统由排气凸轮轴、大凸轮、小凸轮、滚轮摇臂棘爪等组成。

(1)凸轮轴（图2-66） 为了在排气凸轮轴上两个不同的气门升程之间相互切换,此凸轮轴有四个可移动的凸轮件（带有内花键）。每个凸轮件上都装有两对凸轮,其凸轮升程是不同的。通过电子执行器对两种升程进行切换。电子执行器接合每个凸轮件上的滑动槽,并移动凸轮轴上的凸轮件。

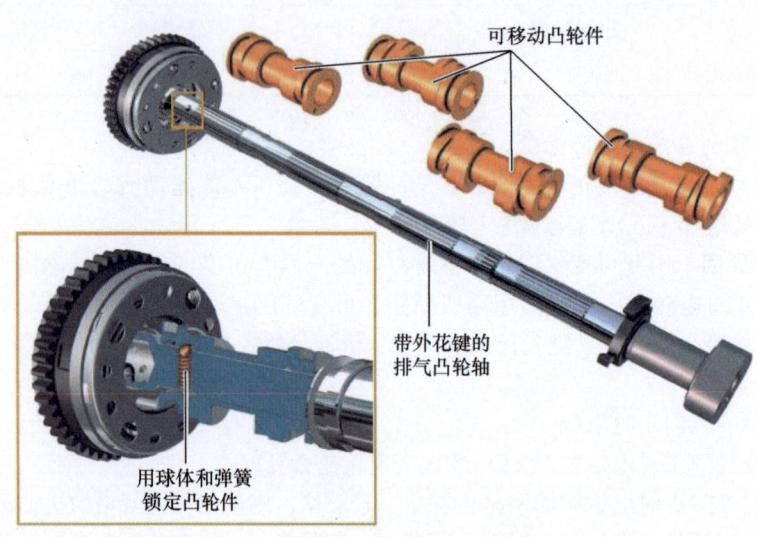

图2-66 可变进气升程凸轮轴

(2)气门升程切换执行器（图2-67） 在两个电子执行器（气缸1~4的排气凸轮执行器A/B）的辅助下,每个凸轮件在排气凸轮轴上在两个切换位置之间被来回推动。每个气缸的一个执行器切换到更大的气门升程,另一个执行器切换到更小的气门升程。每个执行器（气缸1~4的排气凸轮执行器A/B）都包含一个电磁线圈。金属销通过导管被向下移。在收缩位置和伸展位置,金属销通过一个永久磁铁被固定在执行器壳体中的相应位置。

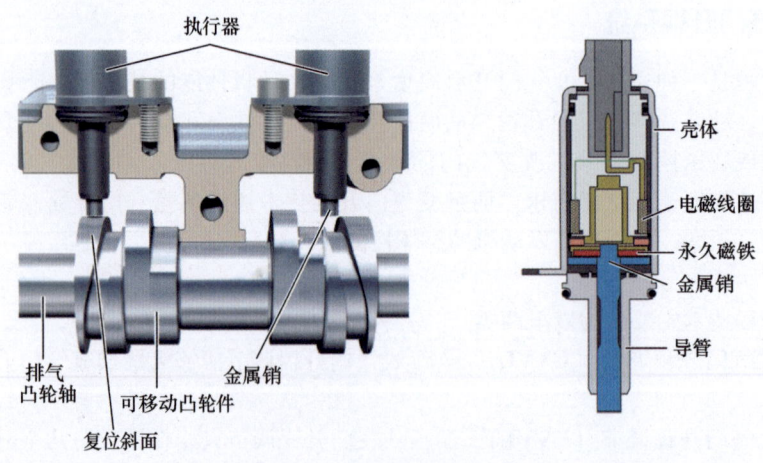

图2-67 气门升程切换执行器

3. 工作原理

(1)在较低发动机转速范围下的凸轮轴位置（图2-68） 为了使这个负载范围内的气体交换性能更佳,发动机管理系统通过凸轮轴调节器将进气凸轮轴提前,将排气凸轮轴延迟。气门升程切换至更小的排气凸轮轮廓,而且右侧执行器金属销伸出。它接合滑动槽,并将凸轮件向左移至小凸轮轮廓。气门沿着较小的气门轮廓上下移动。从而可在低转速范围达到较高的增压压力。

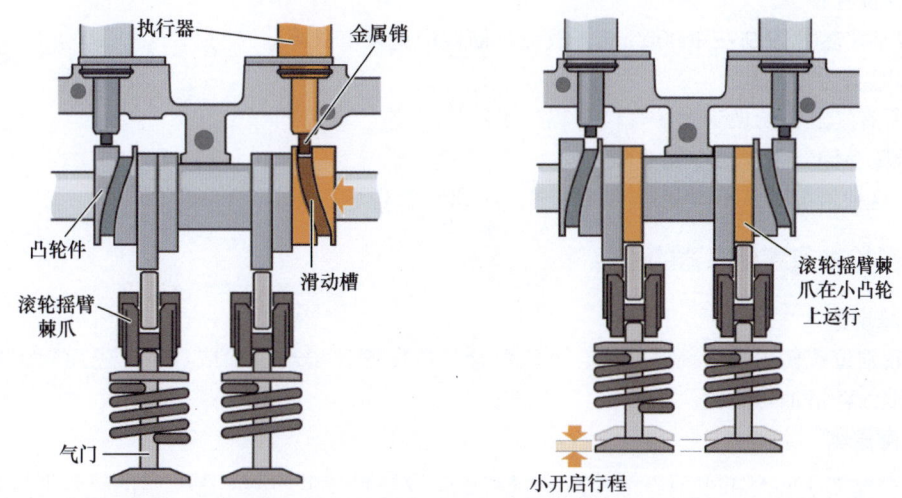

图 2-68　低转速下气门开度

（2）部分负载和全负载下的凸轮轴位置（图 2-69）　驾驶人加速并从部分负载改变为全负载。气缸内的气体交换必须适应更高的性能需求。发动机管理系统通过凸轮轴调节器将进气凸轮轴提前，将排气凸轮轴延迟。为达到最佳的气缸填充性能，排气门需要最大的气门升程。为了实现此目的，左执行器被启动，凸轮件被向右移动，切换至大凸轮轮廓。

金属销通过滑动槽将凸轮件移向大凸轮。排气门现在以最大的升程打开和关闭。凸轮件也通过凸轮轴中的弹簧加载式球体被固定在此位置。

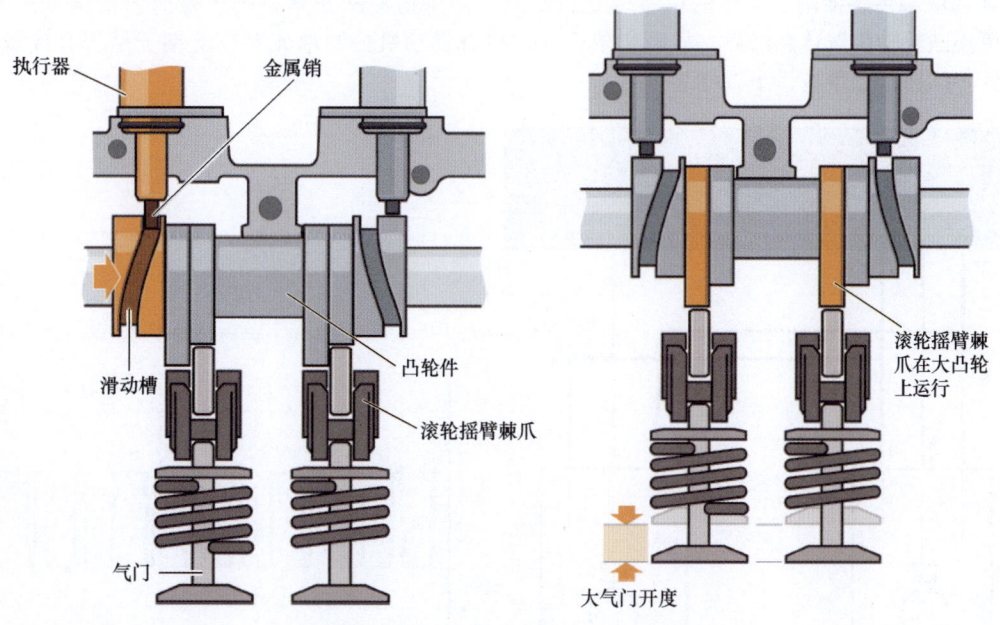

图 2-69　部分负载和全负载下气门开度

4. 可变气门升程系统的常见故障

如果一个执行器发生故障，则无法再执行气门升程切换功能。在这种情况下，发动机电控系统会尝试将所有气缸切换为最近成功的一次气门升程。当下列情况发生时，所有气缸可切换至小的气门升程位置：

1）发动机转速限制在 4000r/min，故障存储器中记录下故障。
2）EPC 警告灯亮起。

如果所有气缸可切换到大的气门升程位置：

1）故障存储器中也会存储故障。
2）在这种情况下，不限制发动机转速，且 EPC 警告灯不亮。

三、凸轮轴位置传感器的检修

1. 故障现象

当凸轮轴位置传感器出现故障后，可燃混合气浓度配比出现过稀或过浓，进而导致尾气排放超标、汽油油耗增加等问题。

2. 故障原因

如图 2-70 所示，对于发动机控制单元端子 A27 为传感器电源线、A53 进气凸轮轴位置传感器信号线、A54 排气凸轮轴位置传感器信号线、A08 传感器搭铁线。与发动机控制单元对应连接的进排气凸轮轴位置传感器的 3 号、2 号、1 号端子分别为凸轮轴位置传感器的电源线、信号线和搭铁线，即凸轮轴位置传感器电源线、信号线、搭铁线电路断路，传感器故障、EMS 端子退针等故障。

3. 故障检修

打开点火开关但不起动发动机，把数字式万用表打到直流电压档，两表笔分别接传感器 3 号、1 号端子，测量电压为 12V，正常。如果测量值为 0V，说明电源线 A27 至凸轮轴位置传感器 3 号、电源线 A27 至凸轮轴位置传感器 3 号断路，则需要更换电源线。起动发动机，此时 2 号端子信号可由车用示波器检查是否正常，正常波形图如图 2-71 所示，如果信号波形不正常，使用万用表测量检查 A53 至传感器端子 2 号的信号线是否断路，如果信号线正常，则更换凸轮轴位置传感器。如果更换凸轮轴位置传感器后，故障仍然存在，检查发动机控制单元对应的端子是否有接触不良和退针等问题，如果有，予以修复。

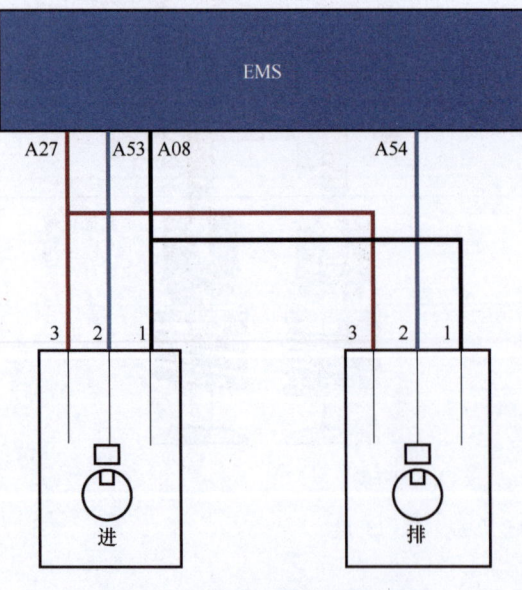

图 2-70　凸轮轴位置传感器电路图

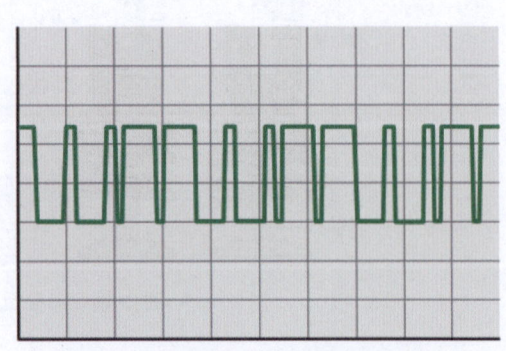

图 2-71　凸轮轴位置传感器信号波形图

项目二 进气系统的检修

 任务实施

任务一 进气系统的认知

1. 目的描述

1) 能够正确使用维修手册对具体车型进气系统结构图进行查询。
2) 能够根据进气系统结构图对照实物进气系统部件进行认知。
3) 能够根据具体车型结构写出气流路径。
4) 能积极主动参与学习任务,能与小组成员团结协作完成工作任务。
5) 在团队工作中能够友善、主动发表自己的观点。
6) 能执行实训室"6S"规定。

2. 任务准备

1) 知识准备。
完成进气系统相关知识的学习。
2) 设备准备。
汽车或发动机台架、维修手册(纸质版、电子版或网络版)。

3. 任务步骤

1) 老师明确学习任务和安全操作要求。
2) 学生根据工作页的要求完成进气系统部件认知。
3) 学生根据工作页的要求完成进气气流路径记录。

4. 任务评价

任务评价内容及标准见表2-8。

表2-8 任务评价内容及标准

序号	项目	操作内容	分值	评分标准
1	部件认知	空气滤清器	7分	
2	部件认知	进气温度传感器	7分	
3	部件认知	进气歧管压力传感器	7分	
4	部件认知	节气门体	7分	
5	部件认知	节气门位置传感器	7分	一次性指认对部件得7分,两次得5分,否则不得分
6	部件认知	节气门驱动电机	7分	
7	部件认知	空气流量传感器	7分	
8	部件认知	涡轮增压器	7分	
9	部件认知	增压空气冷却器	7分	
10	部件认知	进气歧管	7分	
11	口试	实训设备采用的进气系统类型	10分	自然吸气、涡轮增压、机械增压
12	口试	实训设备使用的测量进气量的部件	10分	进气歧管压力传感器、空气流量传感器
13	口试	采用涡轮增压器对发动机性能的影响	10分	酌情扣分
		总分	100分	

 任务二　空气流量传感器的检修

1. 目的描述
1）能够在实车上找到空气流量传感器。
2）能够借助维修手册标注空气流量传感器各端子的功能。
3）能够正确测量出各端子的电压、电阻和电流，验证各端子的功能，得出正确结论。
4）能够读取空气流量传感器的数据流信息。
5）能积极主动参与任务，能与小组成员团结协作，能执行实训室"6S"规定。

2. 任务准备
1）知识准备。
完成空气流量传感器相关知识的学习。
2）设备准备。
汽车或发动机电控台架、举升机、万用表、诊断仪、带有T形线接线盒、演示课件（或操作视频）。

3. 任务步骤
1）借助维修手册在实车（或发动机台架）上找到空气流量传感器。
2）借助万用表、维修手册在图中标注出空气流量传感器各端子的功能。
3）使用T形线将空气流量传感器五个针脚连接起来，打开点火开关，着车，记录测量结果。
4）从怠速、小负荷、中等负荷、大负荷和全负荷工况下的空气流量传感器数据流，描绘出空气流量传感器信号电压与发动机转速直接特性曲线。

4. 任务评价
任务评价内容及标准见表2-9。

表2-9　任务评价内容及标准

序号	项目	操作内容	分值	评分标准
1	职业素养	基本礼仪	5分	满分20分，酌情扣分
		工位准备（工具、设备、仪器）	5分	
		维修手册及资料准备	5分	
		工装及安全防护准备	5分	
2	明确任务	明确任务内容和操作要求	5分	满分10分，酌情扣分
		根据任务要求，确认故障现象	5分	
3	查阅维修手册	正确查阅维修手册，找到空气流量传感器的安装位置	5分	满分10分，酌情扣分
		查阅电路图，绘制电路简图	5分	
4	诊断作业	正确连接故障诊断仪	5分	操作不当扣1~5分
		正确读取故障码和数据流，并记录	5分	不会读取、记录错误或未记录不得分
		正确测试空气流量传感器波形图，分析结论	5分	
5	检查作业	对空气流量传感器部件外观进行检查	5分	漏检一处或检查不当，扣2分

项目二 进气系统的检修

(续)

序号	项目	操作内容	分值	评分标准
6	检修作业	检测空气流量传感器供电电压	5分	满分25分，检测不当或错误扣5分
		测量空气流量传感器信号电压	5分	
		测量空气流量传感器搭铁	5分	
		记录检测结果，并判断故障部位	5分	
		更换、修理故障部件	5分	
7	质检作业	检查操作完成情况及维修质量	10分	未检查扣10分
8	6S作业	工作场地清洁	5分	清洁复位不当扣2~5分，未操作扣5分
		工具、设备及仪器整理清洁		
		检修车辆复位		
		总分	100分	

任务三　进气歧管压力传感器的检修

1. 目的描述

1) 能够在实车上找到进气歧管压力传感器。
2) 能够借助维修手册标注进气歧管压力传感器各针脚的功能。
3) 能够正确测量出各端子的电压、电阻和电流，验证各端子的功能，得出正确结论。
4) 能够读取进气歧管压力传感器的数据流信息。
5) 能积极主动参与任务，能与小组成员团结协作，能执行实训室"6S"规定。
6) 能够严谨细致认真完成工作任务。

2. 任务准备

1) 知识准备。

完成进气歧管压力传感器相关知识的学习。

2) 设备准备。

汽车（或发动机电控台架）、举升机、万用表、诊断仪、带有T形线接线盒、演示课件（或操作视频）。

3. 任务步骤

1) 通过查阅维修手册，请在电路图中识别相关端子，并将端子对应的功能写在右侧。
2) 使用T形线将空气流量传感器五个端子连接起来，打开点火开关，着车，记录测量结果。

4. 任务评价

任务评价内容及标准见表2-10。

表2-10　任务评价内容及标准

序号	项目	操作内容	分值	评分标准
1	职业素养	基本礼仪	5分	满分20分，酌情扣分
		工位准备（工具、设备、仪器）	5分	
		维修手册及资料准备	5分	
		工装及安全防护准备	5分	

(续)

序号	项目	操作内容	分值	评分标准
2	明确任务	明确任务内容和操作要求	5分	满分10分,酌情扣分
		根据任务要求,确认故障现象	5分	
3	查阅维修手册	正确查阅维修手册,找到进气歧管压力传感器的安装位置	5分	满分10分,酌情扣分
		查阅电路图,绘制电路简图	5分	
4	诊断作业	正确连接故障诊断仪	5分	操作不当扣1~5分
		正确读取故障码和数据流,并记录	5分	不会读取、记录错误或未记录不得分
		正确测试进气歧管压力传感器波形图,分析结论	5分	
5	检查作业	对进气歧管压力传感器部件外观进行检查	5分	漏检一处或检查不当,扣2分
6	检修作业	检测进气歧管压力传感器供电电压	5分	满分25分,检测不当或错误扣5分
		测量进气歧管压力传感器信号电压	5分	
		测量进气歧管压力传感器搭铁	5分	
		记录检测结果,并判断故障部位	5分	
		更换、修理故障部件	5分	
7	质检作业	检查操作完成情况及维修质量	10分	未检查扣10分
8	6S作业	工作场地清洁	5分	清洁复位不当扣2~5分,未操作扣5分
		工具、设备及仪器整理清洁		
		检修车辆复位		
		总分	100分	

任务四　进气温度传感器的检修

1. 目的描述

1)能够正确找到进气温度传感器的安装位置。
2)能够对进气温度传感器各端子进行测量,并判断进气温度传感器是否损坏。
3)根据测量结果绘制进气温度信号电压和温度特性曲线。
4)能积极主动参与学习任务,能与小组成员团结协作完成工作任务。
5)在团队工作中能够友善、主动发表自己的观点。
6)能执行实训室"6S"规定。

2. 任务准备

1)知识准备。
完成进气温度传感器相关知识的学习。
2)设备准备。
汽车或发动机台架、维修手册(纸质版、电子版或网络版)、T形线接线盒、万用表、诊断仪。

3. 任务步骤

1)通过查阅维修手册,请在电路图中标出信号和搭铁对应的端子标号。
2)使用T形线将进气温度传感器两个端子连接起来,打开点火开关,着车,记录测量结果。

3）通过实验，使用烧杯、温度计、电磁炉和进气温度传感器，描绘出进气温度传感器信号电压与进气温度之间的特性曲线。

4. 任务评价

任务评价内容及标准见表 2-11。

表 2-11　任务评价内容及标准

序号	项目	操 作 内 容	分值	评分标准
1	职业素养	基本礼仪	5 分	满分 20 分，酌情扣分
		工位准备（工具、设备、仪器）	5 分	
		维修手册及资料准备	5 分	
		工装及安全防护准备	5 分	
2	明确任务	明确任务内容和操作要求	5 分	满分 10 分，酌情扣分
		根据任务要求，确认故障现象	5 分	
3	查阅维修手册	正确查阅维修手册，找到进气温度传感器的安装位置	5 分	满分 10 分，酌情扣分
		查阅电路图，绘制电路简图	5 分	
4	诊断作业	正确连接故障诊断仪	5 分	操作不当扣 1~5 分
		正确读取故障码和数据流，并记录	5 分	不会读取、记录错误或未记录不得分
		正确测试进气温度传感器波形图，分析结论	5 分	
5	检查作业	对进气温度传感器部件外观进行检查	5 分	漏检一处或检查不当，扣 2 分
6	检修作业	检测进气温度传感器供电电压	5 分	满分 25 分，检测不当或错误扣 5 分
		测量进气温度传感器信号电压	5 分	
		测量进气温度传感器搭铁	5 分	
		记录检测结果，并判断故障部位	5 分	
		更换、修理故障部件	5 分	
7	质检作业	检查操作完成情况及维修质量	10 分	未检查扣 10 分
8	6S 作业	工作场地清洁	5 分	清洁复位不当扣 2~5 分，未操作扣 5 分
		工具、设备及仪器整理清洁		
		检修车辆复位		
	总分		100 分	

任务五　电子节气门的检修

1. 目的描述

1）能够正确使用维修手册找到电子节气门的安装位置。
2）能够对电子节气门各端子的功能进行判断。
3）能够借助万用表等工具对电子节气门进行测量，判断电子节气门是否损坏。
4）能积极主动参与学习任务，能与小组成员团结协作完成工作任务。
5）在团队工作中能够友善、主动发表自己的观点。

6）能执行实训室"6S"规定。

2. 任务准备

1）知识准备。

完成电子节气门相关知识的学习。

2）设备准备。

汽车或发动机台架、维修手册（纸质版、电子版或网络版）、万用表、诊断仪。

3. 任务步骤

1）通过查阅维修手册，请在电路图中标出各端子标号的含义。

2）使用T形线将节气门位置传感器六个端子连接起来，打开点火开关，着车，记录测量结果。

3）描绘出节气门位置传感器信号电压与节气门开度之间的特性曲线。

4. 任务评价

任务评价内容及标准见表2-12。

表2-12 任务评价内容及标准

序号	项目	操作内容	分值	评分标准
1	职业素养	基本礼仪	5分	满分20分，酌情扣分
		工位准备（工具、设备、仪器）	5分	
		维修手册及资料准备	5分	
		工装及安全防护准备	5分	
2	明确任务	明确任务内容和操作要求	5分	满分10分，酌情扣分
		根据任务要求，确认故障现象	5分	
3	查阅维修手册	正确查阅维修手册，找到节气门位置传感器的安装位置	5分	满分10分，酌情扣分
		查阅电路图，绘制电路简图	5分	
4	诊断作业	正确连接故障诊断仪	5分	操作不当扣1~5分
		正确读取故障码和数据流，并记录	5分	不会读取、记录错误或未记录不得分
		正确测试节气门位置传感器波形图，分析结论	5分	
5	检查作业	对节气门位置传感器部件外观进行检查	5分	漏检一处或检查不当，扣2分
6	检修作业	检测节气门位置传感器供电电压	5分	满分25分，检测不当或错误扣5分
		测量节气门位置传感器信号电压	5分	
		测量节气门位置传感器搭铁	5分	
		记录检测结果，并判断故障部位	5分	
		更换、修理故障部件	5分	
7	质检作业	检查操作完成情况及维修质量	10分	未检查扣10分
8	6S作业	工作场地清洁	5分	清洁复位不当扣2~5分，未操作扣5分
		工具、设备及仪器整理清洁		
		检修车辆复位		
		总分	100分	

任务六 可变进气增压控制系统的检修

1. 目的描述

1) 能够正确使用维修手册对可变进气增压控制系统各部件实物进行认知。
2) 能够根据具体车型结构写出可变进气增压控制系统进气气流路径。
3) 能够正确描述进气增压的原理。
4) 能积极主动参与学习任务,能与小组成员团结协作完成工作任务。
5) 在团队工作中能够友善、主动发表自己的观点。
6) 能执行实训室"6S"规定。

2. 任务准备

1) 知识准备。

完成可变进气增压控制系统相关知识的学习。

2) 设备准备。

汽车或发动机台架、维修手册(纸质版、电子版或网络版)、拆装工具。

3. 任务步骤

1) 老师明确学习任务和安全操作要求。
2) 学生根据工作页的要求完成可变进气增压控制系统部件认知。
3) 学生根据工作页的要求完成进气气流路径记录。

4. 任务评价

任务评价内容及标准见表2-13。

表2-13 任务评价内容及标准

序号	项目	部件名称	分值	评分标准
1	部件认知	真空电磁阀	5分	满分为40分,一次性找到该部件得分,如果该车型未装该部件回答正确得分,否则不得分
		真空膜盒	5分	
		执行器总成	5分	
		谐振腔	5分	
		谐振风门	5分	
		控制筒	5分	
		转换阀	5分	
		进气道	5分	
2	进气气流路径		40分	根据该车型具体情况,写出空气进入气缸所经过的所有部件名称,并用"→"标注气流流向,填写错误一处扣5分,共计40分,扣完为止
3	口试提问	1) 请描述本实训设备采用的是哪种可变进气增压控制系统 2) 请描述本实训设备的可变进行增压控制系统的原理	20分	
	总分		100分	

 任务七　涡轮增压控制系统的检修

1. 目的描述
1) 能够正确使用维修手册对涡轮增压控制系统各部件实物进行认知。
2) 能够根据具体车型结构写出废气涡轮增压控制系统进气气流路径。
3) 能够读取涡轮增压器前后压力变化判断增压器的工作状态。
4) 能积极主动参与学习任务，能与小组成员团结协作完成工作任务。
5) 在团队工作中能够友善、主动发表自己的观点。
6) 能执行实训室"6S"规定。

2. 任务准备
1) 知识准备。
完成涡轮增压控制系统相关知识的学习。
2) 设备准备。
汽车或发动机台架、维修手册（纸质版、电子版或网络版）、拆装工具。

3. 任务步骤
1) 老师明确学习任务和安全操作要求。
2) 学生根据工作页的要求完成涡轮增压器的结构认知。
3) 学生根据工作页的要求完成进气气流路径记录。

4. 任务评价
任务评价内容及标准见表 2-14。

表 2-14　任务评价内容及标准

序号	项目	部件名称	分值	评分标准
1	部件认知	空气滤清器	5 分	一次性找到该部件得分，如果该车型未装该部件回答正确得分，否则不得分
		进气温度传感器	5 分	
		进气歧管压力传感器	5 分	
		节气门体	5 分	
		节气门位置传感器	5 分	
		节气门电机	5 分	
		空气流量传感器	5 分	
		涡轮增压器	5 分	
		增压空气冷却器	5 分	
		进气歧管	5 分	
2	进气气流路径		50 分	根据该车型具体情况，写出空气进入气缸所经过的所有部件名称，并用"→"标注气流流向，填写错误一处扣 5 分，共计 50 分，扣完为止
	总分		100 分	

任务八 可变进气系统的检修

1. 目的描述

1）能够正确使用维修手册对可变进气系统各部件实物进行认知。
2）能够根据具体车型结构写出采用哪种可变气门正时系统和可变气门升程系统。
3）能够正确描述可变气门正时系统和可变气门升程系统的原理。
4）能积极主动参与学习任务，能与小组成员团结协作完成工作任务。
5）在团队工作中能够友善、能够主动发表自己的观点。
6）能执行实训室"6S"规定。

2. 任务准备

1）知识准备。
完成可变进气系统检修的学习。
2）设备准备。
汽车或发动机台架、维修手册（纸质版、电子版或网路版）、拆装工具。

3. 任务步骤

1）老师明确学习任务和安全操作要求。
2）学生根据工作页的要求完成可变进气系统的部件认知。
3）学生根据工作页的要求完成进气气流路径记录。

4. 任务评价

任务评价内容及标准见表2-15。

表 2-15 任务评价内容及标准

序号	项目	操作内容	分值	评分标准
1	职业素养	基本礼仪	5分	满分20分，酌情扣分
		工位准备（工具、设备、仪器）	5分	
		维修手册及资料准备	5分	
		工装及安全防护准备	5分	
2	明确任务	明确任务内容和操作要求	5分	满分10分，酌情扣分
		根据任务要求，确认故障现象	5分	
3	查阅维修手册	正确查阅维修手册，找到凸轮轴位置传感器的安装位置	5分	满分10分，酌情扣分
		查阅电路图，绘制电路简图	5分	
4	诊断作业	正确连接故障诊断仪	5分	操作不当扣1~5分 不会读取、记录错误或未记录不得分
		正确读取故障码和数据流，并记录	5分	
		正确测试凸轮轴位置传感器波形图，分析结论	5分	
5	检查作业	对凸轮轴位置传感器部件外观进行检查	5分	漏检一处或检查不当，扣2分
6	检修作业	检测凸轮轴位置传感器供电电压	5分	满分25分，检测不当或错误扣5分
		测量凸轮轴位置传感器信号电压	5分	
		测量凸轮轴位置传感器搭铁	5分	
		记录检测结果，并判断故障部位	5分	
		更换、修理故障部件	5分	

(续)

序号	项目	操作内容	分值	评分标准
7	质检作业	检查操作完成情况及维修质量	10 分	未检查扣 10 分
8	6S 作业	工作场地清洁 工具、设备及仪器整理清洁 检修车辆复位	5 分	清洁复位不当扣 2~5 分，未操作扣 5 分
		总分	100 分	

巩固与提高

一、填空题

1. 热线式空气流量传感器属于_____测量进气量的装置。
2. 温度传感器采用的是_____温度系数热敏电阻，即随着温度的升高，电阻值会_____，简称为 NTC。
3. _____安装在节气门轴上，用来检测_____开度，以反映发动机的不同工况（怠速、加速、减速）以及发动机的负荷状态。
4. 节气门总成由节气门、_____和_____等构成。
5. 涡轮增压控制系统是一种动力增压控制系统，按其动力源的不同，可分为_____、废气涡轮增压、_____和气波增压等几种形式。

二、选择题

1.【单项选择】（　　）是用来测量发动机进气量的装置。
  A. 空气流量传感器　　　　　　B. 进气温度传感器
  C. 节气门位置传感器　　　　　D. 涡轮增压器
2.【多项选择】下列部件属于进气系统元件的是（　　）。
  A. 空气流量传感器　　　　　　B. 进气温度传感器
  C. 节气门位置传感器　　　　　D. 涡轮增压器
3.【多项选择】空气流量传感器失效后可能会造成（　　）。
  A. 空气质量计算不准确导致可燃混合气浓度过浓或者过稀
  B. 引起发动机起动困难　　　　C. 怠速不稳
  D. 动力下降　　　　　　　　　E. 油耗增大
4.【多项选择】下列属于半导体压敏电阻压力传感器优点的是（　　）。
  A. 体积小　　　　　　　　　　B. 精度高
  C. 成本低和高可靠性　　　　　D. 抗振性好
5.【多项选择】驱动步进电机常采用 H 桥电路结构，控制单元通过发出的（　　）控制电平对步进电机进行控制。
  A. 脉冲个数　　B. 频率　　C. 方向　　D. 转速
6.【单项选择】涡轮增压控制系统的（　　）控制是通过增压压力传感器来实现的。
  A. 开环　　B. 闭环　　C. 循环　　D. 渐进

三、判断题

1. 空气流量传感器失效后可能造成发动机无法起动。（　　）
2. 机械节气门体上装有加速踏板位置传感器，将驾驶人意愿信息告知发动机 ECU，以便实现

最佳转矩控制。（ ）

3. 控制直流电机采用脉冲宽度调制技术，其特点有频率高、效率高、功率密度高与可靠性高。（ ）

4. 可变进气增压控制系统是利用改变进气管的长度或者截面面积来改变高低速时发动机进气量的大小，可实现较大压力增加。（ ）

四、简答题

1. 请简述进气系统的功用。
2. 请简述带有回流识别功能的热膜式空气流量传感器工作原理。
3. 请简述涡轮增压控制系统的基本工作原理。

五、识图题

1. 请根据图 2-72 描述进气系统气流路径。

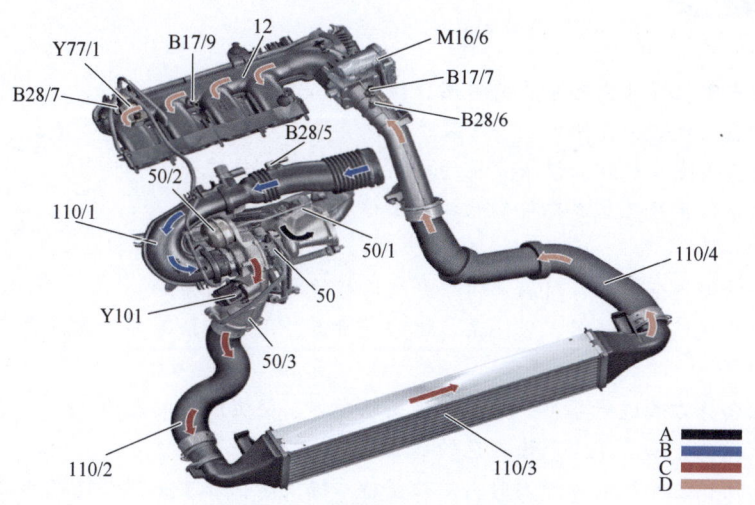

图 2-72　带涡轮增压的进气系统

2. 根据图 2-73 简述其工作过程。

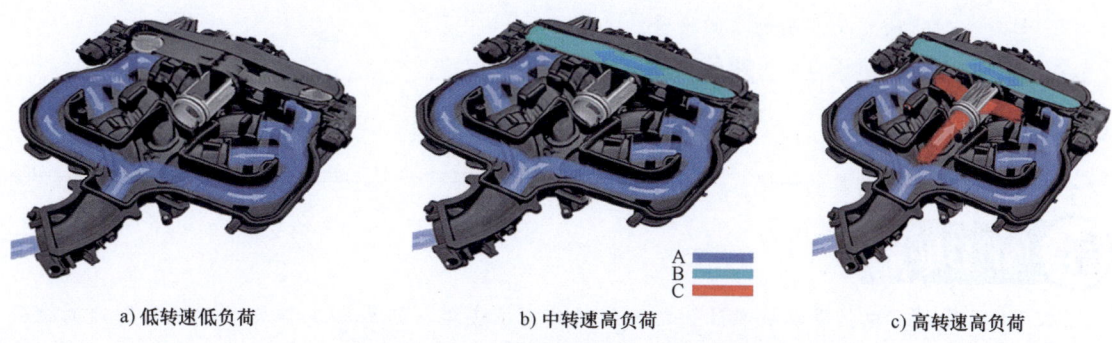

a) 低转速低负荷　　b) 中转速高负荷　　c) 高转速高负荷

图 2-73　进气增压控制系统的工作原理图

项目三 燃油供给系统的检修

知识目标

1. 知道电控发动机燃油供给系统的作用、组成及工作过程。
2. 知道冷却液温度传感器的作用、安装位置、类型、结构原理和检测方法。
3. 知道缸内直喷发动机燃油供给系统的作用、组成及工作过程。
4. 掌握燃油供给系统各组成部件的结构和工作原理。

技能目标

1. 能按维修手册规范要求,对燃油供给系统进行故障诊断与排除。
2. 能依据维修规范对喷油器、燃油泵、燃油滤清器、高压油泵等部件进行更换。

素养目标

1. 通过小组合作方式进行学习,培养学生团队合作、交流沟通的能力。
2. 通过规范操作,培养学生严谨规范的职业意识。
3. 在分析燃油供给系统故障原因时,必须坚持系统观念,注重把握部件之间的相互关系。

1. 燃油泵及控制电路的检修。
2. 缸外喷射喷油器及控制电路的检修。
3. 高压油泵和燃油压力调节阀的检修。
4. 燃油压力传感器的检修。
5. 缸内直喷喷油器的检修。
6. 冷却液温度传感器的检修。

本项目主要学习电控发动机燃油供给系统的作用、类型、组成和工作原理。在此基础上能对燃油供给系统进行故障分析、检测和排除。

学习方式采用观看多媒体课件、相互讨论、现场教学和小组合作学习。

知识准备

第一课 燃油供给系统概述

一、燃油供给系统的作用

燃油供给系统的作用是根据发动机不同工况的要求，提供清洁、充足和稳定的燃油，并配制出一定压力和浓度的可燃混合气，供入气缸，使之在临近压缩终了时点火燃烧而膨胀。

二、燃油供给系统的形式

燃油供给系统包括有回油式、机械无回油式和电子无回油式三种形式。

1. 有回油式

有回油式的燃油供给系统具有喷油压力波动小，回流燃油导致燃油箱内油温升高，加速燃油箱内燃油的蒸发速度，燃油汽化而使喷油量减少，发动机的热起动性能较差等特点，如图 3-1 所示。

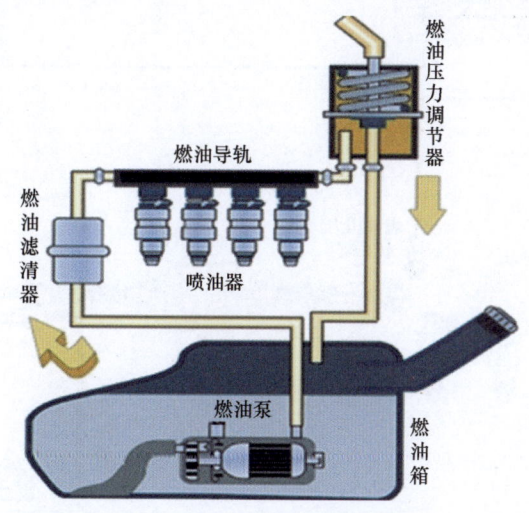

图 3-1 有回油式燃油供给系统图

2. 机械无回油式

机械无回油式燃油供给系统采用恒压式燃油压力调节器，优点是：过剩的燃油直接从燃油滤清器回油管或燃油箱内部返回燃油箱，避免了有回油式燃油供给系统的缺点，同时也简化了燃油管道，降低了燃油管路泄漏的可能性，如图 3-2 所示。

3. 电子无回油式

电子无回油式燃油供给系统不需要燃油压力调节器。燃油导轨上安装一个燃油压力传感器，向 ECU 传送燃油压力信息，ECU 根据此信息以占空比的方式向燃油泵控制模块发送指令，燃油泵控制模块根据此指令调节燃油泵的转速，从而调节燃油供给系统中的压力。可以根据进气歧管压力、发动机的需求和燃油温度对燃油压力进行连续可变的调整，实现按需供油，如图 3-3 所示。

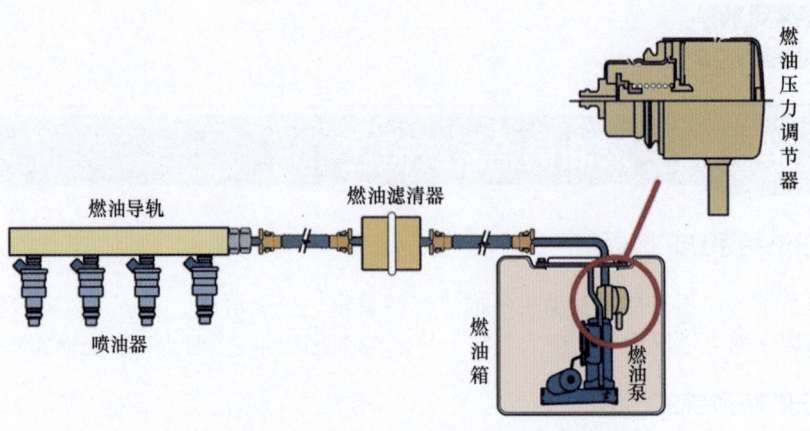

图 3-2　机械无回油式燃油供给系统图

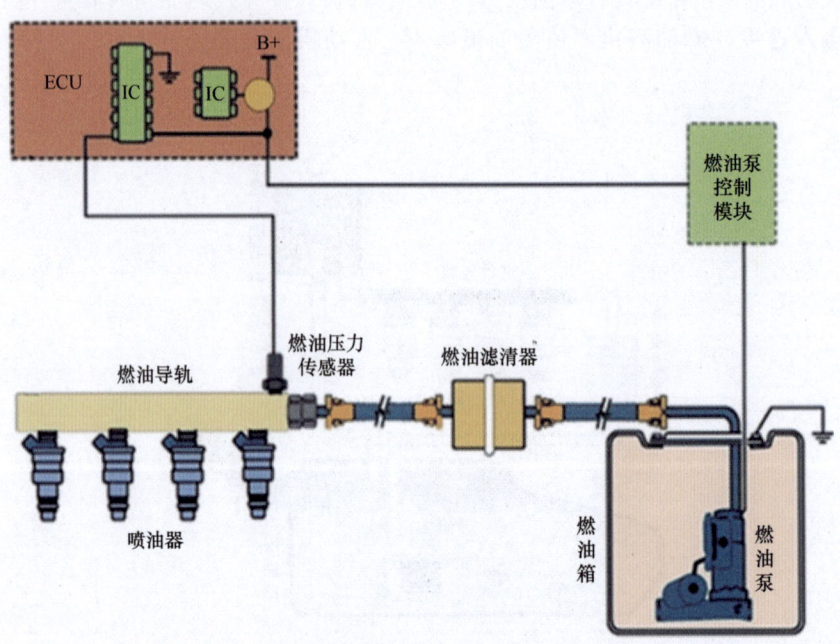

图 3-3　电子无回油式燃油供给系统图

三、燃油供给系统的组成与工作原理

1. 缸外多点喷射发动机

对于缸外多点喷射的电控发动机而言,发动机燃油供给系统一般由燃油箱、燃油泵、燃油滤清器、油管、燃油导轨、燃油压力调节器和喷油器等组成,如图 3-4 所示。

燃油供给系统可以将燃油箱中的燃油导出,经过燃油滤清器的过滤,在不同工况下通过燃油压力调节器将燃油调节为比进气管压力高约 250kPa 的压力。根据各个输入信号信息,当 ECU 发出信号给喷油器通电时,将与进气量匹配的燃油喷射到进气歧管中,从而进入气缸参与燃烧,如图 3-5 所示。

项目三 燃油供给系统的检修

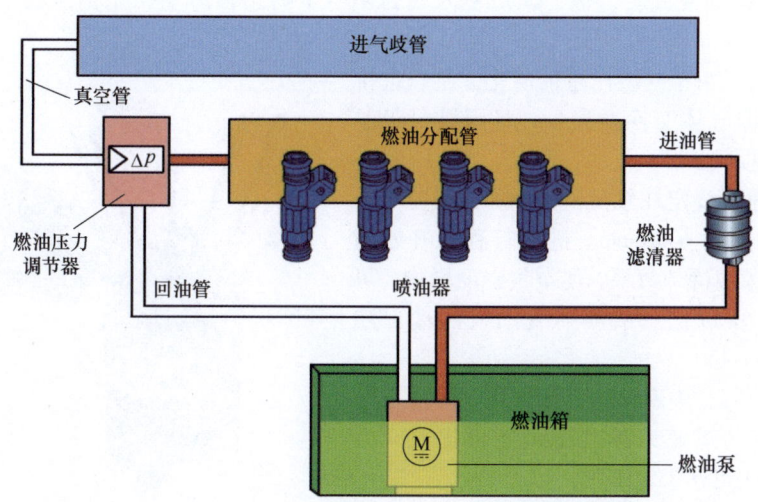

图 3-4 缸外多点喷射发动机燃油供给系统的组成示意图

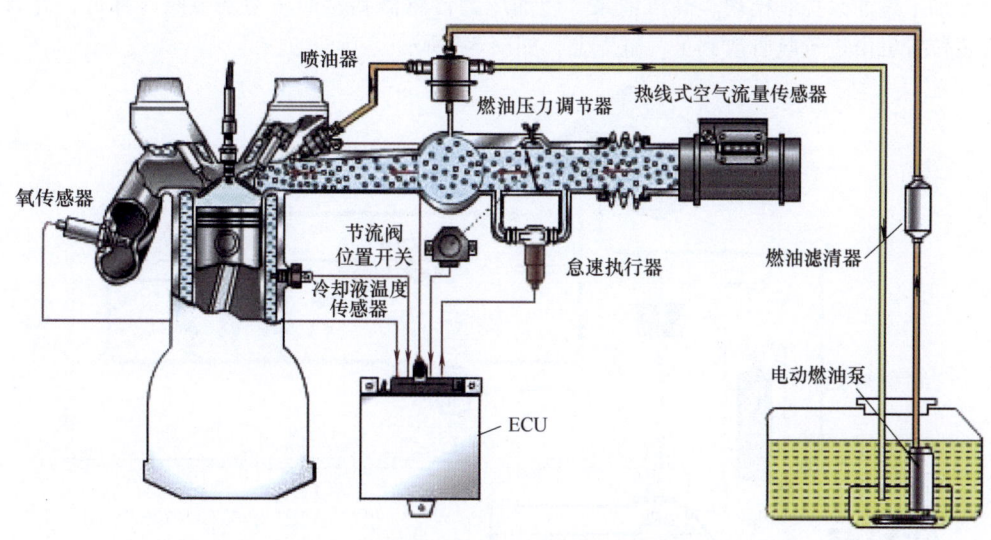

图 3-5 缸外多点喷射发动机燃油供给系统工作原理图

2. 缸内直喷发动机

汽油机缸内直喷技术是目前最有效的节能减排技术之一,通过提升喷油压力、缸内直喷和分层燃烧等技术改善发动机的冷起动、燃烧组织及废气排放,还可大幅降低燃油消耗并提升功率/转矩输出,其特点如下:

1) 由于汽油直接喷射到气缸,使缸内充分得到冷却,可以使用较大的压缩比,怠速及部分负荷燃油消耗率可以降低。

2) 与缸外喷射系统汽油机相比,由于提高了燃油雾化质量和降低了泵吸损失,功率可以增加。

3) 缸内汽油直喷发动机可大幅降低 CO_2、CO、HC 及 NO_x 的排放。缸内直喷发动机比一般喷射发动机能够更省油及输出功率更高,其原因如下:低负荷时,利用层状气体分布,压缩行程末期喷射的燃料被进气涡流及活塞顶部的球形曲面保持在火花塞附近,为易于点燃的最佳可燃混合气，而周围为空气层，整个燃烧室内成为 40∶1 的超稀薄空燃比仍能稳定燃烧，达到省油效果。

4）低负荷时，由于空燃比超稀薄化，所以进排气的泵损失少，即气体交换损失少；且因燃料吸温冷却效果，冷却损失少。

5）怠速转速可设定在较低值，例如，三菱汽车的 GDI 发动机怠速为 600r/min。进气行程就开始喷油，燃料汽化的吸温冷却效果，使空气密度增加，可提高容积效率，所以比一般喷射发动机的输出功率高。

6）直接喷入气缸中燃油的汽化作用，降低空气温度，发动机不易爆燃，所以压缩比可提高，如 GDI 发动机压缩比可达 12∶1。

缸内直喷是指喷油器将燃油直接喷入气缸，如图 3-6 所示。所以对于缸内直喷发动机而言，在原有基础上增加了燃油泵控制模块、高压油泵、燃油压力传感器和燃油压力调节阀等部件，并且喷油器的安装位置也由进气歧管改到了气缸盖上，如图 3-7 所示。

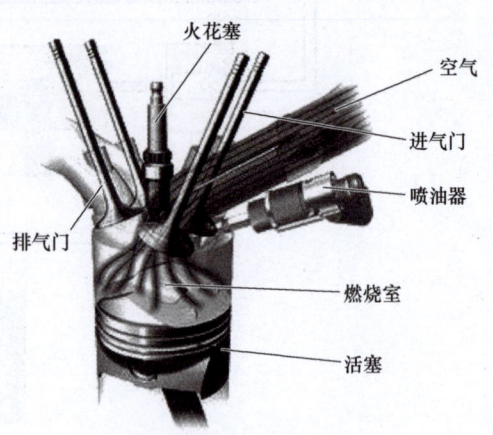

图 3-6　缸内直喷结构图

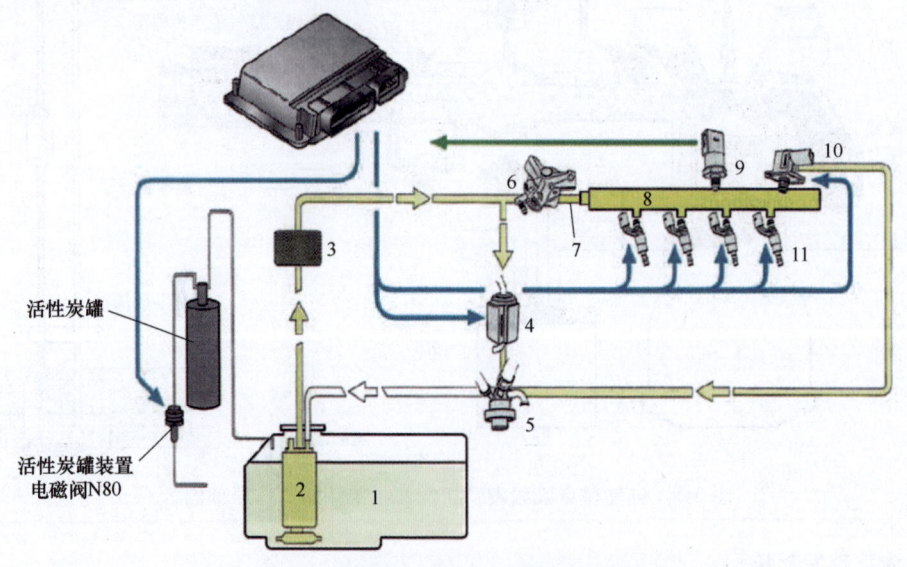

图 3-7　直喷发动机燃油供给系统原理图

由图 3-7 可知，直喷发动机燃油供给系统由低压燃油系统和高压燃油系统组成，具体名称如下：

低压燃油系统	高压燃油系统
1—燃油箱	6—高压燃油泵
2—低压燃油泵（G6）	7—高压燃油管路
3—燃油滤清器	8—燃油分配管
4—燃油计量阀（N290）	9—燃油压力传感器（G247）
5—燃油压力调节器	10—燃油压力调节阀（N276）
	11—高压喷射阀（N30~N33）

当燃油供给系统工作时，首先低压油泵运转，建立低压油路，油压为 3~6bar（1bar = 100kPa），经过燃油滤清器的过滤，进入高压燃油泵，进行二次升压后的油压为 40~120bar，新型发动机可达 200bar 再通过直喷喷油器将燃油喷入气缸中。同时，在燃油导轨上装有燃油压力传感器，可以将燃油导轨的压力以电信号的形式发送给发动机控制单元（ECU）。

目前缸内直喷发动机也存在一些问题，例如：

（1）**排放控制** NO_x 排放较多，HC 及微粒排放增多。

（2）**稳定性燃烧控制** 汽油直喷发动机分层充气稀燃区域的稳定燃烧控制难度较大，部分负荷分层稀燃和大负荷均质燃烧模式转变时的控制也非常复杂。

（3）**性能和可靠性** 相对 MPI 发动机，汽油直喷发动机喷油器的沉积物和积炭增多，降低了燃油的润滑性，增加了燃油供给系统的磨损。

（4）**控制复杂性** 汽油直喷发动机从冷起动到全负荷各种工况需要复杂的供油和燃烧控制，并需要复杂的排放控制系统控制策略，同时也增加了系统优化的标定参数。

第二课　燃油泵及控制电路

一、燃油泵的作用及安装位置

电动燃油泵的作用是从燃油箱中泵出燃油，并为燃油供给系统建立油压。电动燃油泵是由一种小型直流电动机驱动的燃油泵，电动机和燃油泵做成一体，密封在一个泵壳内。

燃油泵主要由泵体、永磁电动机和外壳三部分组成，内部结构如图 3-8 所示。

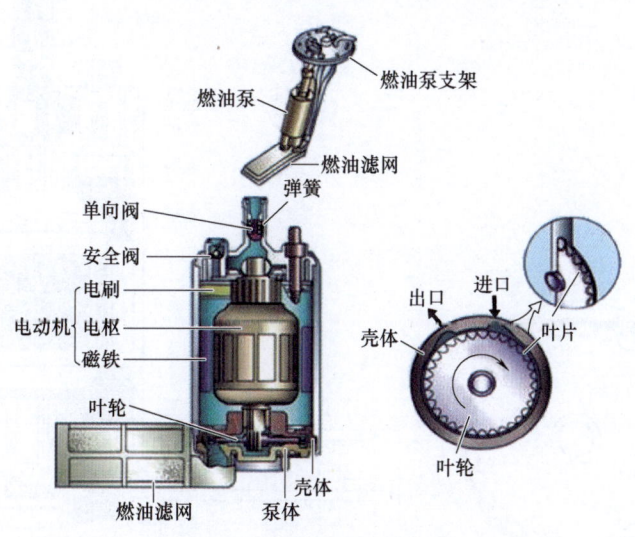

图 3-8　燃油泵结构图

大多数车型燃油泵安装在燃油箱内部，称为内置式；少数车型燃油泵安装在燃油箱外部，称为外置式。

二、类型

燃油泵根据结构的不同一般分为叶轮式和滚柱式，内置式一般采用叶轮式燃油泵，如图 3-9 所示；外置式一般采用滚柱式燃油泵，如图 3-10 所示。

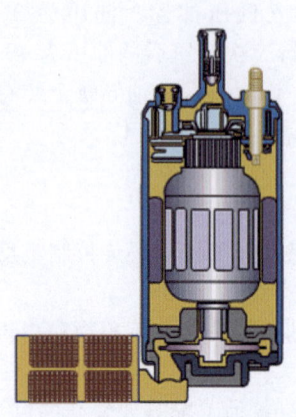
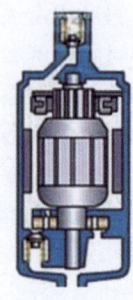
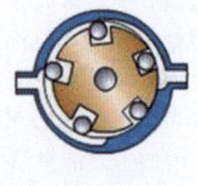

图 3-9　叶轮式燃油泵结构图　　　　图 3-10　滚柱式燃油泵结构图

三、叶轮式电动燃油泵的工作原理

燃油泵电动机通电时，燃油泵电动机驱动涡轮泵叶轮旋转，由于离心力的作用，使叶轮周围小槽内的叶片贴紧泵壳，将燃油从进油室带往出油室。由于进油室的燃油不断被带走，所以形成一定的真空度，将燃油从进油口吸入；而出油室燃油不断增多，燃油压力升高，当达到一定值时，则顶开出油阀经出油口输出，如图 3-11 所示。

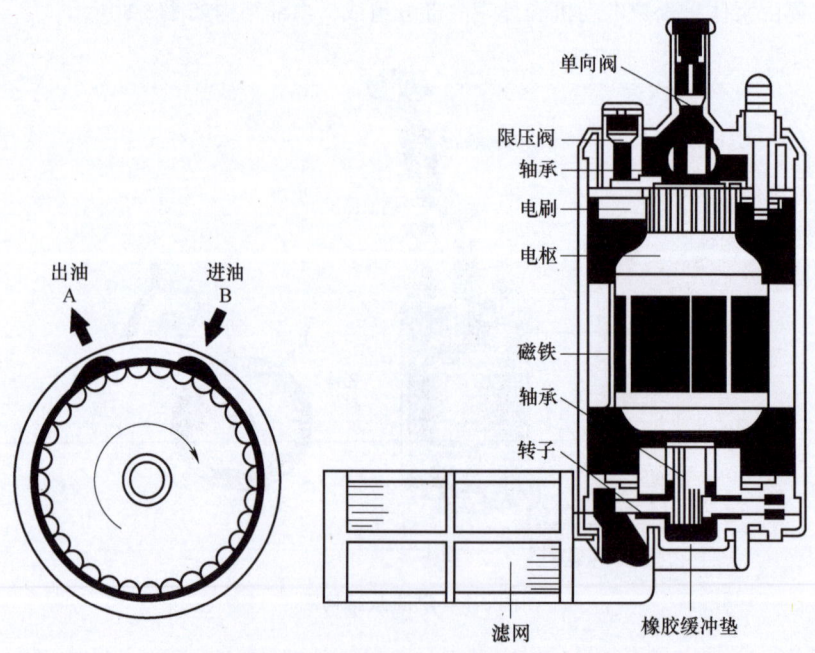

图 3-11　叶轮式电动燃油泵工作原理图

四、滚柱式电动燃油泵的工作原理

滚柱式电动燃油泵由转子、滚柱和泵体组成，转子偏心地置于泵体内，燃油泵的电动机带动转子运转时，由于离心力的作用使滚柱向外侧移动而与泵套内壁接触。这样，由转子、滚柱和泵套围成的腔室将随转子的转动而产生容积大小的变化,在容积由小变大的一侧燃油被吸入,在容积由大变小的一侧燃油被压出,如图 3-12 所示。

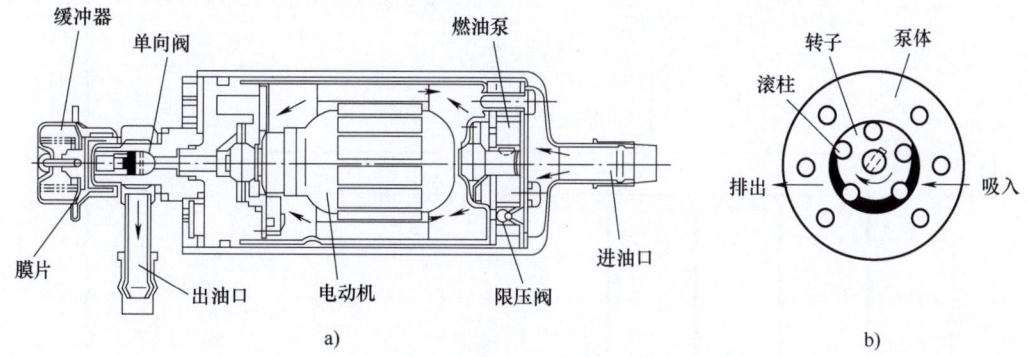

图 3-12　滚柱式电动燃油泵工作原理图

五、电动燃油泵的控制方式

电控燃油喷射发动机喷油器的燃油是由电动燃油泵提供的,电动燃油泵的工作也是受控制的。电动燃油泵的控制方式常用的有以下几种:

1) D 型 EFI 系统燃油泵开关继电器的控制。
2) L 型 EFI 系统燃油泵开关继电器的控制。
3) 晶体管型 EFI 电动燃油泵的控制。
4) ECU 通过燃油泵继电器控制。
5) 燃油泵模块控制。

目前应用最为广泛的是 ECU 通过燃油泵继电器控制方式和燃油泵模块控制方式,前三种已经淘汰。

1. ECU 通过燃油泵继电器控制

燃油泵基本控制原理图如图 3-13 所示。

图 3-13　燃油泵基本控制原理图

图 3-14 所示为大众捷达燃油泵的控制电路图。由图 3-14 可知,该车型燃油泵是受熔断丝 S5、燃油泵继电器、发动机 ECU 等部件控制的,发动机 ECU 控制继电器的 85 端子,从而继电器触点吸合,继电器 30-87 端子接通,再通过熔断丝 S5 为燃油泵供电,使燃油泵正常运转。

2. 燃油泵模块控制

图 3-15 所示为一汽大众迈腾 B7 轿车发动机燃油泵控制原理图。

由图 3-15 可知,燃油泵受控于燃油泵控制模块 J538,其工作分为以下两种情况:

1) 当打开点火开关至"ON"档或车门接触开关闭合对车辆进行唤醒时,该信号发送至车载电网控制单元 J519,车载电网控制单元 J519 输出信号,燃油泵控制模块 J538 控制油泵预运转 5s,为起动发动机提前供油。

2) 当发动机正常运行后,发动机 ECU 收到燃油压力传感器和曲轴位置传感器(转速信号)信息,从而输出控制信号至燃油泵控制模块 J538,燃油泵持续运转供油。

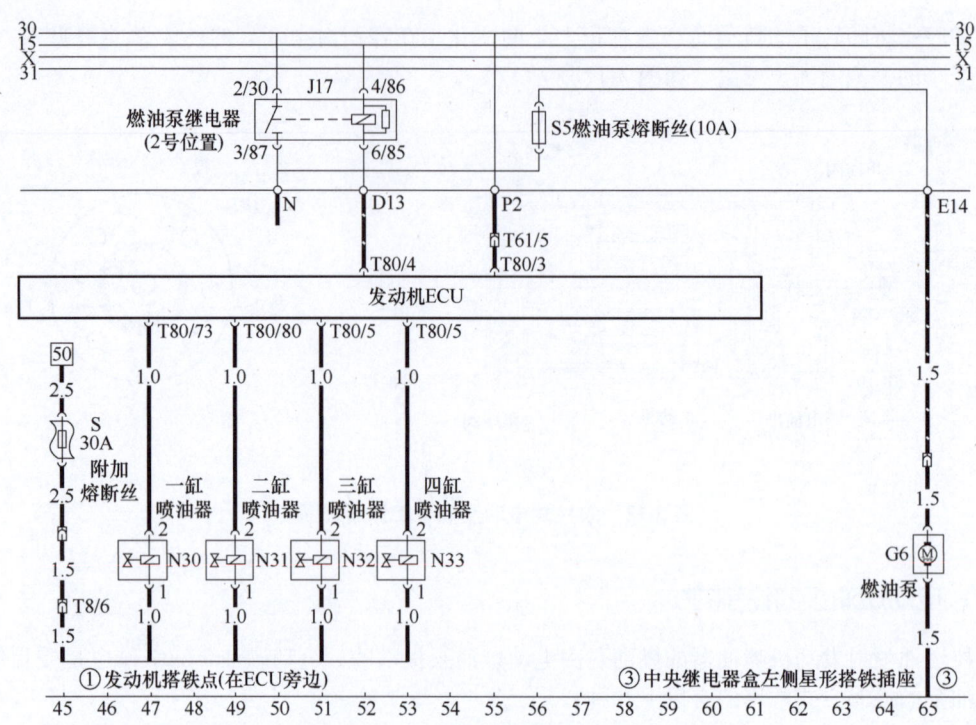

图 3-14　大众捷达燃油泵的控制电路图

六、燃油液位传感器

燃油液位传感器通常集成在燃油泵总成上，用于检测燃油箱中燃油的存储量，并将燃油存储量信息转变为电压信号传送给发动机 ECU 或组合仪表。

一般该传感器为滑片变阻器型，阻值通常在 20～300Ω 范围内。燃油液位越低，变阻器阻值越大，信号电压越高。燃油液位越高，变阻器阻值越小，信号电压越低，信号传递给仪表模块或 ECU，从而显示燃油液位，如图 3-16 所示。

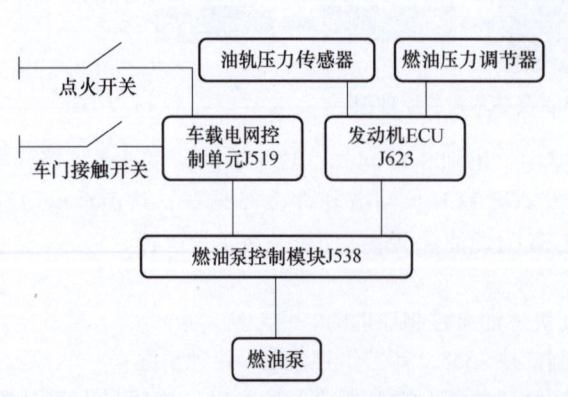

图 3-15　一汽大众迈腾 B7 轿车发动机燃油泵控制原理图

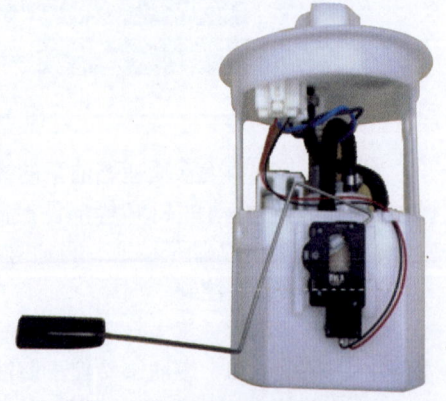

图 3-16　燃油液位传感器结构图

七、燃油滤清器

燃油滤清器的作用是滤除燃油中的杂质和水分，防止燃油供给系统堵塞，减少机械磨损，以保证发动机正常工作。

燃油滤清器一般由滤芯和壳体组成。滤芯一般为纸质滤芯，可滤去直径大于 0.01mm 的杂质。燃油滤清器是一次性使用的，一般每行驶 40000km 或 60000km 更换一次。壳体一般为金属或塑料材质，结构如图 3-17a、b 所示。燃油滤清器外壳上的箭头（或字母 IN）表示燃油的流进方向，安装时，不允许倒装，如图 3-17c 所示。有的车型安装在燃油箱外部，称为外置式；有的车型安装在燃油箱内部，称为内置式。

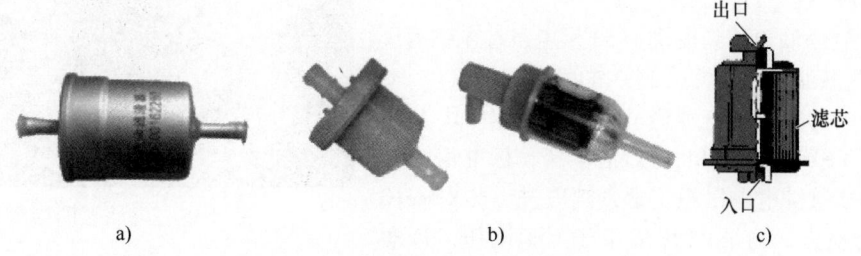

图 3-17 燃油滤清器的结构示意图

八、电动燃油泵及控制电路的检修

在现在车型中，燃油泵的控制越来越趋向于模块控制方式，如奥迪、大众、奔驰和宝马等车型。以一汽大众迈腾 B7L 1.8TSI 发动机为例，控制电路图如图 3-18 所示。

由图 3-18 可知，燃油泵 G6 的工作受控于燃油泵控制模块 J538，燃油泵控制模块 J538 受控于发动机 ECU J623 或中央电气控制单元 J519。当打开车门或打开点火开关时，中央电气控制单元 J519 控制燃油泵控制模块 J538 和燃油泵 G6 进行预供油。当发动机正常运转后，发动机 ECU 控制燃油泵控制模块 J538 和燃油泵 G6 进行持续供油。

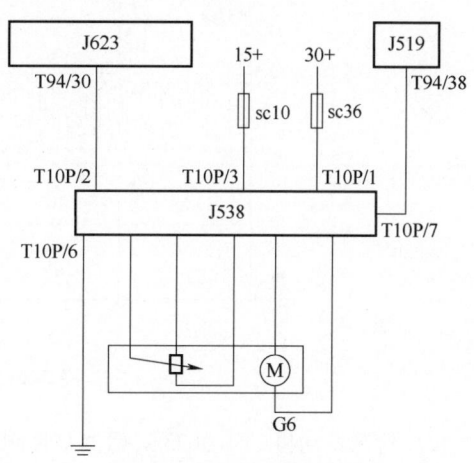

图 3-18 燃油泵控制电路图

1. 燃油泵不工作的原因分析

燃油泵不能正常工作，将不能为燃油供给系统提供低压燃油，发动机将不能起动或起动后熄火。造成燃油泵不工作的原因如下：

1) 燃油泵本身存在故障。
2) 燃油泵控制电路存在故障。
3) 燃油泵控制模块本身或电源故障。
4) 燃油泵控制模块 J538 与发动机 ECUJ623 之间的通信电路故障。
5) 发动机 ECUJ623 自身存在故障。

2. 燃油泵不工作的检测方法

（1）检测燃油泵本身及供电

1) 检查燃油泵线束插接器连接是否良好。
2) 用万用表电阻档测量燃油泵电阻，测燃油泵 T5a/1 和 T5a/5 之间的电阻，一般为 0.4~0.6Ω。如果阻值过小，则说明燃油泵内部短路。如果阻值无穷大，说明燃油泵内部存在断路故障。如果电阻正常，应进一步检测其供电，如图 3-19 所示。

3）检查燃油泵的工作波形。

由于该车型燃油泵的转速是通过占空比方式进行控制的，所以用示波器测量其工作波形。将示波器的探针分别连接燃油泵的 T5a/1 和 T5a/5 两个端子，测量其工作波形，波形如图 3-20 所示。如果波形不正常应进一步检测燃油泵控制模块 J538 的输出波形。如果两端波形不一致，则应检测电路本身的电阻，电阻值应小于 1Ω。

（2）检测燃油泵控制模块 J538 供电及控制信号

1）检测燃油泵控制模块 J538 的供电和搭铁。

用万用表的电压档分别测量燃油泵控制模块 J538 的供电端子 T10P/1 和 T10P/3 对地电压，标准值为蓄电池电压。如果供电电压不正常，则应进一步对 sc10 和 sc36 进行检查。测量 T10P/6 端子对地电压，标准值为 0V。

图 3-19　燃油泵的检测

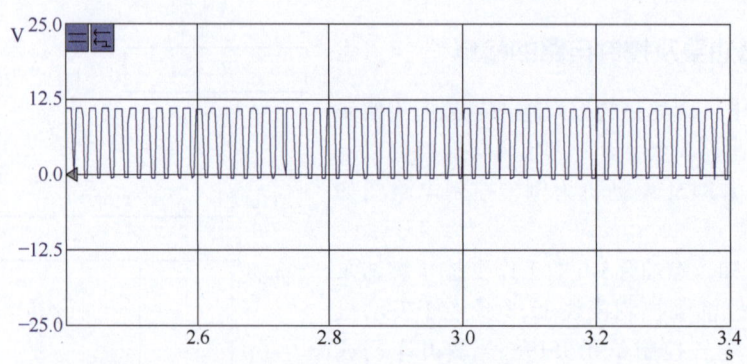

图 3-20　燃油泵工作波形图

2）检测发动机 ECU J623 对燃油泵控制模块 J538 的控制信号。

用示波器的探针测量燃油泵控制模块 J538 的 T10P/2 端子搭铁波形，波形如图 3-21 所示。如果波形不正常应进一步检测发动机 ECU J623 的 T94/30 端子的波形，如果两端波形不一致应测量该电路的电阻，阻值应小于 1Ω，如果波形正常则应更换燃油泵控制模块 J538。

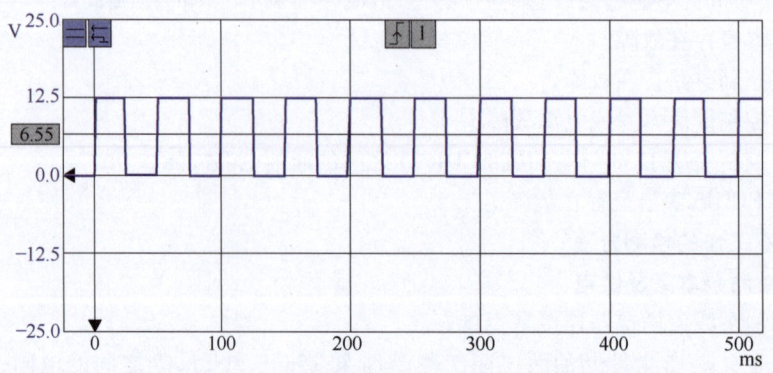

图 3-21　发动机 ECU J623 对燃油泵控制模块 J538 控制信号波形图

第三课 燃油压力调节器

燃油供给系统通过燃油压力调节器稳定喷油压力（即燃油导轨内部油压与进气歧管真空度的压力差），使电子燃油喷射系统只通过控制喷油器的喷油时间就可精确控制喷油量。燃油压力调节器的作用是保持喷油总管（燃油分配管）油压与进气歧管之间的压力差恒定（250～300kPa），这样喷油量便唯一取决于喷油器的开启时间。燃油压力调节器一般安装在燃油导轨的一端。喷油总管压力=进气歧管压力+300kPa。燃油压力调节器的安装位置如图3-22所示，其结构如图3-23所示。

图3-22 燃油压力调节器的安装位置

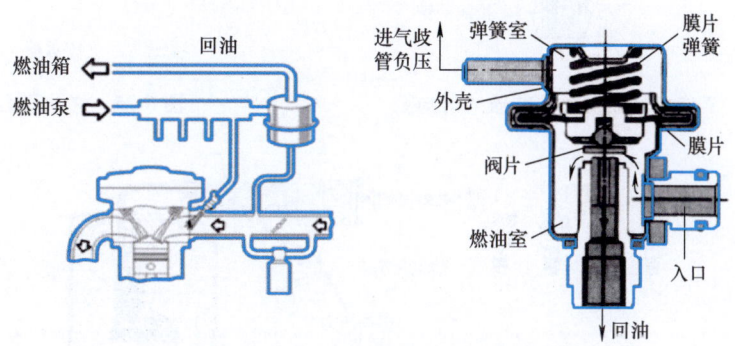

图3-23 燃油压力调节器的结构图

一、真空式燃油压力调节器

真空式燃油压力调节器一般应用在有回油管路的燃油供给系统中，其结构如图3-24所示。

真空式燃油压力调节器一般由金属壳体、膜片（膜片将壳体内腔分成一个燃油室和一个真空室）、预紧弹簧和球阀等组成。

真空式燃油压力调节器通过进气歧管真空度的变化来改变回油量，从而改变燃油压力。当发动机节气门开度较小时，进气歧管内真空度较大，膜片克服弹簧的弹力向上运动，球阀打开，开始回油。当节气门开度较大时，进气歧管内的真空度较小，膜片将在弹簧力的作用下关闭球阀，停止回油。这样可以使燃油导轨内部油压随着进气歧管的压力变化而变化，以保证喷油器的喷油压力恒定：喷油压力 Δp_x（250kPa）= 燃油导轨油压 p_1-进气歧管压力 p_2，如图3-25所示。

二、恒压式燃油压力调节器

恒压式燃油压力调节器一般应用于无回油式燃油供给系统，回油是在燃油箱内或燃油滤清器回油管中完成的。油压与其内部泄压阀弹簧的预紧力有关，燃油导轨内的油压一般在 325~415kPa 范围内，较高的燃油压力可以防止燃油蒸气形成气阻。

恒压式燃油压力调节器一般由壳体、弹簧和阀门等组成，回油压力取决于弹簧的弹力，当燃油压力高于弹簧的弹力时，燃油压力将阀门顶开，开始回油，当油压低于弹簧弹力时，阀门关闭，停止回油，如图 3-26 所示。

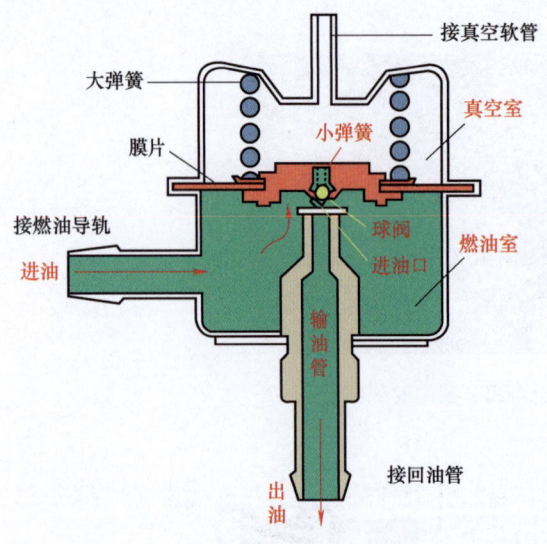

图 3-24 真空式燃油压力调节器的结构图

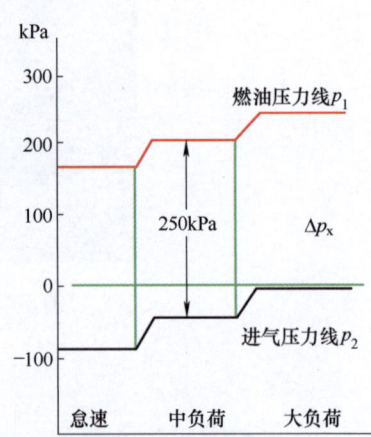

图 3-25 燃油压力调节图

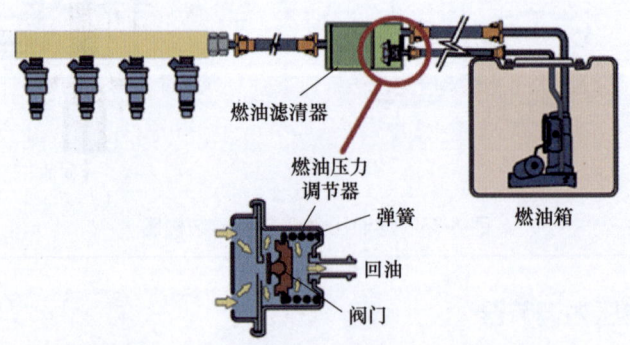

图 3-26 恒压式燃油压力调节器的结构图

三、燃油压力的测试与燃油压力调节器的检修

1. 燃油供给系统检修的注意事项

1）燃油供给系统中存有高压汽油，因此任何涉及燃油管路拆卸的工作都应首先卸压并准备好消防设备，作业区应通风良好、断绝火源，作业时要格外仔细小心，避免泄漏的汽油引发火灾。

2）在拆卸油管时，油管内还会有少量燃油泄出，所以在断开油管前，用抹布将拆卸处包裹住，以吸附泄漏的燃油，将吸附燃油的抹布收集到准许的容器中。

项目三 燃油供给系统的检修

3）燃油管多用钢、橡胶或尼龙制造，不得渗漏、裂纹、扭结、变形、刮伤、软化或老化，否则应立即予以更换。

4）所有的密封元件、油管卡箍均为一次性零件，维修时应予以更换。

5）油管接头不得松动，否则应立即予以紧固。有些轿车采用特制的油管快速接头，拆装时应使用专用工具。

6）连接螺母或接头螺栓与高压油管接头连接时必须使用新垫片并涂上一薄层机油，先用手拧上接头螺栓，再用工具拧紧到规定力矩。

7）安装喷油器时可先用汽油润滑其密封元件，以利于顺利安装，不可使用机油、齿轮油或制动液。喷油器安装后应可在其位置上转动，否则说明密封圈扭曲，应重新装配。

8）不能通过燃油箱加油管放出燃油箱中的燃油，会损坏燃油箱加油管定位部件，正确方法是首先释放系统油压，卸下油箱，然后用手动泵油装置从燃油箱上的维修孔抽出燃油。不得将燃油放入开口容器中，否则会导致失火或爆炸。

9）燃油供给系统维修后不能立即起动发动机运行，应仔细检查有无漏油处。可接通点火开关2s，再关闭点火开关10s，这样反复几次看有无漏油，还可夹住回油管，使系统油压上升，在这种状态下检查和观察燃油系统是否有部位漏油，确认无漏油部位后才能正式起动发动机运行，发动机起动后使发动机怠速运转，再仔细检查有无部位漏油，此后才能关上发动机舱盖正常运行。

2. 燃油供给系统压力的卸除

汽油喷射发动机为了便于再次起动，在发动机熄火后，燃油供给系统内仍保持有较高的残余压力。在拆卸燃油供给系统内任何元件时，都必须首先释放燃油供给系统压力，以免系统内的燃油喷出，造成人身伤害或火灾。燃油供给系统压力卸除的方法如下：

1）松开燃油箱上的加油盖，释放燃油箱中的蒸汽压力。

2）拔去燃油泵继电器或燃油泵熔断丝，也可拔下燃油泵导线插头，起动发动机，维持怠速运转，直至发动机自行熄火。

3）再次起动发动机3~5次，利用起动喷射卸除油管中残余压力，直至无法起动。

4）关闭点火开关，装上油泵继电器或熔断丝或电动油泵导线插头。

3. 燃油供给系统压力预置

燃油供给系统压力预置的目的是为了避免首次起动发动机时，因系统内无压力而导致起动时间过长。

方法一：通过反复打开和关闭点火开关数次来完成。

方法二：用专用导线进行跨接，为燃油泵提供12V电源，约10s。

方法三：使用诊断仪的动作测试功能，驱动油泵运转，为燃油供给系统建立压力。

4. 检测燃油供给系统压力

检测燃油压力时需使用专用的油压表和管接头，如图3-27所示。检测方法如下：

拆下蓄电池负极搭铁线，安装汽车专用汽油压力表，一般安装于汽油滤清器的出油口或燃油分配管的进油口处，带测压口的车辆可将燃油压力表连接至测压口处，重新装复蓄电池负极搭铁线、电动燃油泵继电器和电动燃油泵导线插头。具体步骤如下：

1）检查燃油，释放燃油供给系统压力。

2）检查蓄电池，拆下负极电缆。

3）将专用压力表接在燃油分配管一端或进油管

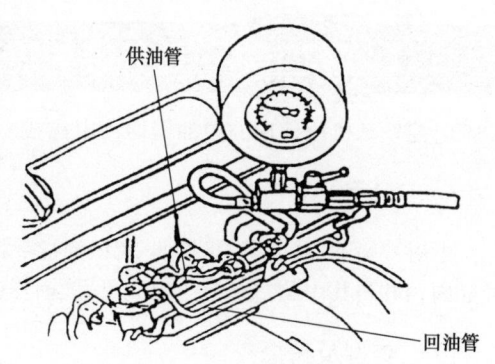

图3-27 油压的测量

接头处,如果是直喷发动机可以接在高压油泵前低压油管的接口处。

4)接上负极电缆,起动发动机使其维持怠速运转。

5)拆下燃油压力调节器上的真空软管,用手堵住进气管的一侧,检查燃油压力表指示的压力,缸外多点喷射系统应为 0.25~0.35MPa。

6)接上燃油压力调节器的真空软管,检查燃油压力表的指示应有所下降(约为 0.05MPa)。

7)将发动机熄火,等待 10min 后观察压力表的压力,不低于 0.20MPa。

8)检查完毕后,应释放系统压力,拆下燃油压力表,装复燃油供给系统。

5. 检测静态油压

1)拔下电动燃油泵继电器,用导线将电动燃油泵继电器供电端子短接;打开点火开关(不起动发动机)使电动燃油泵运转,此时的燃油压力应符合技术要求,一般应在 0.3MPa 左右。直喷发动机一般在 0.4~0.6MPa 范围内。

2)静态油压偏高多是由于回油管变形或燃油压力调节器损坏造成的。

3)静态油压偏低多是由于燃油泵进油滤网脏堵、电动燃油泵内部磨损、电动燃油泵限压阀损坏、汽油滤清器脏堵、燃油压力调节器调压弹簧过软或喷油器喷孔卡滞常喷油造成的。

6. 检测燃油供给系统保持压力

1)恢复静态油压,取下燃油泵继电器跨接线使燃油泵停止运转,并等待 30min,此时燃油压力表读数为燃油供给系统保持压力,应符合车型技术规定。

2)保持压力过低是由于电动燃油泵止回阀关闭不严、燃油压力调节器回油口关闭不严或喷油器滴漏造成的。

3)保持压力检测完毕后再次复查静态压力,如果静态压力仍然偏低应更换燃油压力调节器。

7. 检测怠速工作压力

1)发动机怠速运转时燃油压力表读数为燃油供给系统的怠速工作压力,一般为 0.25MPa 或符合车型技术规定。怠速工作油压偏高多是由于燃油压力调节器真空管错装、漏装或漏气造成的,此时应先检视真空管安装是否正确、是否存在漏气部位,必要时予以更换。

2)检测怠速工作压力,拔下真空管时油压应上升至 0.3MPa,否则应更换燃油压力调节器。

8. 检测急加速时的燃油压力

1)急加速至节气门全开时燃油压力表读数为燃油供给系统的急加速油压,一般急加速时油压应迅速由怠速工作时的 0.25MPa 上升至 0.3MPa,或符合车型技术规定。

2)若急加速油压与怠速油压差值小于 0.05MPa,则说明在节气门全开时进气系统仍存在真空节流(例如节气门无法开至最大角度)或真空软管堵塞,应予以检修。

以上各项检测项目标准数据请参考具体车型的维修手册。

 第四课　缸外喷射喷油器

电控发动机所使用的喷油器均为电磁式。

一、功用

电磁式喷油器的功用是按照 ECU 的指令将一定数量的燃油以雾状的形式适时地喷入进气道或气缸内,并与其中的空气混合形成可燃混合气。

二、类型及特点

1)目前采用的喷油器都是闭式,根据结构来分,有孔式和轴针式两种。

① 孔式喷油器。

孔径：0.2~0.8mm，喷油压力：17~22MPa，喷射压力较高，燃油的雾化质量很好，主要用于对喷油压力要求较高的燃烧室，如直喷式燃烧室，如图3-28所示。

② 轴针式喷油器。

孔径：1~3mm，喷油压力：12~14MPa，主要用于对喷油压力要求较低的燃烧室，如分隔式燃烧室；由于孔径较大，并且喷油器工作时轴针在孔内上下移动，有利于清除喷孔内形成的积炭和其他杂质等，如图3-29所示。

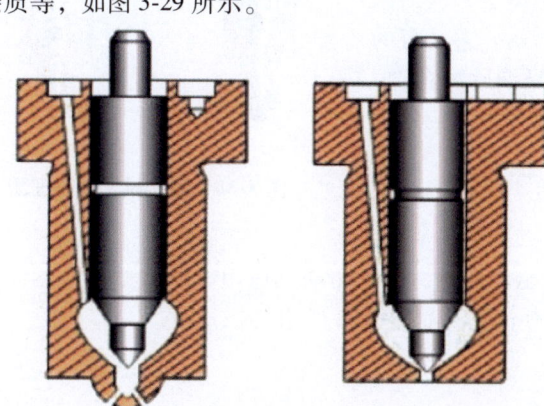

图3-28 孔式喷油器的结构图

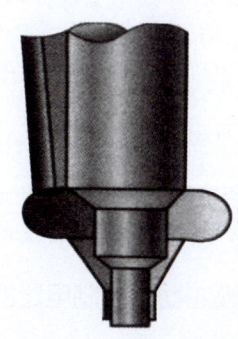

图3-29 轴针式喷油器

2) 根据喷油器线圈电阻阻值的不同分为低阻型和高阻型喷油器。低阻型喷油器电磁线圈的阻值一般为2~3Ω，高阻型喷油器电磁线圈的阻值一般为13~16Ω。

三、使用要求

电磁式喷油器的使用要求如下：
1) 雾化均匀。
2) 喷射干脆利落。
3) 无后滴现象。
4) 油束形状与方向适应燃烧室形式。

四、结构

电磁式喷油器一般由电磁线圈、回位弹簧、喷油针阀和滤网等组成，如图3-30所示。

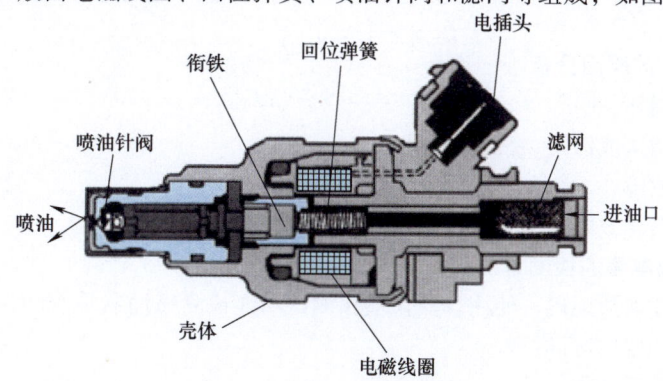

图3-30 电磁式喷油器结构图

五、工作原理

喷油器实际上是一个电磁阀,针阀与衔铁制成一体随衔铁一起移动。当电磁线圈通电后,线圈即产生电磁场,电磁场使衔铁被吸起,针阀随之离开阀座,针阀升程约为 0.1mm,具有一定压力的燃油便从喷孔喷射出去,当电磁线圈断电后磁力消失,针阀被弹簧压紧在阀座上,汽油因此被密封在油腔内,停止喷油,如图 3-31 所示。发动机的喷油量通过 ECU 控制喷油器的通电时间(喷油脉冲宽度)来确定。发动机 ECU 根据发动机运转工况及各种影响因素进行计算,最后确定喷油器通电时间。

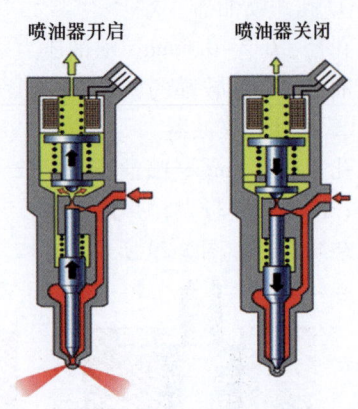

图 3-31 喷油器工作原理图

六、喷油器的驱动方式

喷油器的驱动方式分为电流驱动与电压驱动两种,电流驱动只适用于低阻型喷油器,电压驱动既可用于低阻型喷油器,又可用于高阻型喷油器,如图 3-32 所示。

七、喷油器及控制电路的检修方法

喷油器可以将燃油以一定的压力喷出并雾化,以确保发动机的正常工作。当喷油器或电路出现故障时,会造成发动机起动困难、工作不稳、排气冒黑烟、尾气排放不合格等现象。以大众 AJR 发动机为例,电路图如图 3-33 所示。

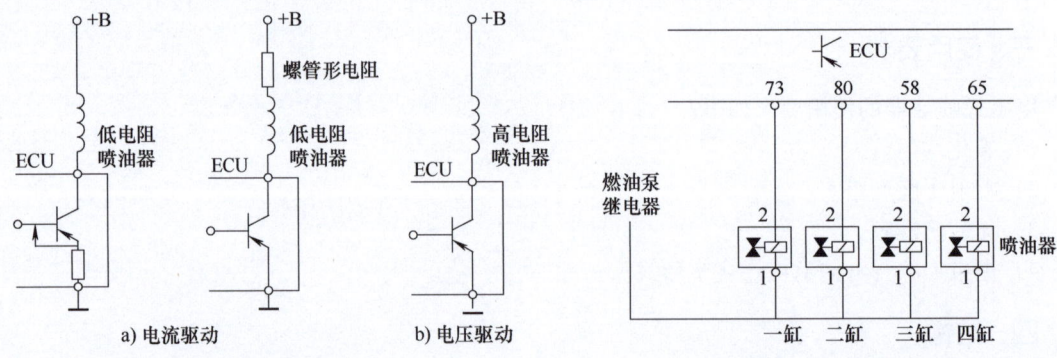

图 3-32 喷油器的驱动方式　　　　　　图 3-33 喷油器连接电路图

1. 喷油器不工作的原因分析

1) 喷油器线圈损坏。
2) 喷油器自身堵塞或泄漏、密封圈损坏。
3) 喷油器供电故障。
4) 喷油器控制信号故障。

2. 喷油器及控制电路的检测方法

1) 使用诊断仪读取故障码,使用诊断仪动作测试功能检测喷油器是否动作。如果不动作应进一步对喷油器和控制电路进行检测。
2) 检测喷油器是否动作。

发动机怠速运转,用手触摸喷油器,应有振动感;用螺钉旋具接触喷油器,应有"嗒嗒"声。

若喷油器能动作，则检查喷油器是否有堵塞或者泄漏；若喷油器不能动作，则检查喷油器电磁线圈的电阻或控制电路。

3）检查喷油器是否有堵塞或泄漏。

关闭点火开关，安装燃油压力表，拔下喷油器插接器，逐个给喷油器脉冲供电，油压不下降为堵塞。测量保持油压，若油压过低，说明喷油器有泄漏。此时应拆下喷油器，在喷油器试验台上检查喷油器的喷油量和雾化状态。如果不正常，则应更换喷油器。

4）测量喷油器电阻。

关闭点火开关，拔下喷油器插头，用万用表的电阻档测量喷油器电磁线圈的电阻，低阻型喷油器电磁线圈的阻值一般为2~3Ω，高阻型喷油器电磁线圈的阻值一般为13~16Ω。如果阻值不符合规定，应更换喷油器。

5）测量喷油器的供电电压。

关闭点火开关，拔下喷油器插头，打开点火开关，用万用表电压档测量喷油器线束插头端子1搭铁电压，标准值为蓄电池电压。若电压过低或无电压，应进一步检查其供电上游电路。

6）检测喷油器控制信号。

① 使用发光二极管试灯检测。关闭点火开关，拔下喷油器插接器，将发光二极管试灯连接在插接器插头上，起动运转发动机，试灯应闪烁。

② 波形测试。使用示波器测量喷油器端子2搭铁波形，正常波形如图3-34所示。

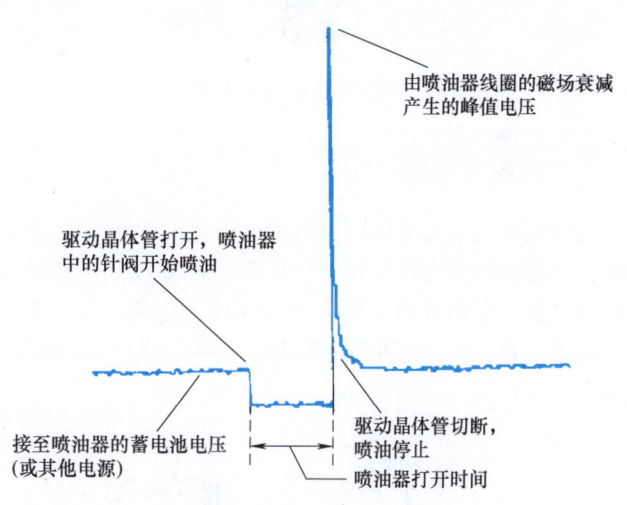

图3-34 喷油器工作波形

③ 如果在喷油器端测试的喷油信号不正常，则应关闭点火开关，拔下发动机ECU插头，测量发动机ECU到喷油器之间的导线电阻。一般导线电阻小于1Ω。若电路正常，则应考虑发动机ECU本身故障。

第五课　高压油泵和燃油压力调节阀

高压喷油系统是直喷发动机最关键的系统，与以前油气在进气歧管内混合，然后被负压吸入的发动机不同，直喷发动机是用高压喷油器将燃油喷入气缸，由于气缸内压力已经很大，因此需要喷油系统具备更大的压力。高压喷油系统主要可以分为ECU、高压油轨、高压油泵和喷油器四部分，如图3-35所示。其中，ECU主要采集发动机数据，按照预定程序控制喷油时机和喷油量，从而实现最高燃烧效率；而高压油泵主要负责燃油的加压，高压油轨主要起均衡各喷油器喷射压力的作用，而最终的喷油任务由喷油器来执行。此外，还有多个传感器提供燃油压力等信息，确保整个系统的高效率。

一、高压油泵的作用及安装位置

高压油泵在缸内直喷发动机燃油供给系统中，可以将低压燃油进行二次升压，并且燃油压力调节阀与高压油泵制成一体，燃油压力调节阀根据发动机的各工况需求调节燃油压力，最终将燃油压力升为 40~120bar，新型发动机可达 200bar。高压油泵一般安装在凸轮轴的一端或侧面，如图 3-36 所示。

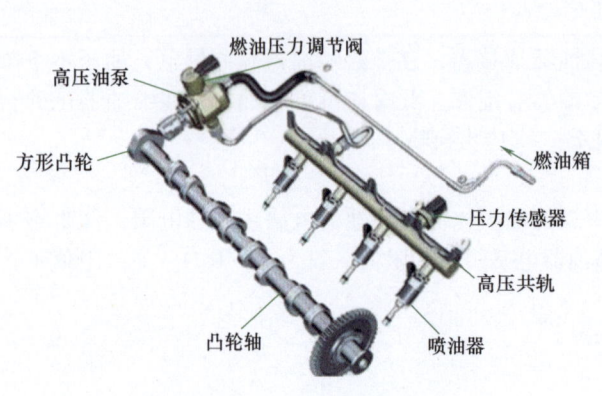

图 3-35　高压喷油系统组成图　　　　图 3-36　高压油泵安装位置图

二、高压油泵的结构

缸内直喷汽油发动机所用的高压油泵一般由两个部分组成：一是机械柱塞泵，一般受凸轮轴驱动；二是燃油压力调节阀，受发动机 ECU 控制。机械柱塞泵可以实现升压的作用，燃油压力调节阀可以根据发动机的工况需求对油压进行调节，一般油压为 40~120bar，其结构一般由高压接口、高压活塞、压力缓冲器、泵腔、阀针、线圈和衔铁等组成，如图 3-37 所示。

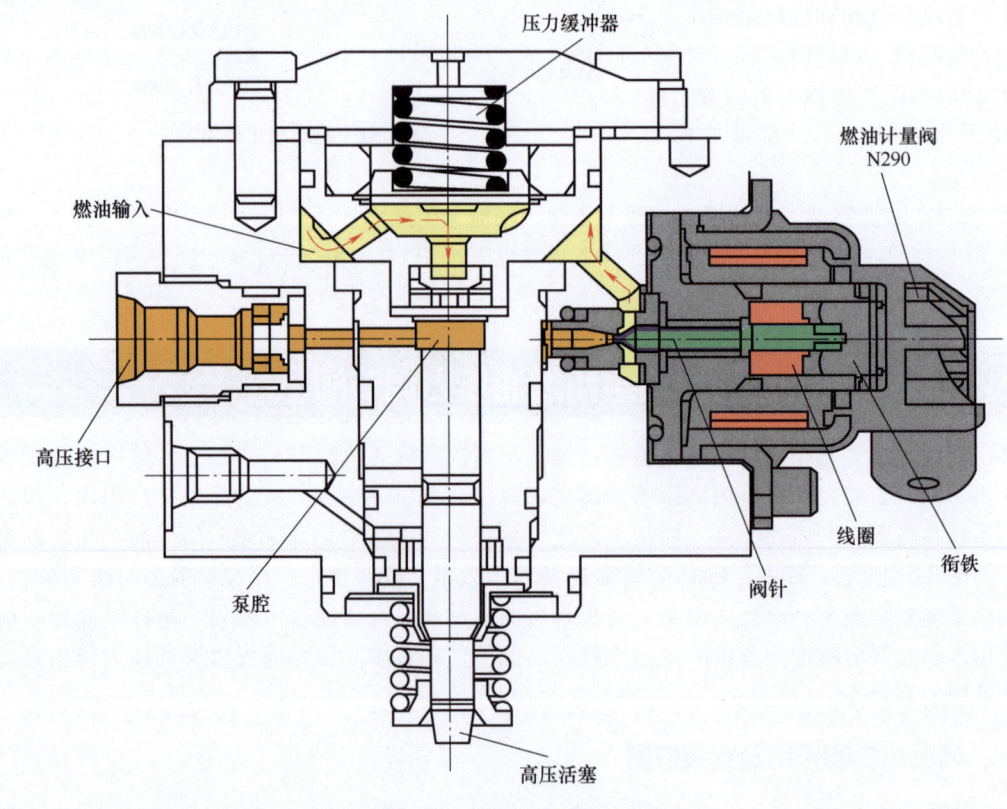

图 3-37　高压油泵的结构图

三、高压油泵的工作原理

1. 进油行程

在进油行程时,高压油泵柱塞向下运动,燃油压力调节阀通电处于打开状态,低压燃油被吸入泵腔,如图 3-38 所示。

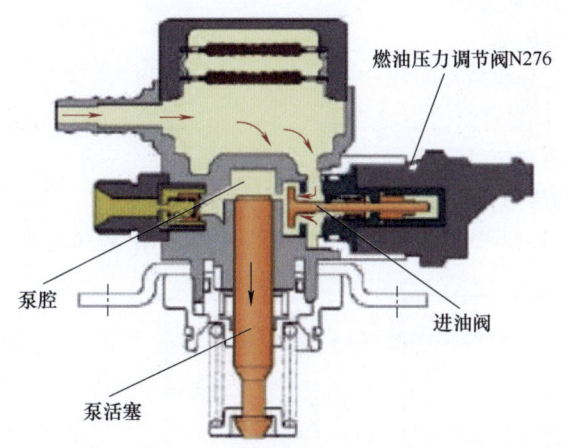

图 3-38　进油行程

2. 回油行程

在回油行程时,高压油泵柱塞向上运动,为了控制实际供油量,进油阀在初期仍然处于打开状态,多余的燃油被泵回低压侧。缓压器的作用是回油过程中吸收燃油的压力波动,如图 3-39 所示。

3. 泵油行程

在泵油行程,柱塞向上运动,燃油压力调节阀断电,使进油阀关闭。随着柱塞向上运动,泵腔内压力逐渐升高,当泵腔内的压力高于燃油导轨压力时,出油阀被打开,燃油泵入燃油导轨,如图 3-40 所示。

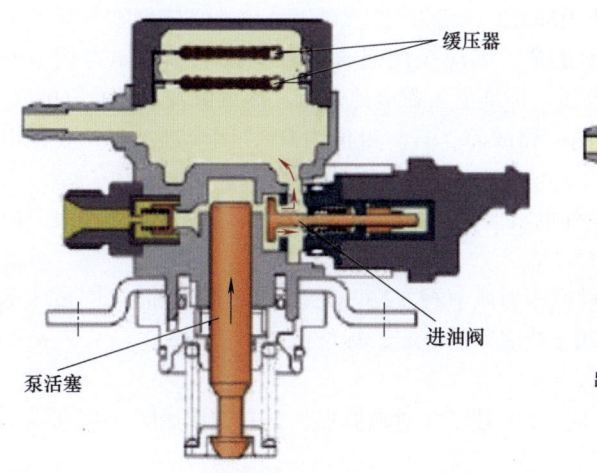

图 3-39　回油行程

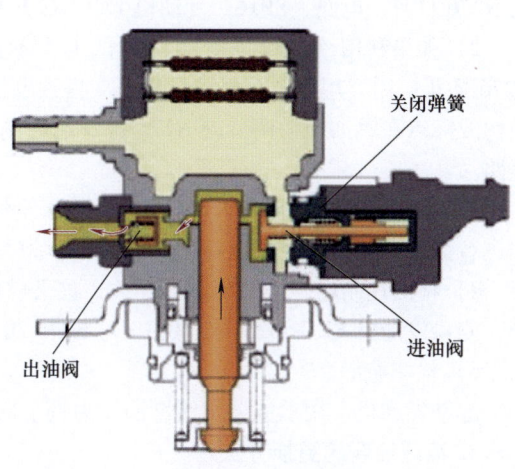

图 3-40　泵油行程

四、高压油泵和燃油压力调节阀的检修方法

高压油泵和燃油压力调节阀制成一体,当任何一个部件出现故障时,需要更换高压油泵总成。当高压油泵或燃油压力调节阀出现故障时,燃油压力调节阀将不能对燃油压力进行调节,油压将保持在低压压力,即4~6bar,保证发动机可以正常起动,但是发动机出现加速不良的故障现象。

1. 高压油泵不工作的原因分析

1)高压油泵自身机械故障。
2)燃油压力调节阀自身故障。
3)燃油压力调节阀供电故障。
4)燃油压力调节阀控制信号故障。

2. 燃油压力调节阀的检修方法

以一汽大众迈腾 B7L 1.8TSI 发动机为例,燃油压力调节阀 N276 控制电路图如图3-41所示。

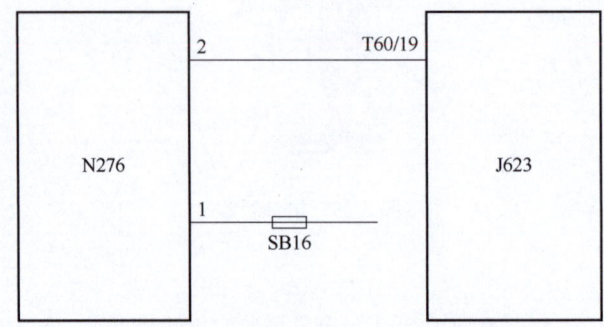

图 3-41 燃油压力调节阀 N276 控制电路图

由图3-41可以看出,燃油压力调节阀 N276 有两个端子,端子1与发动机 ECU J623 连接,作为控制信号;端子2与熔丝 SB16(10A)相连接,作为燃油压力调节阀 N276 的电源。为此诊断方法如下:

1)用故障诊断仪 VAS6150 读取故障码。使用动作测试功能,测试执行元件是否能够正常工作,如果正常工作,说明故障在 ECU 的控制信号,如果元件不工作,说明故障点在燃油压力调节阀 N276 自身、电路、SB16、发动机 ECU J623 局部等。

2)如果利用诊断仪进行动作测试工作不正常,则应关闭点火开关,拔下燃油压力调节阀 N276 插头,用万用表电压档测量端子2搭铁电压,标准值为蓄电池电压。测量值若与标准值接近,说明故障点在燃油压力调节阀 N276 自身或控制电路故障;若测量值为0V,则应进一步检查供电电路。

3)检测燃油压力调节阀 N276 自身。该元件电阻值很小,约为 0.8Ω,不建议使用万用表电阻档进行测量,否则可能会损坏燃油压力调节阀 N276。

4)检测控制电路。关闭点火开关,拔下燃油压力调节阀 N276 插头,断开发动机 ECU J623 端子,测量发动机 ECU J623 的 T60/19 与 N276 端子2之间的电阻,标准值应小于 1Ω。

5)检测波形。

起动发动机,用示波器检测燃油压力调节阀 N276 端子2对地波形,正常波形如图3-42所示。

3. 高压油泵的更换方法

(1)卸除燃油压力 拔下燃油泵控制模块 J538 的供电熔断丝,起动发动机,怠速运行至自然熄火,然后再起动2~3次,直至不能起动为止。

项目三　燃油供给系统的检修

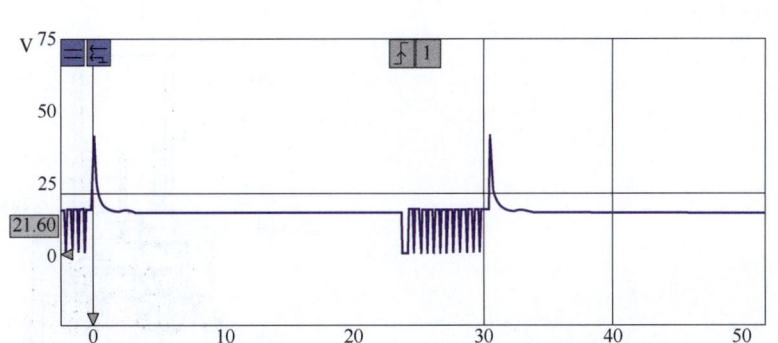

图 3-42　燃油压力调节阀 N276 波形图

（2）拆卸高压油泵

1）关闭点火开关，拔下燃油压力调节阀 N276 的插头 2，如图 3-43 所示。
2）松开箭头所指的卡箍，拔下供油软管，再拆下高压油管的锁紧螺母，如图 3-44 所示。
3）旋出锁紧螺母，小心地取出高压油泵。

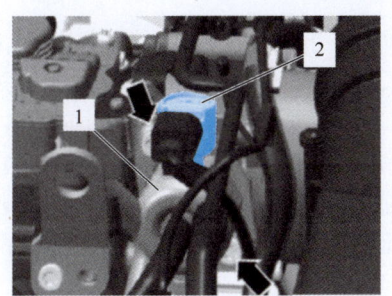

图 3-43　燃油压力调节阀 N276 插头

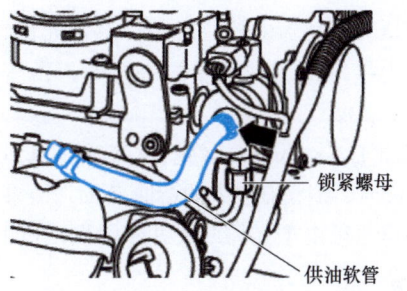

图 3-44　油管

（3）安装高压油泵

1）更换高压油泵的 O 形密封圈。
2）小心地将高压油泵放入气缸盖中。
3）用手拧紧螺栓，然后用工具对角拧紧，标准力矩为 10N·m。
4）更换新的高压油管锁紧螺母，安装燃油管路。标准力矩为 18N·m。
5）安装供油软管、燃油压力调节阀 N276 的插头，最后安装燃油泵控制单元的熔断丝。
6）清洁高压油泵附近滴漏的燃油。

 **第六课　燃油压力传感器**

在缸内直喷汽油发动机的燃油供给系统中，由于高压油泵和燃油压力调节阀需要根据发动机工况的需求调节燃油压力，为此需要通过燃油压力传感器对燃油压力进行检测。燃油压力传感器一般用于检测高压燃油的压力，通常安装在高压油轨上，如图 3-45 所示。

一、结构

燃油压力传感器一般由壳体、插头、ASIC、接触桥片、隔块、印刷电路板、应变电阻和压力接口等组成，如图 3-46 所示。

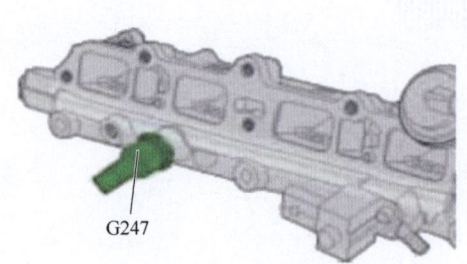

图 3-45　燃油压力传感器的安装位置图

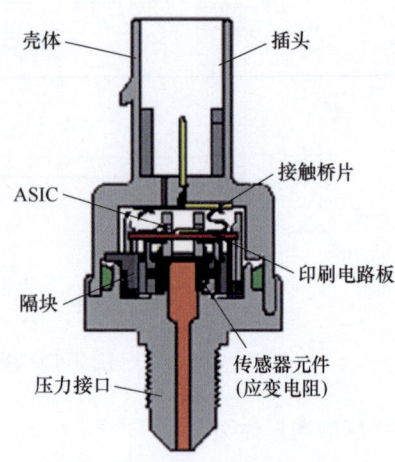

图 3-46　燃油压力传感器的结构图

二、工作原理

燃油压力传感器的核心就是传感器元件，在元件中有一钢膜，在钢膜上镀有应变电阻。燃油压力经压力接口作用到钢膜的一侧时，由于钢膜弯曲，就引起应变电阻的电阻值发生变化，如图 3-47 所示。

当燃油压力较低时，钢膜只有轻微的变形，结果变形测量器的电阻较大，信号电压较低。当燃油压力较高时，钢膜有较大的弯曲变形，结果变形测量器的电阻较小，信号电压较高，如图 3-48 所示。信号电压被电子元件放大并传给发动机 ECU。燃油压力通过燃油压力调节阀进行调节。

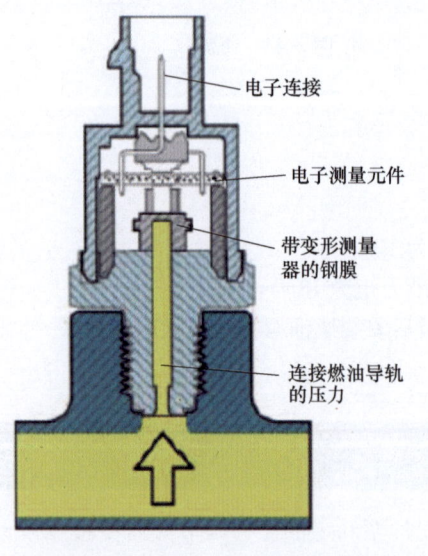

图 3-47　燃油压力传感器示意图

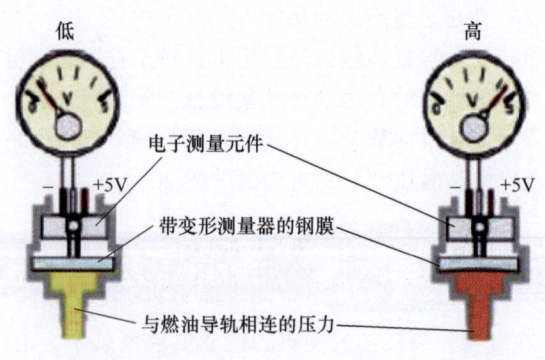

图 3-48　燃油压力原理图

三、燃油压力传感器的特性曲线

发动机 ECU 给传感器供电，供电电压为 5V。当燃油压力较低时，信号电压较低；当燃油压力较高时，信号电压较高。信号电压在 0.3~4.65V 范围内变化。当电压值低于 0.25V 或高于 4.75V 时，说明传感器或电路损坏，发动机 ECU 将记录故障码，其特性曲线如图 3-49 所示。

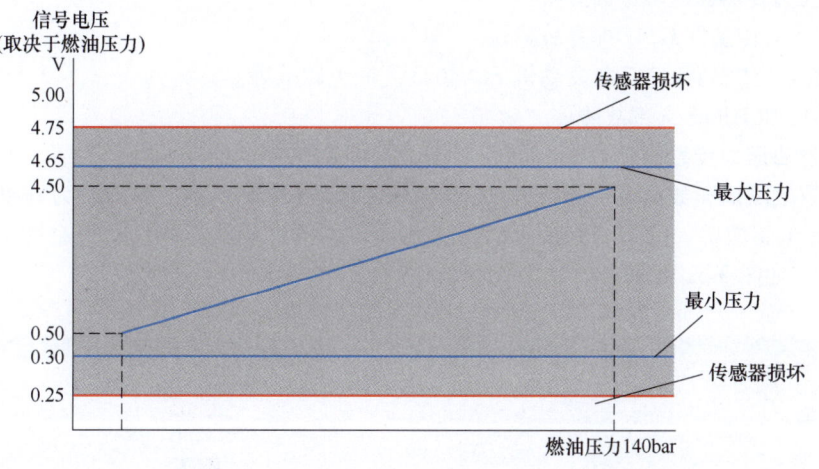

图 3-49　特性曲线

四、燃油压力传感器的检修

燃油压力传感器是直喷汽油发动机中非常重要的一个检测油压信号的传感器。通过对油压的检测可以将油压值发送给发动机 ECU，发动机 ECU 根据当时运行工况再进行调节燃油压力调节阀，从而产生与运行工况相匹配的油压。当燃油压力传感器出现故障时，会导致发动机运行不良。以一汽大众迈腾 B7L 1.8TSI 发动机为例，燃油压力传感器 G247 的控制电路图如图 3-50 所示。

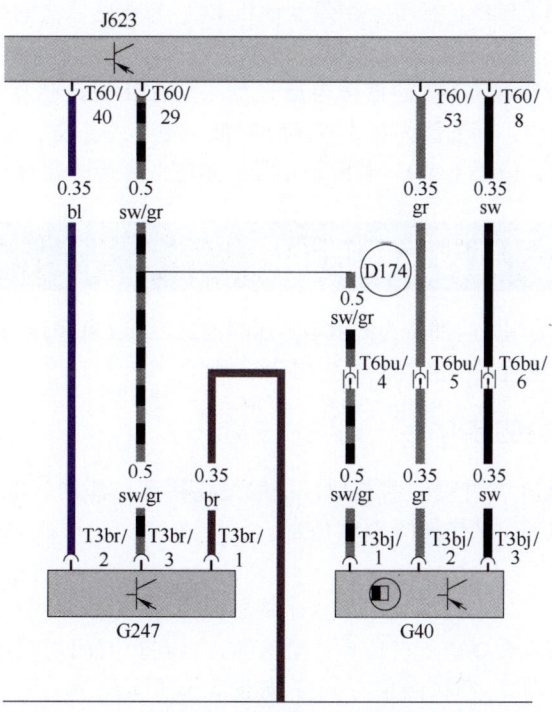

图 3-50　燃油压力传感器 G247 的控制电路图

由电路图 3-50 可知，燃油压力传感器 G247 的端子 1 为搭铁，端子 2 为信号，端子 3 与霍尔式传感器 G40 共用 5V 供电。

1. 燃油压力传感器故障原因分析

1）燃油压力传感器 G247 本身故障。
2）燃油压力传感器 G247 与发动机 ECUJ623 之间电路故障。
3）发动机 ECUJ623 局部故障。

2. 检修燃油压力传感器

（1）**读取故障码和数据流**　读取发动机故障码，如图 3-51 所示。故障码为 00400，燃油油轨压力传感器，电路故障，静态。起动发动机正常运转，用诊断仪读取发动机系统 106 组数据流，一般为 40bar，如图 3-52 所示。

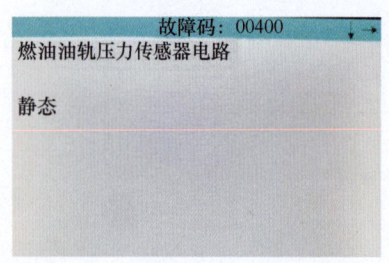

图 3-51　燃油压力传感器故障码

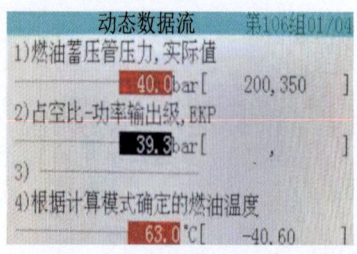

图 3-52　燃油压力数据流

（2）**检测燃油压力传感器 G247 的供电电压**　关闭点火开关，拔下燃油压力传感器 G247 的插头。打开点火开关，用万用表电压档测量 T3br/1 和 T3br/3 之间的电压值。正常值为 5V 左右。如果电压不正常，则应分别检测 T3br/1 和 T3br/3 搭铁电压，标准值为 0V 和 5V。如果测量值不符合要求，则应拆下发动机 ECUJ623 的插头，测量发动机 ECU 与传感器之间线束的电阻值，标准值应小于 1Ω。如果线束正常，则应考虑发动机 ECU 故障。

（3）**检测燃油压力传感器 G247 的信号电压**　如果燃油压力传感器 G247 的供电和搭铁均正常，应进一步测量信号电压，标准值为 0.3～4.65V。如果电压不正常，应继续测量发动机 ECU 与传感器之间线束的电阻值，应小于 1Ω。若电路正常，则应考虑传感器自身存在故障。

第七课　缸内直喷喷油器

缸内直喷式发动机所使用的喷油器为低阻型高压喷油器，其工作电压为 60V 以上，可以把高压的燃油直接喷入气缸，安装位置在气缸盖上，如图 3-53 所示。

一、缸内直喷喷油器的结构

缸内直喷喷油器与缸外喷射喷油器类似，一般由连接器、滤网、电磁线圈、密封圈、衔铁、喷油器针和压力弹簧等组成，结构如图 3-54 所示。

二、工作原理

喷油器将燃油直接喷入燃烧室，它是 6 孔喷油器，可在短时间内喷出很多燃油，并且可以很好地雾化，燃油喷束角为 70°，喷束倾角为 20°，如图 3-55 所示。

该喷油器的工作电压受发动机 ECU 控制，在 ECU 内部通过 DC/DC 进行升压至 60V 以上，当需要喷油时，发动机 ECU 将给喷油器的电磁线圈通电，所产生的磁力将针阀吸起，喷油器开始喷油。其电流波形和针阀行程波形图如图3-56所示。

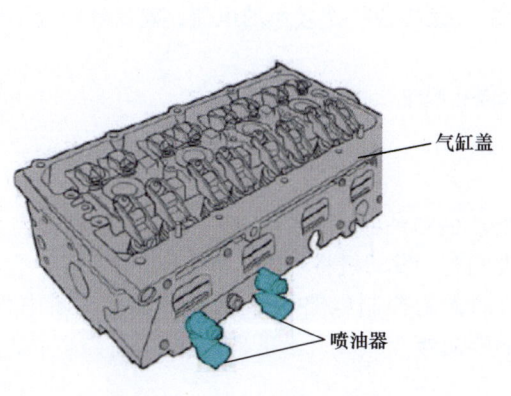

图3-53 喷油器安装位置图

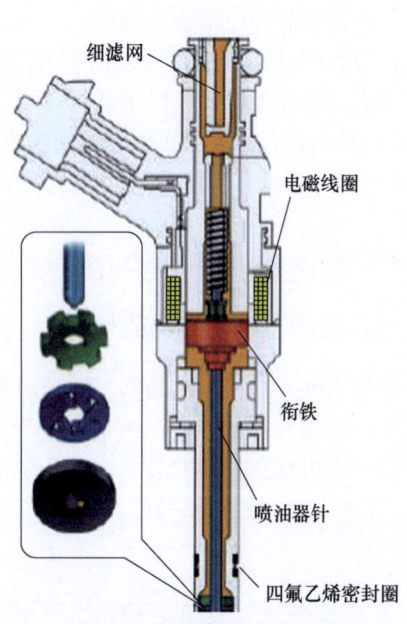

图3-54 喷油器的结构图

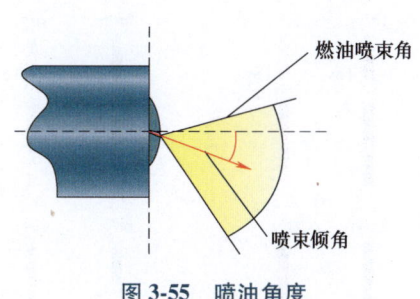

图3-55 喷油角度

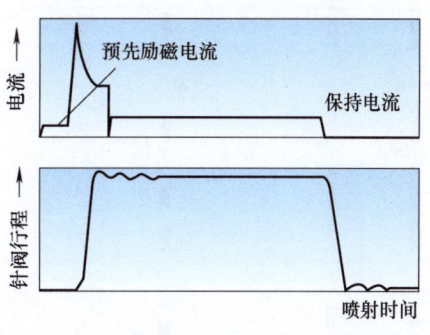

图3-56 电流波形和针阀行程波形图

该喷油器工作波形图如图3-57所示。

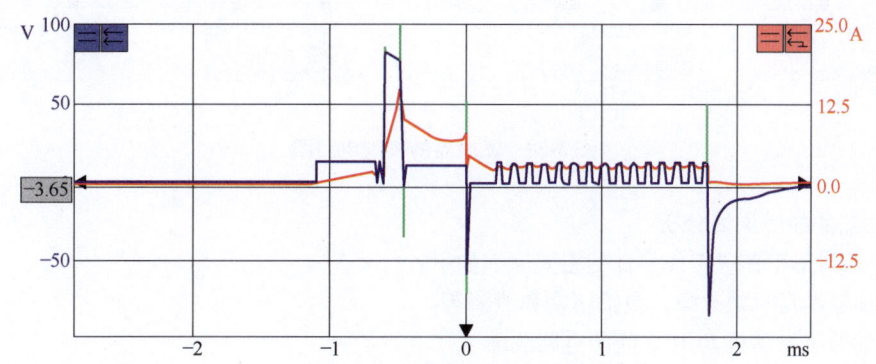

图3-57 喷油器工作波形图

图 3-57 中红色曲线为喷油器工作时的电流波形曲线,蓝色曲线为喷油器工作时的电压波形曲线,工作过程分为以下四个阶段:

1) 增压阶段。通过 ECU 中的 DC/DC 将电压升高到 60V 以上,并持续一段时间,以确保克服弹簧弹力,喷油器针阀可以迅速打开。

2) 针阀开启阶段。在电磁线圈的磁力作用下,克服弹簧弹力,针阀完全打开。

3) 保持阶段。当针阀完全打开后,发动机 ECU 持续提供一个较小的电流,确保针阀处于开启状态。

4) 发动机 ECU 停止供电。喷油器针阀关闭,停止喷油。

三、缸内直喷喷油器的检修

缸内直喷发动机的喷油器与缸外喷射发动机所用的喷油器不同,一般为低阻型喷油器,其工作电压一般在 60V 以上。当喷油器本身或控制出现问题,发动机将不能正常工作。

以一汽大众迈腾 B7L 1.8TSI 发动机为例,喷油器的控制电路图如图 3-58 所示。图中 N30、N31、N32、N33 分别为一缸、二缸、三缸、四缸的喷油器。

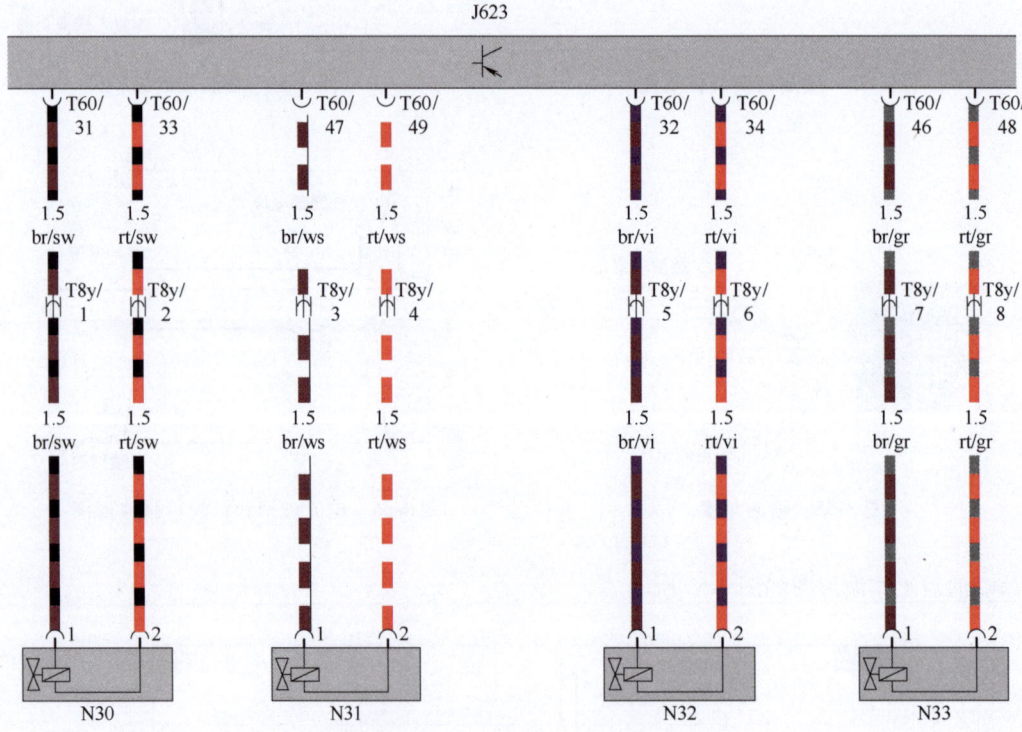

图 3-58 喷油器的控制电路图

1. 喷油器的故障原因分析

导致喷油器不工作或工作不良的主要原因如下:

1) 喷油器本身机械故障,包括堵塞和泄漏等。
2) 喷油器至发动机 ECU 之间的电路故障。
3) 发动机 ECU 本身或控制信号故障。

项目三　燃油供给系统的检修

2. 检修喷油器

1）读取故障码并对喷油器动作测试。利用诊断仪读取故障码，通过动作测试功能，驱动喷油器工作，如果能听到喷油器的声音，则说明喷油器至发动机 ECU 之间正常。如果喷油器不动作，则说明喷油器本身、电路和发动机 ECU 存在故障。

2）检测喷油器电磁线圈。关闭点火开关，拔下喷油器插头，用万用表电阻档测量喷油器电磁线圈的电阻，一般为 2~3Ω，如图 3-59 所示。

3）检测喷油器工作波形。用示波器测量喷油器工作波形，如图 3-60 所示。

4）检测导线。关闭点火开关，拔下喷油器和发动机 ECU 的插头，测量喷油器至发动机 ECU 间导线的电阻，标准值小于 1Ω。

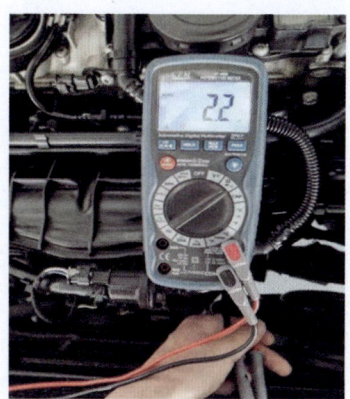

图 3-59　喷油器电阻的测量

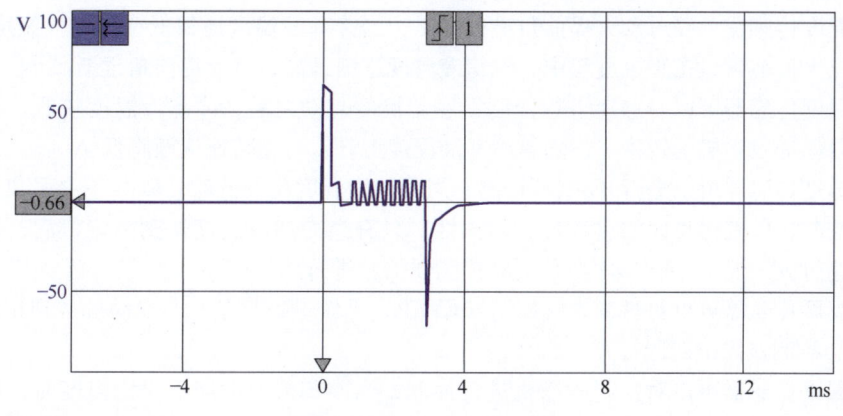

图 3-60　喷油器工作波形

第八课　冷却液温度传感器

温度传感器将被测对象的温度转换成电压信号，以使 ECU 能进行与温度相关的控制或修正，发动机上的温度传感器有冷却液温度传感器、进气温度传感器和油温传感器等。根据监测到的上述温度，可以实现对喷油量和点火时间等参数的精确控制，使发动机有更好的动力性和经济性，并减少排放污染。

目前，应用较多的是 NTC 热敏电阻式温度传感器。NTC 热敏电阻是负温度系数的热敏电阻，其阻值随温度上升而减小，其温度特性曲线如图 3-61 所示。

一、冷却液温度传感器的作用

冷却液温度传感器可以对发动机喷油量进行控制。在发动机起动时，发动机 ECU 根据冷却液温度传感器信号和曲轴位置传感器信号控制起动喷油量及起动后的喷油增量，喷油增量比率在刚起动后最大，然后逐渐减少。

冷却液温度传感器可以对喷油量进行修正，冷却液温度越低，喷油量越大，以保证发动机低温时的起动性能，并实现快速暖机。

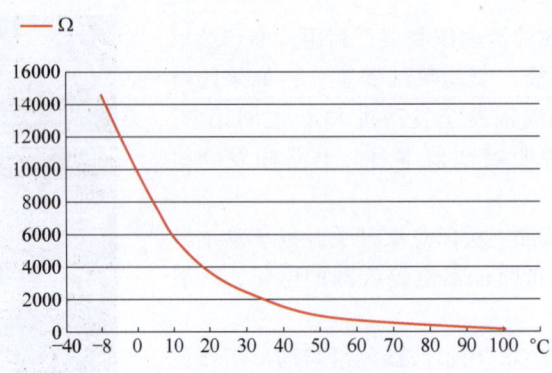

图 3-61　温度特性曲线图

冷却液温度传感器可以控制冷却风扇的运行，发动机 ECU 根据冷却液温度控制电动冷却风扇转速。若冷却液温度传感器信号丢失，电动冷却风扇将保持高速运转。

冷却液温度传感器可以对点火提前角进行修正，当冷却液温度还很低，混合气燃烧速度较慢，需适当增大点火提前角；在暖机过程中，冷却液温度逐渐升高，点火提前角逐渐减小。

冷却液温度传感器可以对怠速进行控制，发动机冷起动之后，冷却液温度较低，ECU 将提高怠速转速，以保证发动机运转稳定；随着冷却液温度上升，怠速转速逐渐降低。

冷却液温度传感器可以进行开/闭环控制，当冷却液温度比较低时，ECU 不会采集氧传感器信号进行闭环控制，以获得良好的启动性、动力性；只有当冷却液温度达到一定值后，且发动机处于怠速或匀速行驶工况下，ECU 才会采集氧传感器信号进行闭环控制。

冷却液温度传感器可以对燃油蒸气控制（EVAP）系统进行控制，当发动机达到正常工作温度后，ECU 才会控制炭罐电磁阀打开。

冷却液温度传感器可以对空调压缩机进行控制，当冷却液温度高于设定温度时，ECU 会控制空调压缩机离合器断开，只有冷却液温度下降至设定值以下时，ECU 才会控制空调压缩机离合器重新吸合。

二、冷却液温度传感器的安装位置

有些发动机安装一个冷却液温度传感器，一般安装在节温器壳体处。有些发动机安装两个或三个冷却液温度传感器，一个安装在节温器壳体附近或缸盖附近，另一个安装在散热器出水口处，安装位置如图 3-62 所示。

图 3-62　冷却液温度传感器安装位置图

三、冷却液温度传感器的结构与工作原理

冷却液温度传感器一般由供热外壳、接线端子、NTC 热敏电阻和引线等组成，其结构如图 3-63 所示。

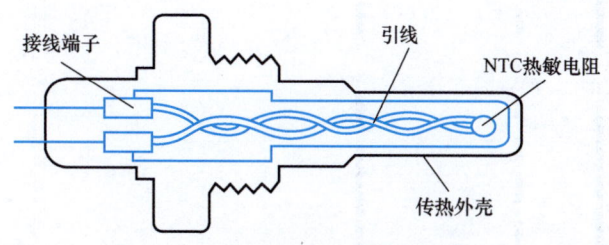

图 3-63　冷却液温度传感器结构图

冷却液温度传感器中的热敏电阻与 ECU 内部的分压电阻组成串联分压电路，发动机 ECU 向该分压电路提供一个 5V 的参考电压，冷却液温度传感器输入 ECU 的信号电压等于热敏电阻上分得的电压值。

其信号特点是温度越高，冷却液温度传感器阻值越小，信号电压越低；温度越低，冷却液温度传感器阻值越大，信号电压越高，如图 3-64 所示。

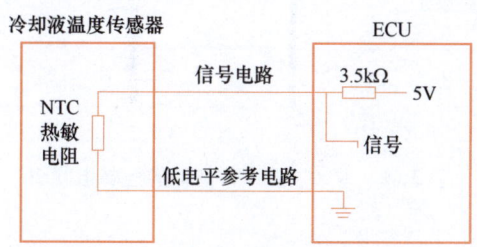

图 3-64　冷却液温度传感器原理图

四、冷却液温度传感器的检修

冷却液温度传感器是发动机管理系统中非常重要的一个控制信号，对发动机的冷起动、怠速控制、冷却风扇控制、点火时刻控制等均起到重要作用。当该信号出现故障时，将导致发动机工作不良。

以一汽大众迈腾 B7L 1.8TSI 发动机为例，冷却液温度传感器的控制电路图如图 3-65 所示。图中 G62 为冷却液温度传感器，G42 为进气温度传感器，G83 为散热器出水口温度传感器。

1. 冷却液温度传感器故障的原因分析

1）冷却液温度传感器本身故障。
2）冷却液温度传感器与发动机 ECU 之间电路故障。
3）发动机 ECU 局部故障。

2. 冷却液温度传感器的检修

1）读取故障码。使用诊断仪读取故障码，故障码为 00280，发动机冷却液温度电路高电平输入故障，静态，如图 3-66 所示。
2）读取数据流。使用诊断仪读取发动机冷却液温度传感器检测到的实际冷却液温度，如图 3-67 所示。

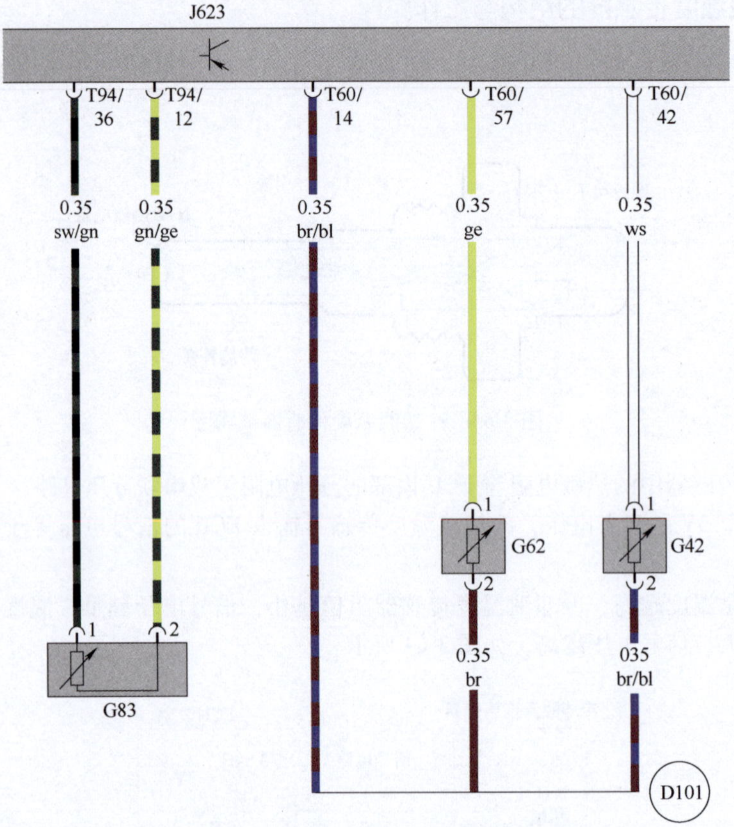

图 3-65 冷却液温度传感器的控制电路图

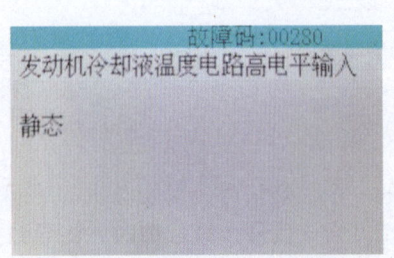

图 3-66 冷却液温度传感器故障码

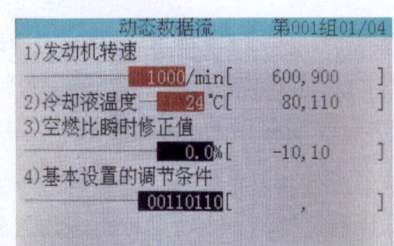

图 3-67 冷却液温度传感器数据流

3) 检测冷却液温度传感器电压。关闭点火开关, 拔下冷却液温度传感器插头, 用万用表电压档测量冷却液温度传感器 G62 的 1、2 号端子供电电压, 一般为 5V。如果电压不符合要求, 则应断开发动机 ECU 插头, 测量导线的电阻。如果导线正常, 则为 ECU 本身故障。

4) 检测冷却液温度传感器电阻。关闭点火开关, 拔下冷却液温度传感器插头, 用万用表电阻档测量冷却液温度传感器 G62 的电阻, 由于冷却液温度传感器为负温度系数电阻, 所以应测量不同温度下的电阻, 如图 3-68 所示。测量值应符合表 3-1 的要求, 否则传感器自身有故障。

5) 检测电路。关闭点火开关, 拔下冷却液温度传感器插头和发动机 ECU 插头, 用万用表电阻档测量导线的电阻, 标准值小于 1Ω。

项目三　燃油供给系统的检修

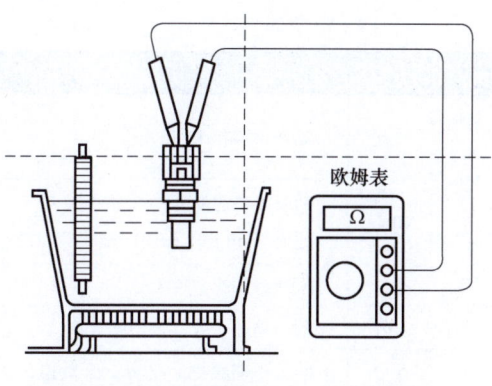

图 3-68　冷却液温度传感器的电阻测量

表 3-1　温度与阻值对比表

温度/℃	阻值/Ω	温度/℃	阻值/Ω
-20	14000~20000	50	720~1000
0	5000~6500	60	530~650
10	3300~4200	70	380~480
20	2200~2700	80	280~350
30	1400~1900	90	210~280
40	1000~1400	100	170~200

　燃油泵及控制电路的检修

1. 目的描述

1）知道燃油泵及控制电路的作用、组成和工作过程。
2）能识别燃油泵的控制电路。
3）能熟练使用设备和工具，按流程规范进行检修。
4）能积极主动参与任务，能与小组成员团结协作，能执行实训室"6S"规定。

2. 任务准备

1）知识准备。
完成燃油泵及控制电路相关知识的学习。
2）设备准备。
整车或台架、演示课件（或操作视频）、万用表、诊断仪、维修手册及专用通用工具。

3. 任务步骤

1）老师演示或播放视频：燃油泵及控制电路的检修。
2）学生分组操作，并完成工作页的填写。

4. 任务评价

任务评价内容及标准见表 3-2。

表 3-2　任务评价内容及标准

序号	项目	操作内容	分值	评分标准
1	准备	清理工位，准备维修手册、工具设备	5分	酌情扣分
2	拆卸后座椅	从整车上正确拆下	10分	操作不当扣1~10分
3	检查	检查油泵线束插接器连接是否良好	10分	操作不当扣1~10分
4	测量	用万用表电阻档测量燃油泵电阻	10分	操作不当扣1~10分
5	测量	用示波器测量燃油泵控制波形	15分	操作不当扣1~15分
6	测量	用万用表电压档测量燃油泵控制模块 J538 供电电压	10分	操作不当扣1~10分

(续)

序号	项目	操 作 内 容	分值	评 分 标 准
7	测量	用示波器测量燃油泵控制模块 J538 控制信号波形	15 分	操作不当扣 1~15 分
8	完成时间	40min	10 分	超时 1~5min 扣 1~5 分 超时 5min 以上扣 10 分
9	安全文明	无安全隐患,无不文明操作	5 分	未达标扣 5 分
10	6S 作业	工具清洁归位	5 分	漏一项扣 1 分,未做扣 5 分
		工作场地清洁	5 分	清洁不彻底扣 1~5 分,未做扣 5 分
		总分	100 分	

任务二　缸外喷射喷油器及控制电路的检修

1. 目的描述

1）知道喷油器的作用和特点。

2）能判别喷油器的类型和结构。

3）能对喷油器及控制电路进行检测。

4）能积极主动参与任务,能与小组成员团结协作,能执行实训室"6S"规定。

2. 任务准备

1）知识准备。

完成缸外喷射喷油器相关知识的学习。

2）设备准备。

汽车、举升机、诊断仪、万用表、示波器、演示课件（或操作视频）。

3. 任务步骤

1）老师演示或播放视频：缸外喷射喷油器及控制电路的检修。

2）学生分组操作进行检测并完成工作页。

4. 任务评价

任务评价内容及标准见表 3-3。

表 3-3　任务评价内容及标准

序号	项目	操 作 内 容	分值	评 分 标 准
1	准备	清点准备工具设备、清理工位	5 分	酌情扣分
2	识图	识读电路图	10 分	酌情扣分
3	检查	检查喷油器线束插头连接情况	5 分	操作不当扣 1~5 分
4	测量	用诊断仪读取故障码	10 分	操作不当扣 1~5 分
5	测量	用诊断仪对喷油器进行动作测试	10 分	操作不当扣 1~5 分
6	测量	用万用表电压档测量喷油器的供电电压	10 分	操作不当扣 1~10 分
7	测量	用万用表电阻档测量喷油器的电阻	10 分	操作不当扣 1~10 分
8	测量	用万用表电阻档测量电路电阻	10 分	操作不当扣 1~10 分
9	测量	用示波器测量喷油器波形	10 分	操作不当扣 1~10 分

（续）

序号	项目	操作内容	分值	评分标准
10	完成时间	40min	5分	超时1~5min扣1~5分 超时5min以上扣5分
11	安全文明	无安全隐患，无不文明操作	5分	未达标扣1~5分
12	6S作业	工具清洁归位	5分	漏一项扣1分，未做扣5分
		工作场地清洁	5分	清洁不彻底扣1~5分，未做扣5分
		总分	100分	

任务三 高压油泵和燃油压力调节阀的检修

1. 目的描述

1）知道高压油泵及燃油压力调节阀的作用及安装位置。
2）能判别高压油泵及燃油压力调节阀的类型结构。
3）能对高压油泵及燃油压力调节阀进行检修。
4）能积极主动参与任务，能与小组成员团结协作，能执行实训室"6S"规定。

2. 任务准备

1）知识准备。
完成高压油泵和燃油压力调节阀相关知识的学习。
2）设备准备。
汽车、举升机、诊断仪、万用表、示波器、常用工具、演示课件（或操作视频）。

3. 任务步骤

1）老师演示或播放视频：高压油泵及燃油压力调节阀的检修。
2）学生分组操作进行检测并完成工作页。

4. 任务评价

任务评价内容及标准见表3-4。

表3-4 任务评价内容及标准

序号	项目	操作内容	分值	评分标准
1	准备	清点准备工具设备、清理工位	5分	酌情扣分
2	识图	识读电路图	10分	酌情扣分
3	检查	检查高压油泵有无泄漏及燃油压力调节阀线束插头连接情况	5分	操作不当扣1~5分
4	测量	用诊断仪读取故障码	10分	操作不当扣1~5分
5	测量	用诊断仪对燃油压力调节阀进行动作测试	10分	操作不当扣1~5分
6	测量	用万用表电压档测量燃油压力调节阀的供电电压	10分	操作不当扣1~10分
7	测量	用万用表电阻档测量电路电阻	10分	操作不当扣1~10分
8	测量	用示波器测量燃油压力调节阀的波形	10分	操作不当扣1~10分
9	更换	更换高压油泵	10分	操作不当扣1~10分

(续)

序号	项目	操作内容	分值	评分标准
10	完成时间	40min	5分	超时1~5min扣1~5分 超时5min以上扣5分
11	安全文明	无安全隐患,无不文明操作	5分	未达标扣1~5分
12	6S作业	工具清洁归位	5分	漏一项扣1分,未做扣5分
		工作场地清洁	5分	清洁不彻底扣1~5分,未做扣5分
		总分	100分	

任务四 燃油压力传感器的检修

1. 目的描述

1) 知道燃油压力传感器的作用及安装位置。
2) 能判别燃油压力传感器的类型结构。
3) 能对燃油压力传感器及控制电路进行检测。
4) 能积极主动参与任务,能与小组成员团结协作,能执行实训室"6S"规定。

2. 任务准备

1) 知识准备。
完成燃油压力传感器相关知识的学习。
2) 设备准备。
汽车、举升机、诊断仪、万用表、示波器、演示课件(或操作视频)。

3. 任务步骤

1) 老师演示或播放视频:燃油压力传感器及控制电路的检修。
2) 学生分组操作进行检测并完成工作页。

4. 任务评价

任务评价内容及标准见表3-5。

表3-5 任务评价内容及标准

序号	项目	操作内容	分值	评分标准
1	准备	清点准备工具设备、清理工位	5分	酌情扣分
2	识图	识读电路图	10分	酌情扣分
3	检查	检查燃油压力传感器线束插头连接情况	5分	操作不当扣1~5分
4	测量	用诊断仪读取故障码	10分	操作不当扣1~5分
5	测量	用诊断仪读取油压数据流	10分	操作不当扣1~5分
6	测量	用万用表电压档测量燃油压力传感器的供电电压	10分	操作不当扣1~10分
7	测量	用万用表电阻档测量燃油压力传感器的电阻	10分	操作不当扣1~10分
8	测量	用万用表电阻档测量电路电阻	10分	操作不当扣1~10分
9	测量	用示波器测量燃油压力传感器波形	10分	操作不当扣1~10分

项目三　燃油供给系统的检修

（续）

序号	项目	操作内容	分值	评分标准
10	完成时间	40min	5分	超时1~5min扣1~5分 超时5min以上扣5分
11	安全文明	无安全隐患，无不文明操作	5分	未达标扣1~5分
12	6S作业	工具清洁归位	5分	漏一项扣1分，未做扣5分
		工作场地清洁	5分	清洁不彻底扣1~5分，未做扣5分
	总分		100分	

任务五　缸内直喷喷油器的检修

1. 目的描述

1）知道缸内直喷喷油器的作用及安装位置。
2）能判别缸内直喷喷油器的类型结构。
3）能对缸内直喷喷油器及控制电路进行检测。
4）能积极主动参与任务，能与小组成员团结协作，能执行实训室"6S"规定。

2. 任务准备

1）知识准备。
完成缸内直喷喷油器相关知识的学习。
2）设备准备。
汽车、举升机、诊断仪、万用表、示波器、演示课件（或操作视频）。

3. 任务步骤

1）老师演示或播放视频：缸内直喷喷油器及控制电路的检修。
2）学生分组操作进行检测并完成工作页。

4. 任务评价

任务评价内容及标准见表3-6。

表3-6　任务评价内容及标准

序号	项目	操作内容	分值	评分标准
1	准备	清点准备工具设备、清理工位	5分	酌情扣分
2	识图	识读电路图	10分	酌情扣分
3	检查	检查缸内直喷喷油器线束插头连接情况	5分	操作不当扣1~5分
4	测量	用诊断仪读取故障码	10分	操作不当扣1~5分
5	测量	用诊断仪进行动作测试	10分	操作不当扣1~5分
6	测量	用示波器测量喷油的工作波形并分析	20分	操作不当扣1~10分
7	测量	用万用表电阻档测量缸内直喷喷油器的电阻	10分	操作不当扣1~10分
8	测量	用万用表电阻档测量电路电阻	10分	操作不当扣1~10分
9	完成时间	40min	5分	超时1~5min扣1~5分 超时5min以上扣5分

(续)

序号	项目	操作内容	分值	评分标准
10	安全文明	无安全隐患，无不文明操作	5分	未达标扣1~5分
11	6S作业	工具清洁归位	5分	漏一项扣1分，未做扣5分
		工作场地清洁	5分	清洁不彻底扣1~5分，未做扣5分
	总分		100分	

任务六 冷却液温度传感器的检修

1. 目的描述
1）知道冷却液温度传感器的作用及安装位置。
2）能判别冷却液温度传感器的类型结构。
3）能对冷却液温度传感器及控制电路进行检测。
4）能积极主动参与任务，能与小组成员团结协作，能执行实训室"6S"规定。

2. 任务准备
1）知识准备。
完成冷却液温度传感器相关知识的学习。
2）设备准备。
汽车、举升机、诊断仪、万用表、示波器、演示课件（或操作视频）。

3. 任务步骤
1）老师演示或播放视频：冷却液温度传感器及控制电路的检修。
2）学生分组操作进行检测并完成工作页。

4. 任务评价
任务评价内容及标准见表3-7。

表3-7 任务评价内容及标准

序号	项目	操作内容	分值	评分标准
1	准备	清点准备工具设备、清理工位	5分	酌情扣分
2	识图	识读电路图	10分	酌情扣分
3	检查	检查冷却液温度传感器线束插头连接情况	5分	操作不当扣1~5分
4	测量	用诊断仪读取故障码	10分	操作不当扣1~5分
5	测量	用诊断仪读取冷却液温度数据流	10分	操作不当扣1~5分
6	测量	用万用表电阻档测量冷却液温度传感器的电阻	20分	操作不当扣1~20分
7	测量	用万用表电压档测量供电电压	10分	操作不当扣1~10分
8	测量	用万用表电阻档测量电路电阻	10分	操作不当扣1~10分
9	完成时间	40min	5分	超时1~5min扣1~5分 超时5min以上扣5分
10	安全文明	无安全隐患，无不文明操作	5分	未达标扣1~5分
11	6S作业	工具清洁归位	5分	漏一项扣1分，未做扣5分
		工作场地清洁	5分	清洁不彻底扣1~5分，未做扣5分
	总分		100分	

项目三　燃油供给系统的检修

一、选择题

1.【单项选择】外置式燃油压力调节器安装在（　　），内置式燃油压力调节器安装在（　　）。
   A. 燃油分配管一端，燃油泵出口处　　B. 进气门附近，燃油泵出口处
   C. 节气门附近，燃油泵出口处　　　　D. 燃油分配管一端，燃油泵入口处

2.【单项选择】根据进气量测量方式的不同，燃油喷射系统分为（　　）两类。
   A. 间接测量式和直接测量式
   B. 进气体积测量式和进气质量测量式
   C. 进气压力测量式及进气密度测量式
   D. 进气密度测量式及进气温度测量式

3.【单项选择】以下属于执行器的是（　　）。
   A. 发动机转速传感器　　　　　　　　B. 凸轮轴位置传感器
   C. 进气压力传感器　　　　　　　　　D. 喷油器

4.【单项选择】对于缸内直喷发动机而言，在原有基础上增加了燃油泵控制模块、高压油泵、燃油压力传感器、燃油压力调节阀等部件，并且喷油器的安装位置也由进气歧管改到了（　　）。
   A. 节气门附近　　　　　　　　　　　B. 进气歧管上
   C. 气缸盖上　　　　　　　　　　　　D. 进气总管上

5.【单项选择】如下图所示，燃油喷射系统属于（　　）喷油方式。

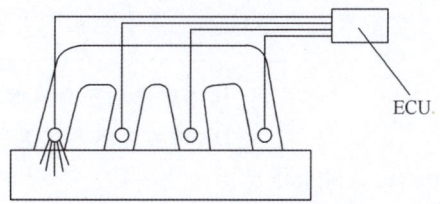

   A. 缸内、多点、连续　　　　　　　　B. 缸内、多点、分组
   C. 缸内、多点、顺序　　　　　　　　D. 缸外、多点、顺序

6.【单项选择】缸内直喷汽油发动机所用的高压油泵一般由两个部分组成，一是机械柱塞泵，一般受凸轮轴驱动。二是燃油压力调节阀，受发动机 ECU 控制，一般安装在（　　）。
   A. 油箱内部　　　B. 油箱外部　　　C. 节气门之前　　　D. 凸轮轴附近

7.【单项选择】外置式燃油压力调节器的作用是（　　）。
   A. 保持燃油管路中的压力恒定
   B. 保证燃油泵输出油压恒定
   C. 保证燃油分配管中的压力恒定
   D. 使燃油分配管与进气歧管中的压差保持恒定

8.【单项选择】进气温度传感器中使用的负温度系数热敏电阻，其阻值随温度的升高而（　　）。
   A. 升高　　　　　B. 降低　　　　　C. 不受影响　　　D. 先高后低

9.【多项选择】喷油器可以将燃油以一定压力喷出并雾化，以确保发动机的正常工作。导致喷油器不工作的原因有（　　）。
   A. 喷油器线圈损坏

B. 喷油器自身堵塞或泄漏、密封圈损坏

C. 喷油器供电故障

D. 喷油器控制信号故障

10.【单项选择】关闭点火开关,拔下喷油器插头,用万用表的电阻档测量喷油器电磁线圈的电阻,低阻型喷油器电磁线圈的阻值一般为(　　)Ω,如果阻值不符合规定,应更换喷油器。

A. 6~10　　　　　　B. 10~12　　　　　　C. 2~3　　　　　　D. 6~8

11.【多项选择】在直喷发动机中,导致发动机高压油泵输出压力异常的原因有(　　)。

A. 高压油泵自身机械故障

B. 燃油压力调节阀自身故障

C. 燃油压力调节阀供电故障

D. 燃油压力调节阀控制信号故障

12.【单项选择】在直喷发动机高压燃油系统中,发动机ECU根据燃油压力传感器检测结果,并根据工况需求通过(　　)适时调整燃油压力。

A. 燃油泵转速　　　　　　　　　　B. 燃油压力调节阀

C. 喷油器　　　　　　　　　　　　D. 进气歧管压力

13.【单项选择】在缸内直喷汽油发动机的燃油供给系统中,由于高压油泵和燃油压力调节阀需要根据发动机工况需求调节燃油压力,为此需要通过燃油压力传感器对燃油压力进行检测。燃油压力传感器一般安装在(　　)。

A. 高压燃油导轨上　　　　　　　　B. 低压油管

C. 燃油泵出口位置　　　　　　　　D. 未安装

14.【单项选择】发动机ECU给燃油压力传感器供电,供电电压为(　　)。当燃油压力较低时,信号电压较低,当燃油压力较高时,电压较高。当电压值低于0.25V或高于4.75V时,说明(　　)。

A. 12V 传感器损坏　　　　　　　　B. 5V 传感器自身损坏

C. 8V 传感器损坏　　　　　　　　 D. 12V 传感器或电路损坏

15.【多项选择】对于喷油器的故障检修包括(　　)。

A. 测量喷油器供电是否正常　　　　B. 测量喷油器电阻是否正常

C. 测量电路是否正常　　　　　　　D. 测量工作波形

二、简答题

1. 简述使用燃油压力表检测燃油压力的操作方法。

2. 简述喷油器及控制电路的检测方法。

3. 简述高压油泵的工作原理。

项目四 电控点火系统的检修

知识目标

1. 知道发动机电控点火系统的组成。
2. 理解曲轴位置传感器、凸轮轴位置传感器、爆燃传感器、点火线圈和火花塞的工作原理。
3. 理解发动机电控点火系统的控制策略。

技能目标

1. 能识别发动机电控点火系统主要部件安装位置。
2. 能完成传感器、点火线圈及火花塞的拆检、更换。
3. 能借助汽车诊断仪器，读取点火系统故障码、分析数据流，进行波形测试，分析排除点火系统常见故障。
4. 能按维修手册规范要求对电控点火系统进行故障诊断与排除。

素养目标

1. 通过小组合作培养学生团队合作、交流沟通的能力。
2. 通过认真规范操作，培养学生执着专注、一丝不苟、精益求精的工匠精神。
3. 结合废弃物处理及分类、车辆起动等过程，培养环保意识和安全意识。

1. 电控点火系统的认知。
2. 曲轴位置传感器的检修。
3. 凸轮轴位置传感器的检修。
4. 爆燃传感器的检修。
5. 电控点火系统的检修。

学习发动机点火系统的检修，可通过对接企业工作情境，将项目学习内容学习提炼为五个典型工作任务：电控点火系统的认知、曲轴位置传感器的检修、凸轮轴位置传感器的检修、爆燃传感器的检修、电控点火系统的检修。

本项目通过典型工作任务的实施，对接企业工作过程，包括创设工作任务、分析工作任务、链接相关知识、进行任务实施、任务检查评价、反馈总结等流程。教师设计学习流程，启发、指导学生完成工作任务，从而建构专业能力和非专业能力，实现项目学习目标。

 第一课　电控点火系统概述

一、发动机点火系统

1. 汽油发动机点火系统的作用和要求

汽油发动机点火系统的作用是按照发动机的点火顺序，在一定的时刻供给火花塞足够能量的高压电，使其两极间产生电火花，点燃可燃混合气使发动机工作。

对点火系统的要求是：提供足够高的击穿电压，电压应能达到 15~20kV；提供足够高的点火能量，一般应保证有 50~80mJ；点火时刻（点火提前角）应与发动机的运行工况相匹配。

2. 电控点火系统的类型

电控点火系统可分为有分电器的电控点火系统和无分电器的电控点火系统。有分电器的电控点火系统如图 4-1 所示，这种点火方式目前已经极少采用。无分电器的电控点火系统按照高压配电方式的不同可分为非独立点火和独立点火两种方式。

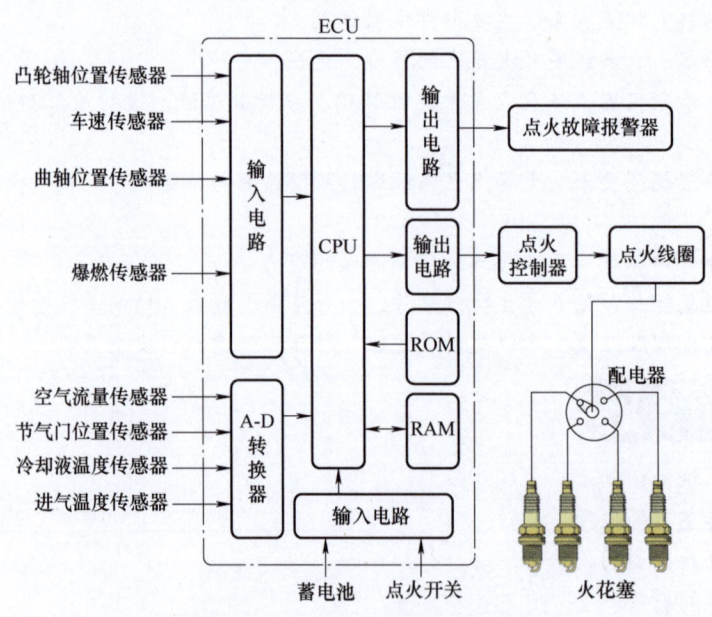

图 4-1　有分电器的电控点火系统

非独立点火分为二极管分配高压电式和点火线圈分配高压电式，同时点火是指一个点火线圈对活塞接近压缩行程上止点和排气行程上止点的两个气缸同时进行点火，也叫作双缸点火，如图 4-2~图 4-4 所示。

独立点火是指每个火花塞安装一个点火线圈，单独向火花塞提供高电压，实现各缸直接点火，如图 4-5 所示。其特点是取消了易导致电磁干扰的高压线，发动机 ECU 可以单独对每一个气缸点火正时进行调整，使点火时刻更加精确，有利于提高发动机动力性和经济性，减少排放污染物。

项目四　电控点火系统的检修

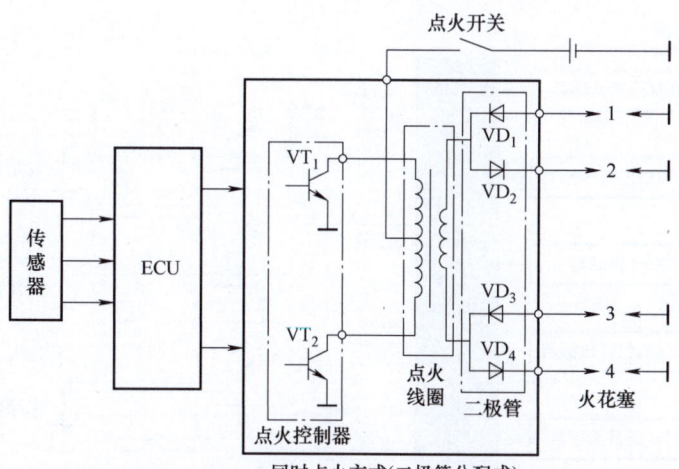

图4-2　无分电器非独立的电控点火系统——二极管分配高压电式同时点火方式

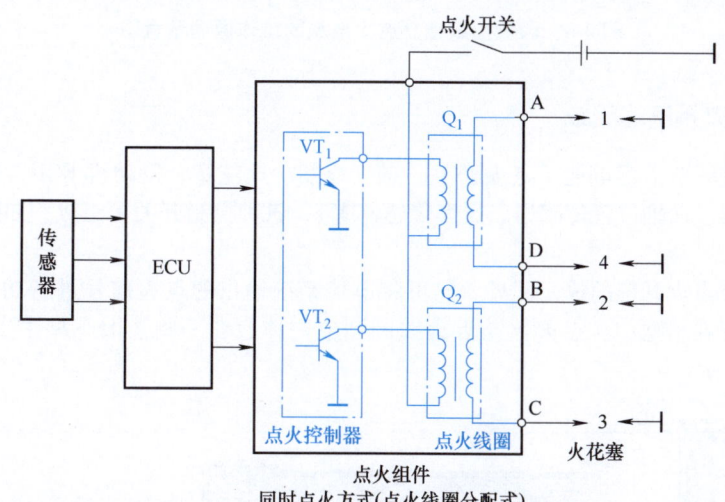

图4-3　无分电器非独立的电控点火系统——点火线圈分配高压电式同时点火方式

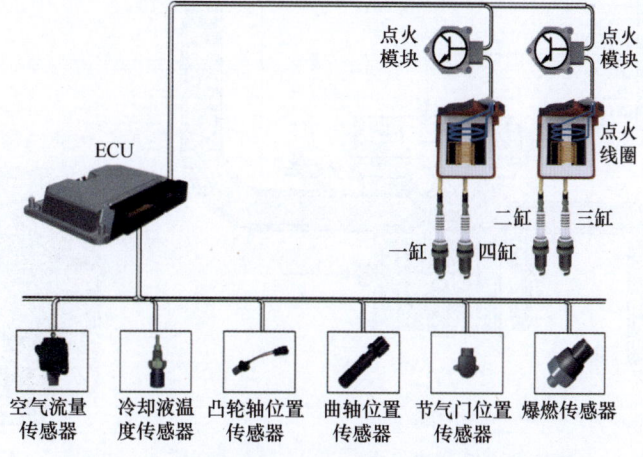

图4-4　无分电器非独立的电控点火系统结构示意图

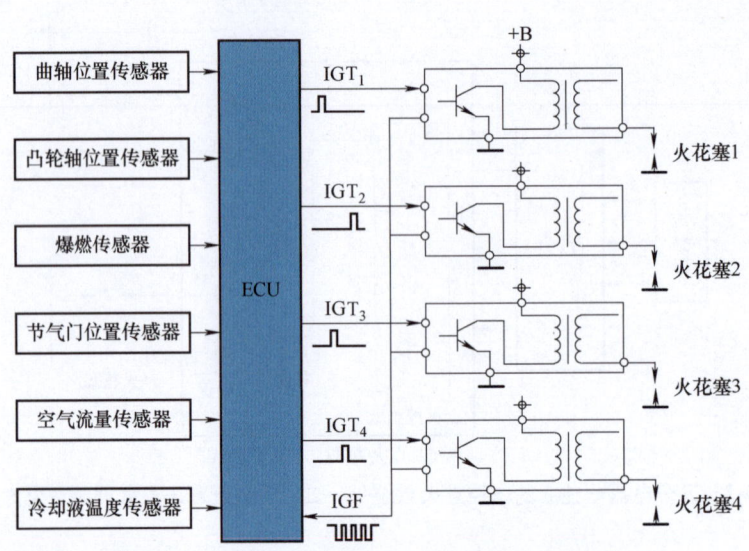

图 4-5　微机控制独立点火系统的工作原理示意图

二、电控点火系统的组成

电控点火系统一般由蓄电池、点火开关、点火线圈、火花塞、发动机 ECU、相关传感器（如凸轮轴位置传感器、曲轴位置传感器、爆燃传感器等）、各种控制开关等组成，如图 4-6 所示。

1. 点火器

点火器是电控点火系统的执行元件，它可将电控系统输出的点火信号进行功率放大，驱动点火线圈工作。在现在车型中，点火器与点火线圈制成一体，在一些老旧车型中点火器独立存在，其结构如图 4-7 所示。

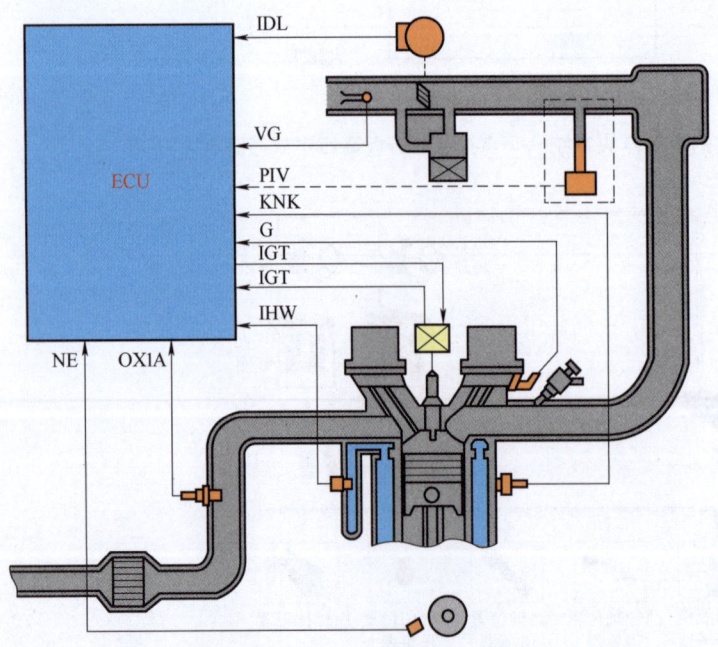

图 4-6　电控点火系统的组成

图 4-7　点火器

2. 点火线圈

点火线圈可将火花塞跳火所需的能量存储在线圈的磁场中，并将电源提供的低压电转变为足以在电极间产生击穿点火的15~20kV高压电。点火线圈一般由一次绕组、二次绕组和铁心等组成，一次绕组有240~370匝，二次绕组约有22000匝，如图4-8和图4-9所示。

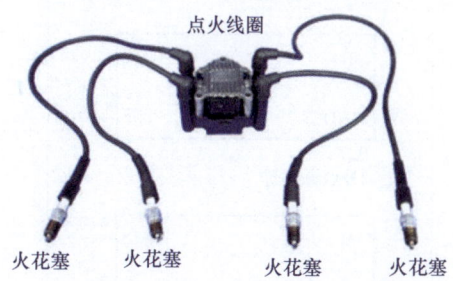

图4-8　非独立点火系统用点火线圈

点火线圈的升压是利用电磁感应原理，当发动机ECU控制点火线圈的一次绕组中产生2~6A的电流时，将产生一个很强的磁场。当发动机ECU切断一次绕组回路，电流消失的瞬间，磁通量将急剧减小，此时一次绕组产生一个200~400V的自感电动势；二次绕组中产生一个20~40kV的小电流（20~80mA）互感高压电动势。卡罗拉轿车点火线圈安装位置示意图如图4-10所示，卡罗拉轿车点火线圈电路图如图4-11所示，科鲁兹轿车点火线圈电路图如图4-12所示。

图4-9　独立点火系统用点火线圈及安装位置

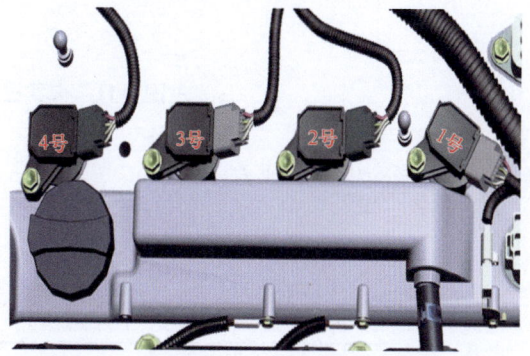

图4-10　卡罗拉轿车点火线圈安装位置示意图

3. 火花塞

火花塞的作用是将点火线圈产生的高压电动势引入燃烧室，并在其两个电极之间产生电火花，以点燃可燃混合气。

火花塞一般由绝缘体、壳体、接线柱、中心电极和侧电极等组成，如图4-13所示。

在发动机工作时，火花塞裙部的温度应保持在自净温度的范围内。但是，各种发动机气缸内的燃烧状况是不同的，所以气缸内的温度也不尽相同，这就要求配用不同热特性的火花塞。火花塞的热特性主要取决于绝缘体裙部的长度，火花塞绝缘体裙部越长，其受热面积越大，传热距离越长，火花塞裙部的温度越高，这种火花塞称为"热型"火花塞。相反，火花塞绝缘体裙部越短，其受热面积越小，且传热距离缩短，容易散热，火花塞裙部的温度越低，这种火花塞称为"冷型"火花塞。裙部长度介于冷型与热型之间的火花塞称为"普通型"火花塞，如图4-14所示。

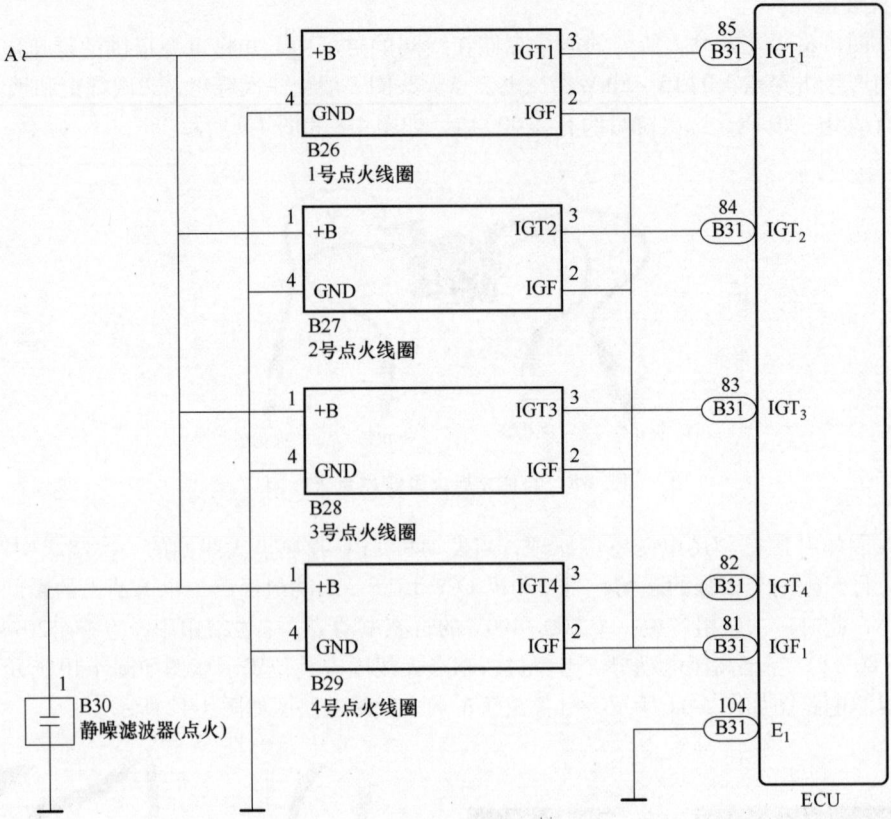

图 4-11　卡罗拉轿车点火线圈电路图

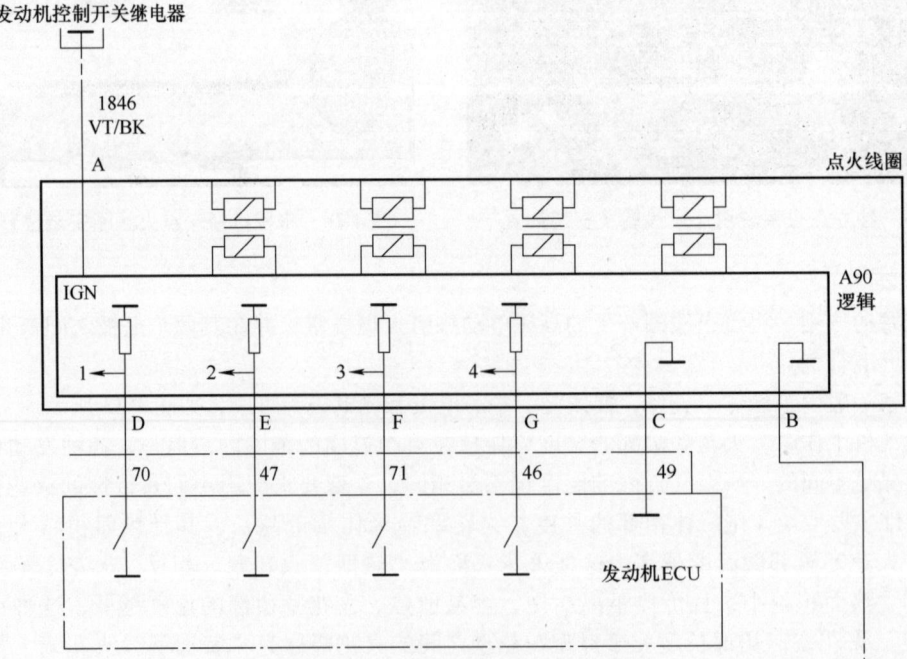

图 4-12　科鲁兹轿车点火线圈电路图

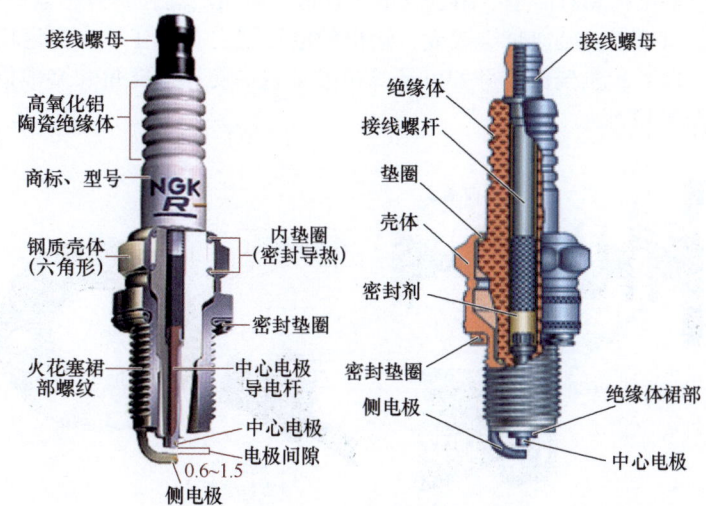

图 4-13 火花塞结构图

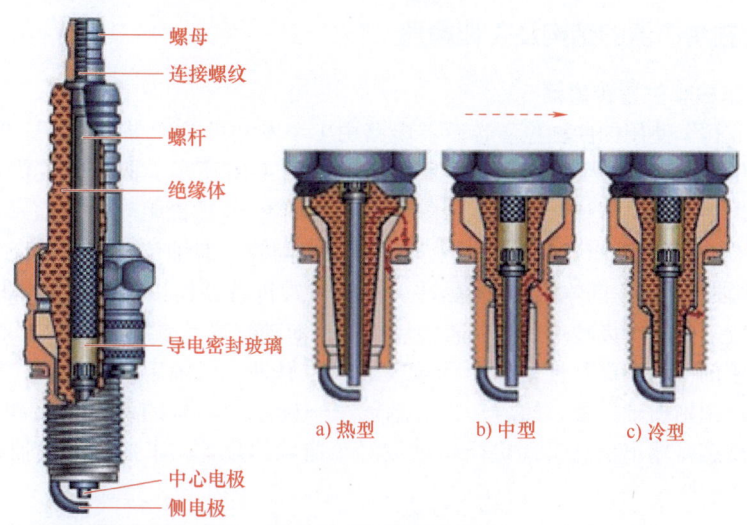

图 4-14 火花塞特性

 第二课　曲轴位置传感器

一、曲轴位置传感器的作用

曲轴位置传感器（CKP）是发动机控制系统中最主要的传感器之一，主要用于检测发动机的实时转速、转角及基准位置信号，这些信号是反映发动机负荷的重要参数，也是实施喷油和点火的主控信号。发动机 ECU 根据此信号控制燃油喷射量、喷油正时、点火时刻、点火线圈闭合角、怠速转速和电动汽油泵的运行。

曲轴位置传感器可分为磁脉冲式、霍尔式、光电式和磁阻式等。在现有车型中磁脉冲式和霍尔式的传感器用得比较多，而光电式传感器在日产车系和英国的车型中用得比较多（光电式的精度相对比较高，但是成本较高、维护困难）。

磁脉冲式的传感器结构相对简单、制造成本比较低、应用广泛，其传感器由线圈和铁心组成，由于齿圈通过传感器时铁心的磁通量会改变，输出的电压就会有改变，该变化频率同齿圈通过传感器的频率有关系，ECU 检测到此信号即可计算出发动机的转速、转角和基准位置信号。曲轴位置传感器安装图如图 4-15 所示。

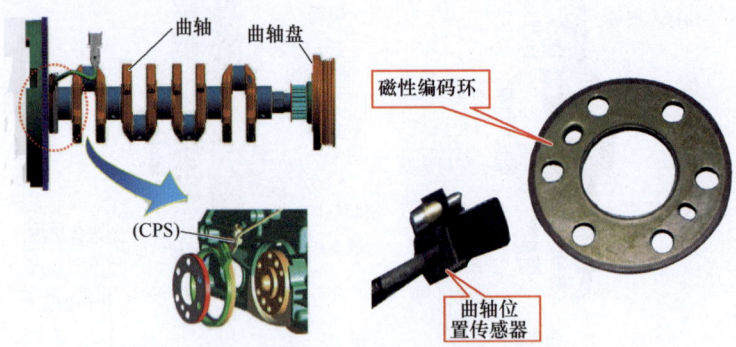

图 4-15　曲轴位置传感器安装图

二、曲轴位置传感器的结构及工作原理

1. 科鲁兹轿车曲轴位置传感器

雪佛兰科鲁兹轿车使用的曲轴位置传感器电路由 1 个发动机 ECU 提供的 5V 参考电压电路、1 个低电平参考电压电路以及 1 个输出信号电路组成，如图 4-16 所示。曲轴位置传感器是一种内部磁性偏差数字输出集成电路传感装置。该传感器检测曲轴上 58 齿磁阻轮的齿槽磁通量变化。磁阻轮上的每个齿按 60 齿间隔分布，缺失的两个齿用作参考间隙。曲轴位置传感器产生一个变频的开/关直流电压，曲轴每转动 1 圈输出 58 个脉冲。曲轴位置传感器输出信号的频率取决于曲轴的转速。当曲轴磁阻轮上的每个齿转过曲轴位置传感器时，曲轴位置传感器向 ECU 发送 1 个数字信号，该信号描绘了该轮的图像。ECU 使用每个曲轴位置信号脉冲，以确定曲轴转速，并对磁阻轮参考间隙进行解码，以识别曲轴位置。然后，此信息被用来确定发动机的最佳点火和喷油时刻。ECU 还利用曲轴位置传感器输出信息来确定凸轮轴相对于曲轴的位置，以控制凸轮轴相位和检测气缸缺火。

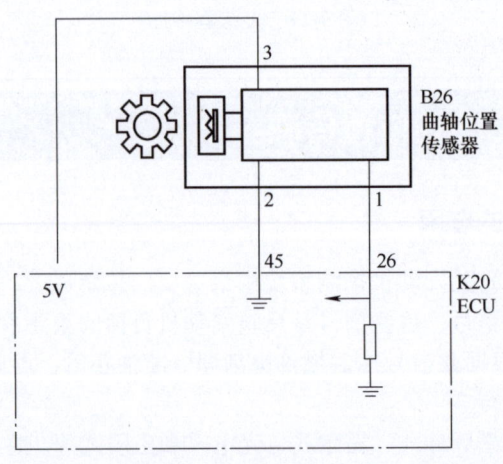

图 4-16　科鲁兹轿车曲轴位置传感器控制电路图

2. 卡罗拉轿车曲轴位置传感器

丰田卡罗拉轿车使用的曲轴位置传感器为电磁式，它通过曲轴一端的铸铁带有缺口齿牙圆盘来刺激传感器产生信号。电磁式传感器由外部刺激产生磁脉冲信号，因此在信号传输线的外面需要屏蔽线来避免外界因素（点火信号等高能量电磁脉冲）对信号的影响，如图4-17～图4-19所示。

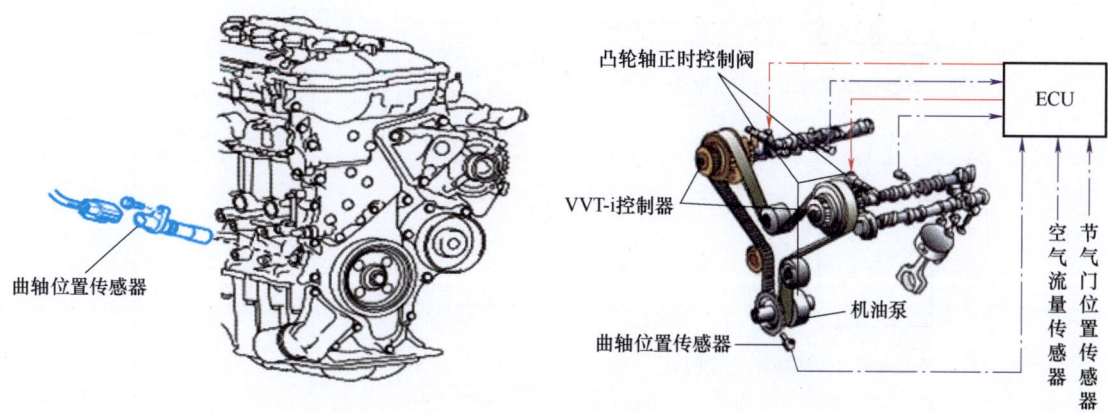

图4-17 卡罗拉曲轴位置传感器的安装位置示意图

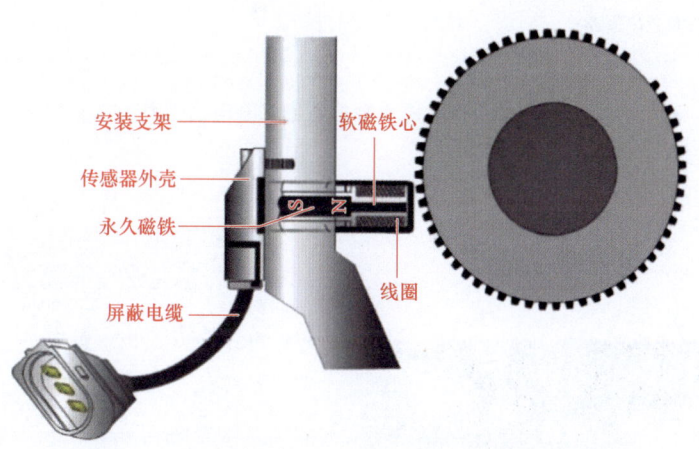

图4-18 卡罗拉曲轴位置传感器的结构及原理示意图

磁感线圈式曲轴位置传感器利用旋转切割磁力线产生交变电流信号和电压信号，ECU采用该交变信号经过整形，将该信号变为发动机ECU能识别的数字信号，为ECU提供发动机转速、转角及上止点位置信号，用于发动机的系统控制。

3. 大众车系磁脉冲式曲轴位置传感器

迈腾1.8TSI轿车CEA发动机曲轴位置传感器G28安装在曲轴后端的飞轮附近，如图4-20所示。迈腾轿车曲轴位置传感器的电路图如图4-21所示，磁脉冲式曲轴位置传感器的结构及原理示意图如图4-22所示，发动机怠速时的曲轴位置传感器波形如图4-23所示，发动机转速为2000r/min时的曲轴位置传感器波形如图4-24所示。

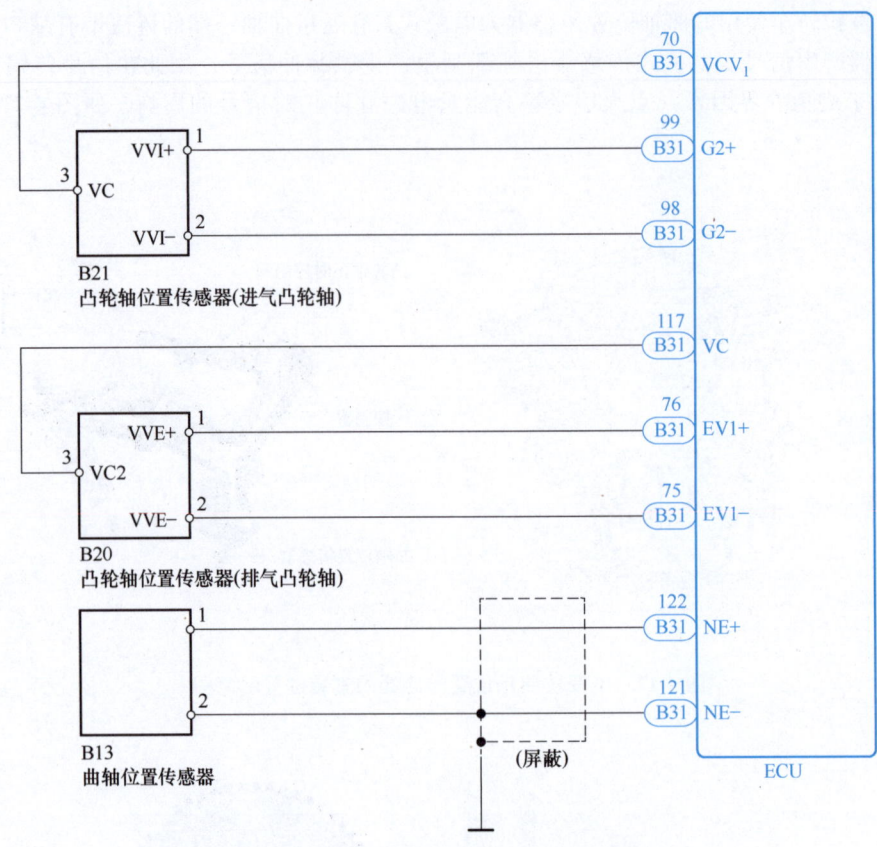

图 4-19　卡罗拉曲轴位置传感器电路简图

图 4-20　迈腾轿车曲轴位置传感器的安装位置

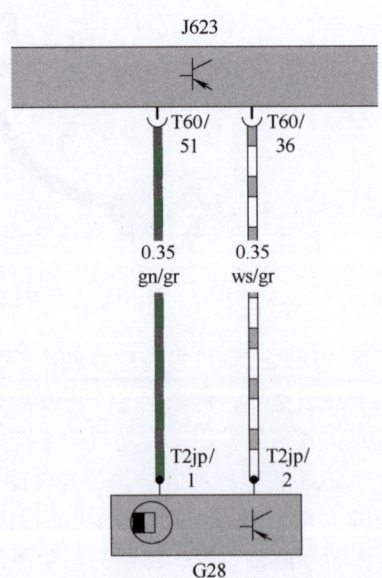

图 4-21　迈腾轿车曲轴位置传感器的电路图

项目四 电控点火系统的检修

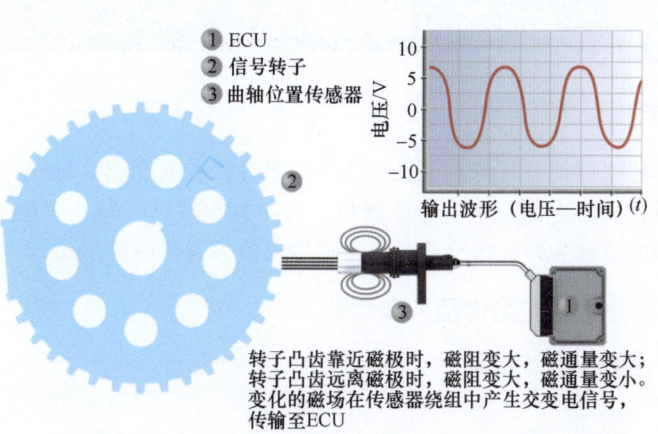

图4-22 磁脉冲式曲轴位置传感器的结构及原理示意图

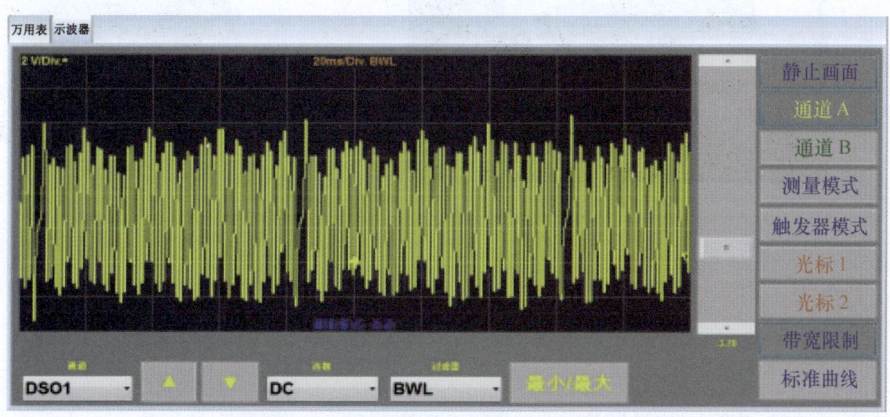

图4-23 发动机怠速时的曲轴位置传感器波形

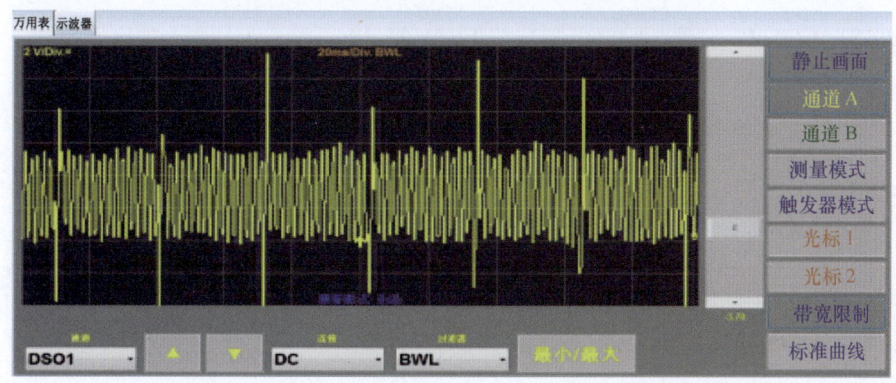

图4-24 发动机转速为2000r/min时的曲轴位置传感器波形

从曲轴位置传感器波形图中可以看出，曲轴位置传感器输出的信号电压和频率随着转速的信号增大而增大。

第三课　凸轮轴位置传感器

一、凸轮轴位置传感器的作用

凸轮轴位置传感器（CMP）用来检测凸轮轴实时转速及位置信号，输送给ECU，以便ECU确定第一缸压缩上止点，从而进行顺序喷油控制和点火时刻控制；同时，还用于发动机起动时识别第一次点火时刻，因此也称为判缸传感器。凸轮轴位置传感器常用霍尔式。

二、凸轮轴位置传感器的结构及工作原理

1. 科鲁兹轿车凸轮轴位置传感器（图4-25～图4-27）

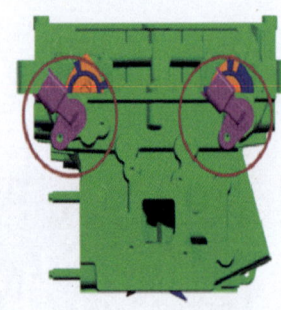

图4-25　科鲁兹轿车凸轮轴位置传感器安装图

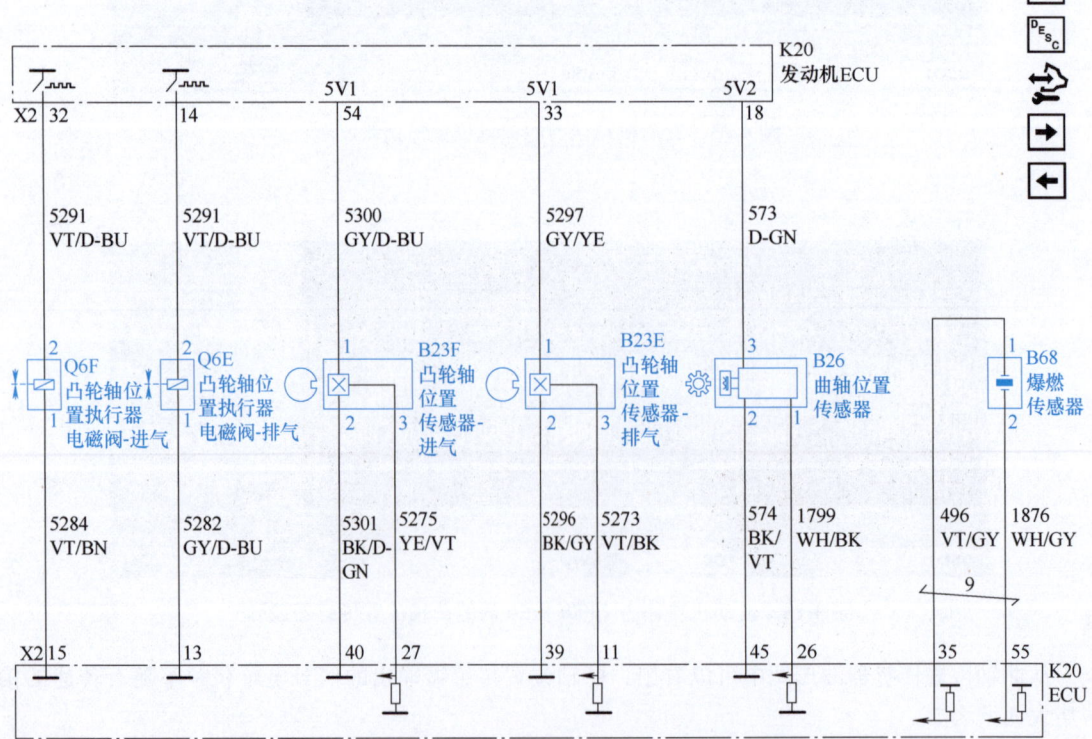

图4-26　科鲁兹轿车凸轮轴位置传感器控制电路图

项目四　电控点火系统的检修

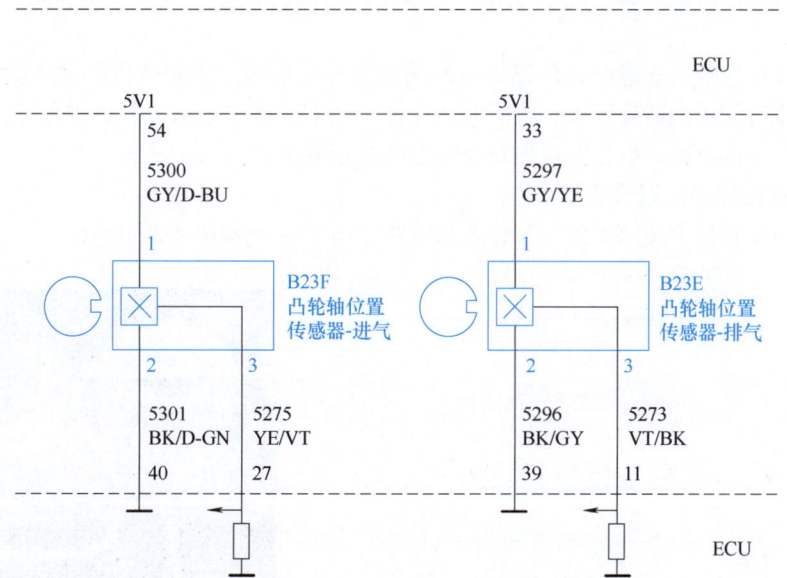

图 4-27　科鲁兹轿车凸轮轴位置传感器电路简图

凸轮轴位置传感器电路由 1 个发动机 ECU 提供电压的 5V 参考电压电路、1 个低电平参考电压电路以及 1 个输出信号电路等三个电路组成。凸轮轴位置传感器是一种内部磁性偏差数字输出集成电路传感装置。该传感器检测凸轮轴上 4 齿磁阻轮的齿槽磁通量变化，当磁阻轮的各个齿转过凸轮轴位置传感器时，传感器电子装置会利用引起的磁场变化产生 1 个数字输出脉冲。传感器返回 1 个频率变化的数字开/关直流电压脉冲，凸轮轴每转 1 圈就有 4 个不同宽度输出脉冲，代表着凸轮轴磁阻轮的镜像。凸轮轴位置传感器输出信号的频率取决于凸轮轴的转速。ECU 对窄齿和宽齿模式进行解码，以识别凸轮轴位置。然后，此信息被用来确定发动机的最佳点火和喷油时刻。ECU 使用凸轮轴位置传感器确认燃油喷射器和点火系统同步。凸轮轴位置传感器还可以用来确认凸轮轴和曲轴的相关性。ECU 还利用凸轮轴位置传感器输出信息来确定凸轮轴相对于曲轴的位置，以控制凸轮轴相位和在应急操纵模式下运行。

2. 卡罗拉轿车凸轮轴位置传感器（图 4-28 和图 4-29）

丰田卡罗拉轿车 1ZR-FE 发动机在进、排气凸轮轴位置各有一个传感器，该传感器（可变配气正时 VVT 传感器）由磁铁和 MRE 元件组成。凸轮轴齿轮上有一个信号盘，信号盘外围有 3 个齿，当齿轮旋转时，信号盘和线圈间的间隙会发生改变，从而影响磁铁，导致 MRE 材料的阻值发生改

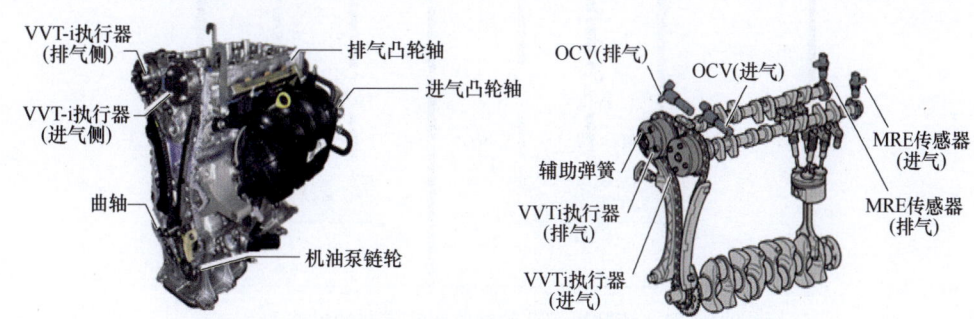

图 4-28　卡罗拉轿车凸轮轴位置传感器安装位置示意图

变,传感器将该信号转换成脉冲信号送给 ECU 确定凸轮轴的转角,ECU 利用该数据确定喷油和点火正时。

霍尔效应式传感器与磁感应式传感器不同的是需外加电源。霍尔式传感器主要由转子、永久磁铁、霍尔晶体管和放大器等组成,转子安装在转子轴上。霍尔集成电路由霍尔元件、放大电路、稳压电路、温度补偿电路、信号变换电路和输出电路等组成。

3. 迈腾轿车凸轮轴位置传感器

迈腾轿车凸轮轴位置传感器的安装位置及电路图如图 4-30 和图 4-31 所示。

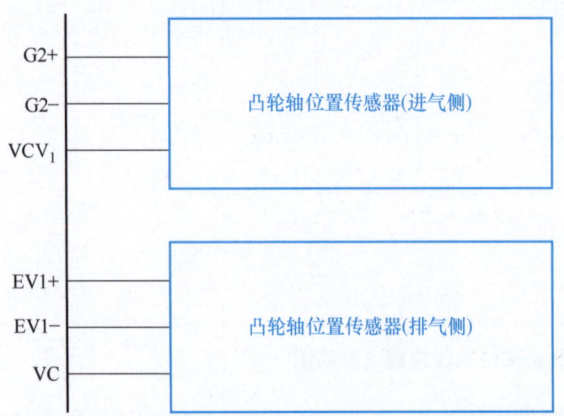

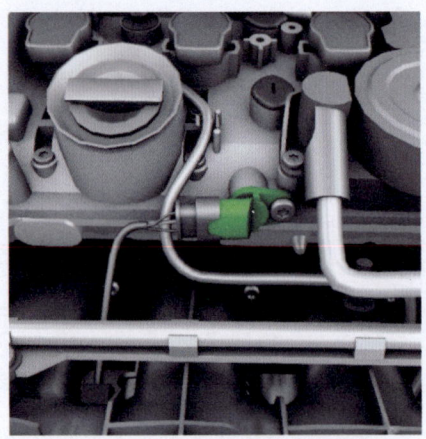

图 4-29　卡罗拉轿车凸轮轴位置传感器的电路简图

图 4-30　迈腾轿车凸轮轴位置传感器的安装位置

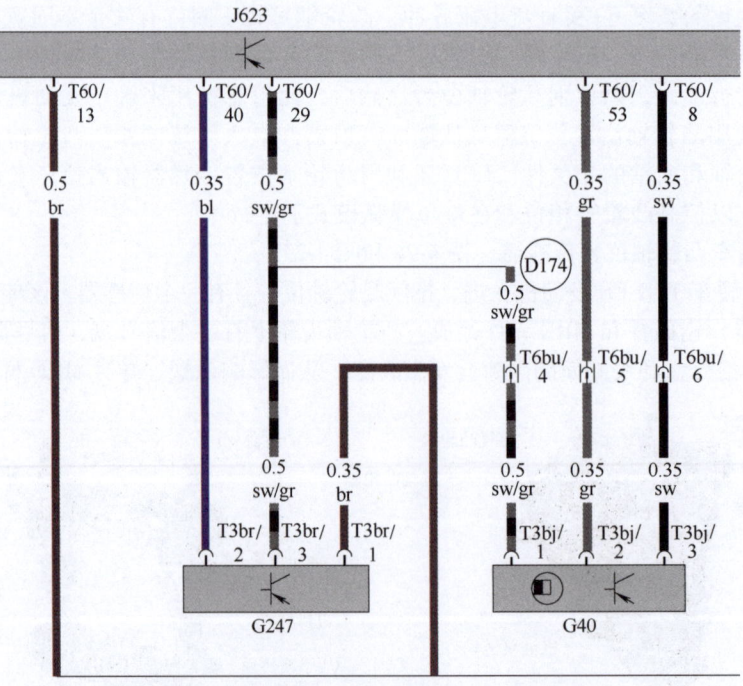

图 4-31　迈腾轿车凸轮轴位置传感器的电路图

当转子随转子轴一同转动时，转子上的叶片便在霍尔集成电路与永久磁铁之间转动，霍尔式集成电路中的磁场就会发生变化，霍尔元件中就会产生霍尔电压，经过信号处理电路处理后，就可输出方波信号（图4-32）。

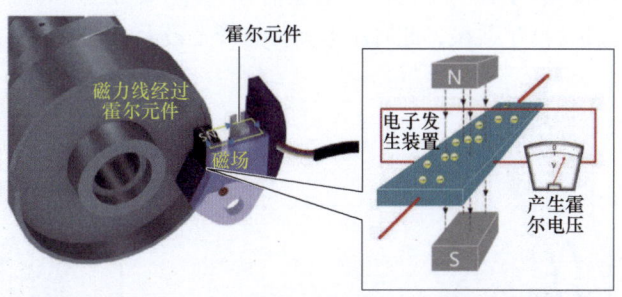

图4-32 霍尔式凸轮轴位置传感器的结构原理示意图

当传感器轴转动时，转子上的叶片便从霍尔集成电路与永久磁铁之间的气隙中转过。当叶片进入气隙时，霍尔集成电路中的磁场被叶片旁路，霍尔电压 U_H 为零，集成电路输出极的晶体管截止，传感器输出的信号电压 U_0 为高电平（实测表明：当电源电压 $U_{cc}=14.4V$ 时，$U_0=9.8V$；当电源电压 $U_{cc}=5V$ 时，$U_0=4.8V$）。

当叶片离开气隙时，永久磁铁的磁通便经霍尔集成电路和导磁钢片构成回路，此时霍尔元件产生电压（$U_H=1.9\sim2.0V$），霍尔集成电路输出极的晶体管导通，传感器输出的信号电压 U_0 为低电平（实测表明：当电源电压 $U_{cc}=14.4V$ 或 $U_{cc}=5V$ 时，$U_0=0.1\sim0.3V$）。

第四课　爆燃传感器

一、爆燃传感器的作用及组成

发动机工作时因点火时间提前过度（点火提前角）、发动机的负荷、温度及燃料的质量等影响，会引起发动机爆燃。发生爆燃时，由于气体燃烧在活塞运动到上止点之前，轻者产生噪声及降低发动机的功率，重者会损坏发动机的机械部件。ECU依据爆燃传感器的信号调整点火提前时间。爆燃传感器分为非共振型压电式、共振型压电式和磁致伸缩式，如图4-33所示。

a) 非共振型压电式　　b) 共振型压电式　　c) 磁致伸缩式

图4-33 爆燃传感器的类型

非共振型压电式爆燃传感器由两个压电元件同极性相向对接，如图4-34所示。使用的配重块用一根螺钉固定在壳体上，它将加速度变换成功用于压电元件上的压力，输出电压由两个压电元件的中央取出。这种传感器构造简单，制造时不需调整。

共振型压电式爆燃传感器利用产生爆燃时的发动机振动频率，与传感器本身的固有频率相符合，而产生共振现象，用以检测爆燃是否发生。该传感器在爆燃时的输出电压比无爆燃时的输出电压高得多，因此无须使用滤波器，即可判别有无爆燃产生。如图 4-35 所示，共振型压电式爆燃传感器压电元件紧密地贴合在振荡片上，振荡片则固定在传感器的基座上。振荡片随发动机振动而振荡，并且波及压电元件，使其变形而产生电压信号。当发动机爆燃时的振动频率与振荡片的固有频率相符合时，振荡片产生共振，此时压电元件将产生最大的电压信号，如图 4-36 所示。

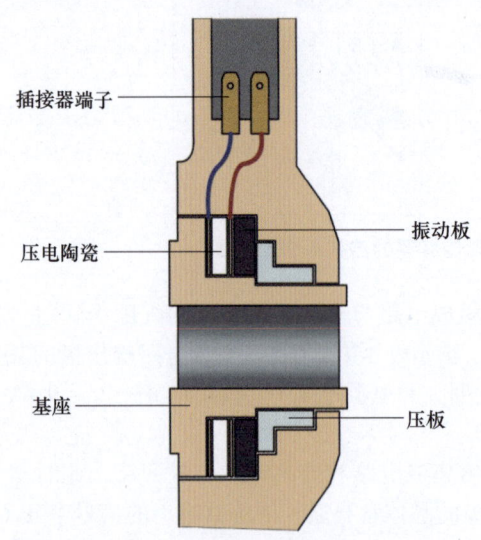
图 4-34　非共振型压电式爆燃传感器的结构

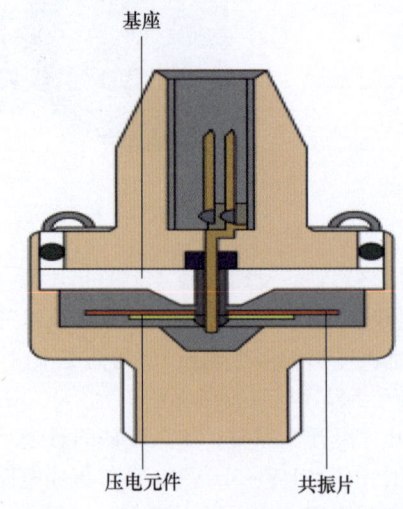
图 4-35　共振型压电式爆燃传感器的结构

磁致伸缩式爆燃传感器将发动机振动频率转换成电压信号，然后输送给 ECU，以检测发动机爆燃的强度。当发动机的爆燃强度与设定值相同时，爆燃传感器输出最大的电压信号，以表示发动机由于爆燃而产生使机体异常的振动频率。图 4-37 所示为磁致伸缩式爆燃传感器的结构图，其内部有永久磁铁、靠永久磁铁激磁的强磁性铁心以及铁心周围的线圈。

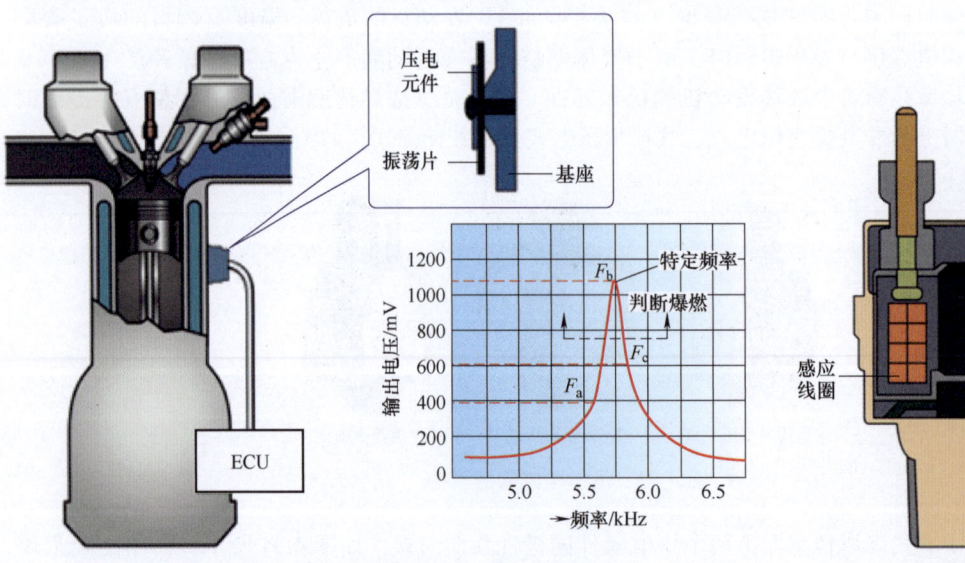
图 4-36　共振型压电式传感器的工作原理示意图　　　图 4-37　磁致伸缩式爆燃传感器的结构图

当发动机的气缸体出现振动时,该传感器在 7kHz 左右处与发动机产生共振,强磁性材料铁心的磁导率发生变化,致使永久磁铁穿心的磁通密度也变化,从而在铁心周围的绕组中产生感应电动势,并将这一电信号输入 ECU。

二、爆燃传感器的结构及工作原理

爆燃传感器是一个压电装置,取决于发动机机械振动的程度产生一个不同幅值和频率的交流电压。爆燃传感器产生的交流(AC)电压信号随发动机运转时的振动程度而变化。ECU 根据爆燃传感器信号的振幅和频率调节点火正时。

爆燃传感器系统监测爆燃传感器,以确定爆燃或点火爆燃是否存在。如果爆燃传感器系统确认存在过度爆燃,ECU 根据来自爆燃传感器系统的信号,延迟火花正时。检测到特定的频率时,爆燃传感器产生一个交流信号。ECU 延迟火花正时直到爆燃得到控制。

为了区分发动机正常噪声和点火爆燃,ECU 对爆燃传感器信号进行采样。在无气缸爆燃时,ECU 在不同的发动机转速和负载下,在一定时间内对爆燃传感器信号进行采样,该样本用来确定可接受的发动机正常噪声的范围。科鲁兹轿车爆燃传感器的安装位置图及控制电路图如图 4-38 和图 4-39 所示。

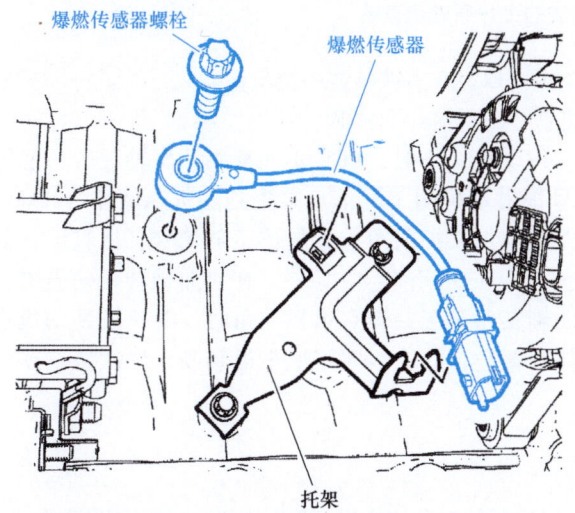

图 4-38 科鲁兹轿车爆燃传感器的安装位置图

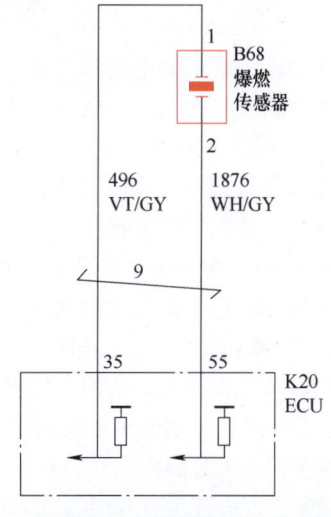

图 4-39 科鲁兹轿车爆燃传感器的控制电路图

第五课 电控点火系统

一、电控点火系统的工作原理

电控点火系统的控制主要是指一次绕组电路的控制(一次绕组电路的接通和切断),当一次绕组切断时,二次绕组产生感应电动势击穿火花塞间隙,点燃可燃混合气。

点火线圈一次回路的通断由 ECU 控制,如图 4-40 所示。点火开关闭合电流(约为 2~6A)流过一次绕组,其周围产生强磁场。ECU 根据曲轴位置传感器和凸轮轴位置传感器信号确定压缩上止点瞬间断开一次回路,一次绕组内的电流迅速减少。

一次回路中电流消失的瞬间,磁通量急剧减小,一次绕组产生一个 200~400V 的自感电动势;二次绕组中产生一个 20~40kV 的小电流(20~80mA)的互感高压电动势,该高压电动势通过高压线和发动机缸体搭铁施加给火花塞,用于击穿火花塞间隙而产生电火花。

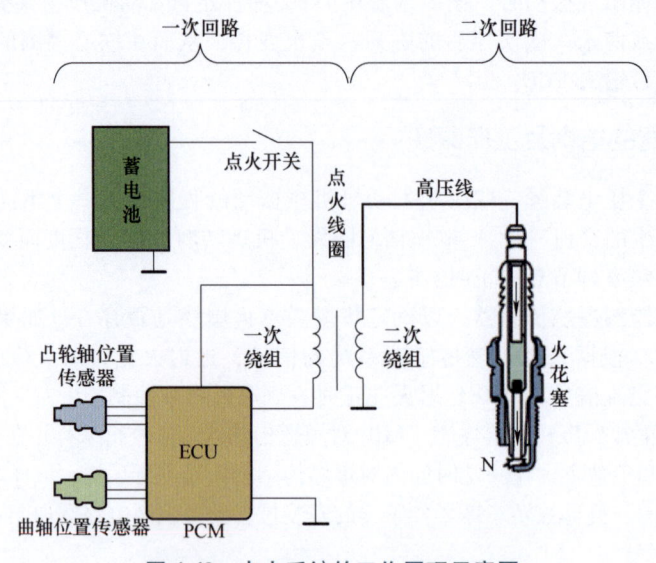

图 4-40　点火系统的工作原理示意图

一次回路：蓄电池正极→点火开关→一次绕组→ECU→搭铁→蓄电池负极。

二次回路：二次绕组一极→火花塞→缸体搭铁→二次绕组另一极。

图 4-41 所示为迈腾轿车点火系统的电路图。发动机工作时，ECU 不断检测凸轮轴位置传感器信号、曲轴转角信号和节气门位置传感器等信号把发动机的工况信息采集到随机存储器（RAM）中，并根据发动机工况的转速信号、负荷信号以及与点火提前角有关的传感器信号，从只读存储器（ROM）中查询出相应工况下的最佳点火提前角。在此期间，CPU 一直在对曲轴转角信号进行计数，分别判断每个缸点火时刻是否到来。当曲轴转角等于最佳点火提前角时，CPU 按发动机点火顺序，依次向各缸发出控制指令，使功率晶体管截止，点火线圈一次电流切断，二次绕组产生高压，该缸火花塞跳火，从而点燃可燃混合气。

1 端子：点火控制模块搭铁端。

2 端子：点火线圈搭铁端。

3 端子：点火开关打开时，电源为点火控制器提供的工作电压为 12V，同时也是点火线圈一次绕组工作电压。

4 端子：ECU 输出给点火控制器控制各缸点火线圈一次绕组电路通断的控制信号。

发动机 ECU J623 接收来自各传感器的信号及开关信号，分别计算确定各缸最佳点火提前角和点火时间后，分别通过各点火控制器的 4 号端子，输出控制信号，接通和断开一次绕组电路，使二次产生感应高压电。例如发动机转速 $n=3000$r/min，ECU 计算出最佳点火提前角 6°，保证足够点火能量的蓄能时间 0.33ms，当 ECU 通过曲轴和凸轮轴位置传感器传回信号计算出将曲轴将处于一缸压缩上止点前 12°时，ECU 控制通过 4 号端子控制一缸点火线圈一次绕组接通，产生磁场，开始蓄能；曲轴继续转过 6°（1°信号 0.055ms，6×0.055ms＝0.33ms）后，ECU 通过 4 号端子控制一缸点火线圈一次绕组断开，磁场迅速消失，二次绕组由于互感效应，通过火花塞发动机壳体形成回路产生感应高压电，电流通过火花塞中心电极和侧电极的空气隙流过，产生电火花，点燃一缸内压缩的可燃混合气。

二、点火提前角的控制

最佳点火提前角是使发动机动力性、经济性均佳且排放污染最少的点火提前角。最佳点火提

项目四 电控点火系统的检修

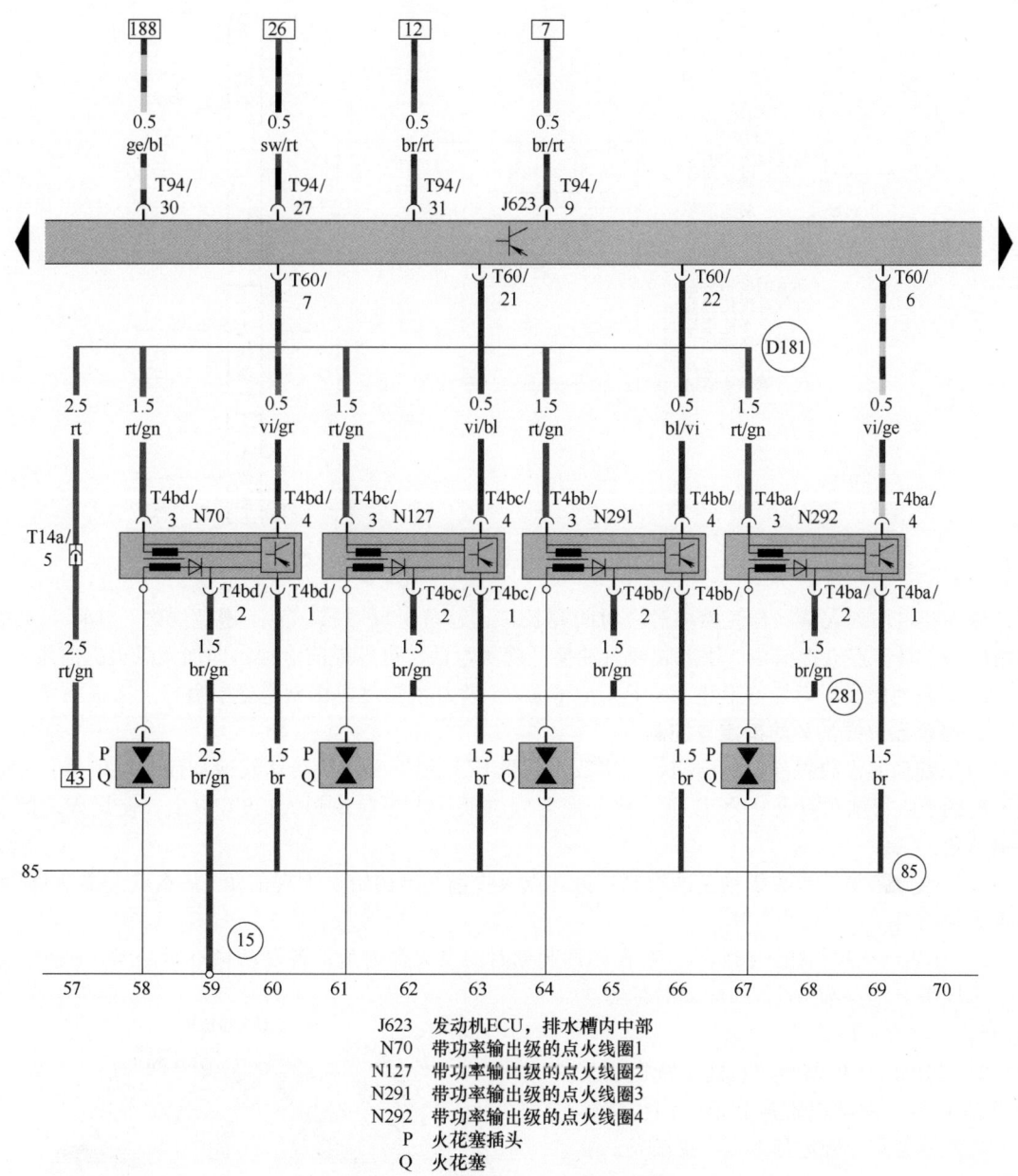

图 4-41 迈腾轿车点火系统的电路图

前角应使最高燃烧压力出现在压缩上止点后 10°左右，如图 4-42 所示。

1. 影响点火提前角的因素

（1）**发动机转速**　在发动机转速升高时，相同时间内曲轴转过的角度增加，而混合气燃烧所需要的时间一定，为了确保最高燃烧压力仍出现在上止点后 10°左右，就必须提前点火。随发动机转速的增加，最佳点火提前角加大。

（2）**发动机负荷**　发动机负荷加大时，混合气的燃烧条件改善，燃烧速度加快，为了确保最高燃烧压力仍出现在上止点后 10°左右，就必须推迟点火时间。随着发动机负荷加大（进气歧管真空度减小），点火提前角减小。

（3）**汽油辛烷值**　汽油的牌号是按辛烷值划分的，牌号越高抗爆燃的能力越强。点火时间越

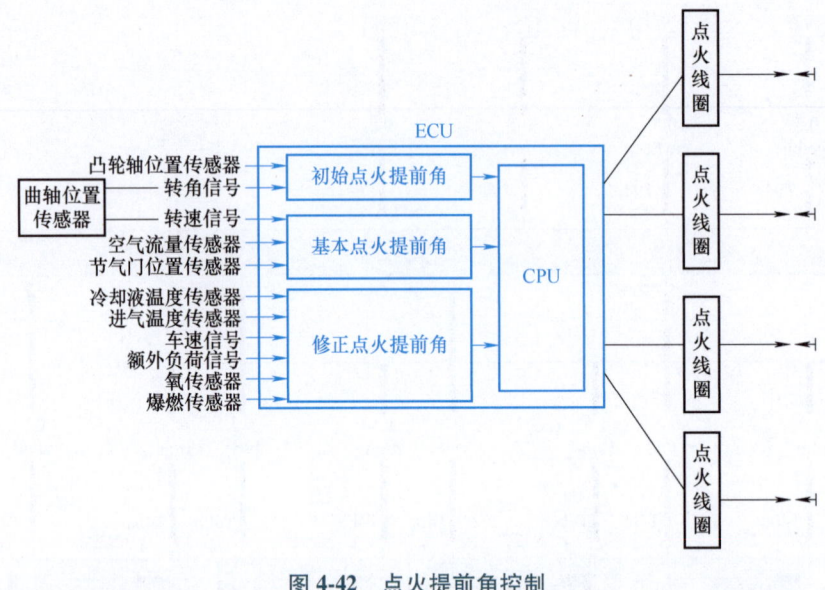

图 4-42 点火提前角控制

早,从火花出现到大量混合气燃烧对应时间越长,越容易出现爆燃。为了避免爆燃,实际点火提前角略小于最佳点火提前角。用高牌号汽油换低牌号汽油,可以提前点火,即加大点火提前角。

(4) 其他因素　燃烧室形状、A/F、大气压力、冷却液温度等因素也影响最佳点火提前角。

2. 最佳点火提前角的确定与控制

(1) 起动时点火提前角的控制　大多数发动机 ECU 根据发动机转速及冷却液温度信号,以固定不变的点火提前角点火。0℃以下,冷却液温度越低点火提前角越大;0℃以上,使用固定的点火提前角。

(2) 起动后最佳点火提前角的控制　最佳点火提前角 = 初始点火提前角 + 基本点火提前角 + 修正点火提前角。

1) 初始点火提前角。初始点火提前角即起动时的点火提前角,各发动机有所不同。例如:丰田车为压缩上止点前 10°,即起动时的点火提前角。

2) 基本点火提前角。怠速工况时,发动机 ECU 根据发动机转速和节气门位置信号、空调开关信号确定基本点火提前角。非怠速工况时,ECU 根据发动机转速、冷却液温度和负荷等信息从发动机 ECU 中预存的数据中查出,并确定基本点火提前角,如图 4-43 所示。

3) 修正点火提前角。

① 暖机修正。发动机起动后,当冷却液温度在 0℃ 以下时,修正点火提前角是一个固定值,冷却液温度在 0~20℃ 范围内,随冷却液温度的升高燃烧速度提高,点火提前角应逐渐减小,如图 4-44 所示。

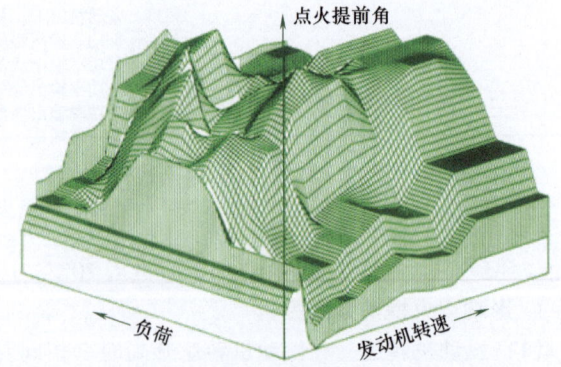

图 4-43 转速和负荷确定基本点火提前角

② 过热修正。当发动机冷却液温度超过 100℃ 继续升高时,若发动机怠速(IDL 闭合,即处于怠速工况),为了避免发动机长时间过热,应加大点火提前角;若发动机正常运行(IDL 断开,即

项目四 电控点火系统的检修

处于非怠速工况），为了避免爆燃，应减小点火提前角。冷却液温度超过一定限度后，各工况修正值不再变化，如图4-45所示。

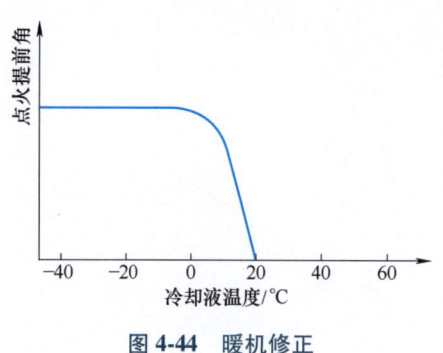

图4-44 暖机修正

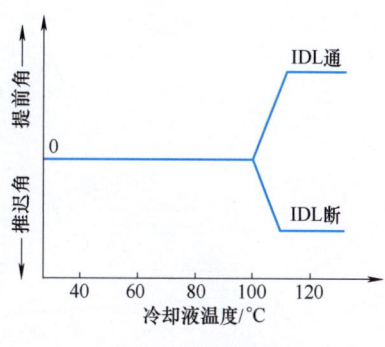

图4-45 过热修正

③ A/F反馈修正。由于电控燃油喷射反馈控制，使发动机转速在一定范围内波动，为了稳定怠速转速，在反馈修正减少喷油量时，应相应增大点火提前角，如图4-46所示。

④ 怠速稳定性修正。当负荷变化导致怠速转速变化时，ECU根据实际转速与目标转速的差值调节点火提前角。当怠速转速低于目标转速时，发动机ECU将加大点火提前角，如图4-47所示。

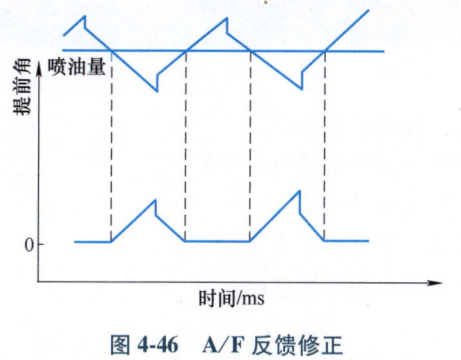

图4-46 A/F反馈修正

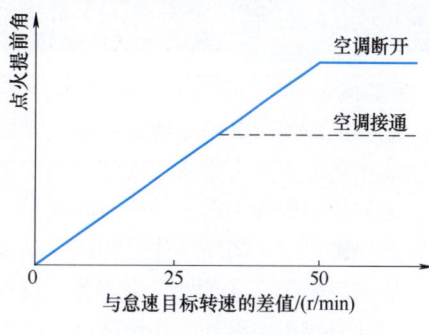

图4-47 怠速稳定性修正

⑤ 爆燃修正。当发动机ECU接收到爆燃传感器检测到爆燃信号时，发动机ECU将减小点火提前角。当爆燃消失后，恢复点火提前角，如图4-48所示。

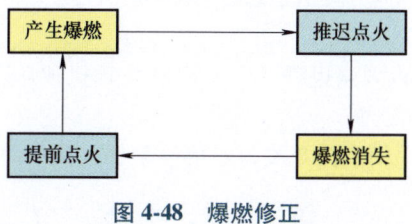

图4-48 爆燃修正

三、闭合角的控制

闭合角控制即通电时间控制。点火线圈一次回路电流随通电时间呈指数规律增长。一次回路通电时间即电感储能时间，通电时间长，断开一次回路时，二次电压高，点火可靠。蓄电池电压、发动机转速不同时，要达到相同的一次断开电流，需要不同的通电时间（闭合角）。ECU根据发动机转速、蓄电池电压查内存控制闭合角，如图4-49所示。

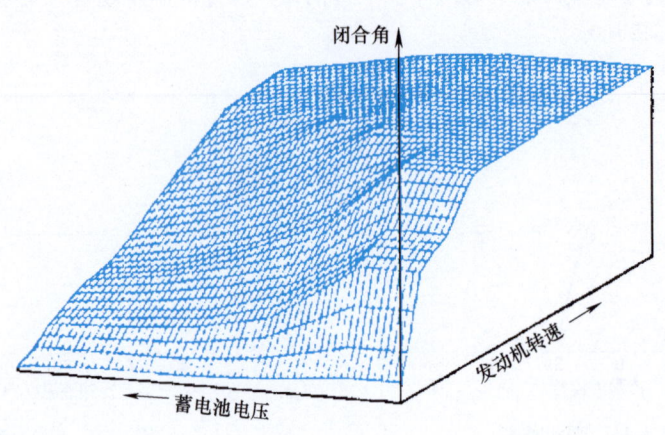

图 4-49 闭合角控制

 **任务一** 电控点火系统的认知

1. 目的描述

1) 能够正确使用维修手册查询点火系统的电路图,分析控制策略。
2) 能正确识别点火系统主要部件的安装位置,能画出部件结构简图及关联图。
3) 能够依据维修手册,结合故障现象,写出点火系统故障诊断流程和方法。
4) 能遵规守时、团结协作,积极主动参与学习活动,按要求完成工作任务。
5) 能规范操作,妥善处置废弃物,具有较强的安全意识和环保意识。
6) 主动完成工位整理、场地清洁。

2. 任务准备

1) 维修资料准备:一汽大众迈腾 B7L 维修手册、电路图各四套。
2) 工具仪器准备:数字式万用表、专用诊断仪或 KT600 诊断仪、常用工具各四套。
3) 车辆设备准备:迈腾 B7L 整车四辆或发动机台架四台。

3. 任务步骤

1) 分析故障原因。画出一汽大众迈腾 B7L 1.8TSI 发动机独立点火控制电路简图。
2) 诊断检修步骤。

① 读取故障码和数据流。关闭点火开关,连接诊断仪,读取故障码和数据流。看是否有相关故障码和失火率。

② 检查外观。对整个点火系统进行外观目视检查,检查点火系统所有线束插接器是否连接正常,检查所有部件的安装是否正确,检查高压线、火花塞是否破损或漏电,检查所有的高压线是否与火花塞、点火线圈连接牢固,检查点火线圈的绝缘层有无脏污和破裂等。

③ 检查火花塞。如果发动机无着火迹象,则应检查点火线圈公共电源的控制电路及上游熔丝是否正常。如果发动机个别气缸火花塞不工作,则应对故障气缸的火花塞进行跳火实验,如果火花较弱或无火花,应优先检查火花塞的工作状况是否正常。若不正常则应更换火花塞。同时用塞尺检查火花塞间隙,火花塞的电极间隙一般为 0.6~1.2mm(具体车型参数

参见维修手册）。

④检查点火线圈供电及搭铁。根据点火系统控制电路可知，点火线圈的1端子为供电。端子2和端子4分别为搭铁，搭铁电压为0V。端子3为控制。

用万用表电压档测量点火线圈1端子搭铁电压，标准值为12V，若电压不正常，则应进一步检查上游电路。用万用表电压档测量端子2和端子4搭铁电压，标准值为0V，若电压异常，则应进一步检查电路是否正常。

⑤检测点火线圈。对于有些车型，点火线圈可以进行电阻测量，而迈腾采用的独立点火线圈是和控制器制成了一体，无法对其线圈电阻值进行测量。

如果以上测量均正常，则需更换点火线圈。

4. 任务评价

任务评价内容及标准见表4-1。

表4-1 任务评价内容及标准

序号	项目	操作内容	分值	评分标准
1	职业素养	基本礼仪	5分	酌情扣分
		工位准备（工具、设备、仪器）	5分	
		维修手册及资料准备	5分	
		工装及安全防护准备	5分	
2	工作任务单理解及填写	明确任务内容、操作要求	5分	理解及填写不当扣1~5分
3	电路识图	正确查阅维修手册	5分	酌情扣分
		理解电控点火系统控制策略	5分	酌情扣分
		绘制电路简图	5分	酌情扣分
4	诊断作业	正确连接故障诊断仪	5分	操作不当扣1~5分
		正确读取故障码并记录	5分	不会读取不得分，记录错误、未记录扣5分
		正确查看数据流并填写分析结论	10分	不会读取不得分，分析错误、记录错误、未记录扣5分
5	检查作业	进行点火系统及关联系统部件外部直观检查	10分	漏检1处或检查不当，扣2~10分
6	检修作业	检测火花塞间隙测量及性能	10分	检查方法不当，扣2~10分，结论错误不得分
		检查点火线圈供电及搭铁	10分	检查方法不当，扣2~10分，结论错误不得分
7	质检作业	检查操作完成情况及维修质量	5分	漏检、检查方法不当，扣2~5分，未检查不得分
8	6S作业	工作场地清洁 工具、设备及仪器整理清洁 检修车辆复位	5分	清洁复位不到位，扣2~5分，未操作扣5分
		总分	100分	

 任务二　曲轴位置传感器的检修

1. 目的描述

1) 能够正确使用维修手册查询曲轴位置传感器的电路图，画电路简图。
2) 能正确识别曲轴位置传感器的安装位置，能描述其作用。
3) 能正确检测和判断曲轴位置传感器的故障。
4) 能正确拆装和更换曲轴位置传感器。
5) 能遵规守时、团结协作，积极主动参与学习活动，按要求完成工作任务。
6) 能规范操作，妥善处置废弃物，具有较强的安全意识和环保意识。
7) 主动完成工位整理、场地清洁。

2. 任务准备

1) 维修资料准备：卡罗拉维修手册、电路图各四套。
2) 工具仪器准备：数字式万用表、丰田专用诊断仪或 KT600 诊断仪、常用工具各四套。
3) 车辆设备准备：卡罗拉整车四辆或发动机台架四台。

3. 任务步骤

1) 分析故障原因。查阅维修手册，依据曲轴位置传感器电路图，绘制电路简图（图 4-50）。

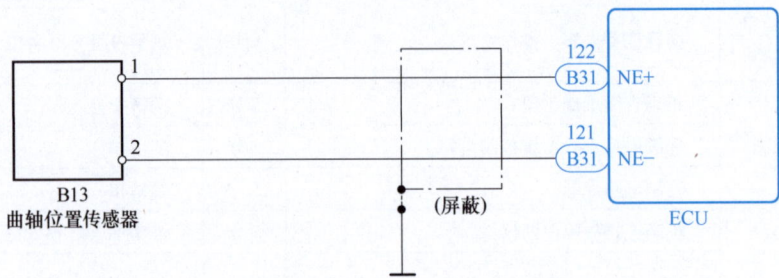

图 4-50　曲轴位置传感器工作电路简图

① 传感器与 ECU 之间的电路故障。
② 传感器部件及机械故障：曲轴位置传感器信号盘与铁心的气隙过大或有异物或松动，正时链条、张紧器和链轮磨损或损坏，曲轴位置传感器安装不正确，机油中有碎屑等。
③ 发动机 ECU 故障。

2) 诊断检修步骤。
① 验证故障现象，读取故障码、冻结帧和数据流。
确认客户车辆燃油箱有油，变速器档位在 P 位或 N 位，无防盗限制，起动车辆，观察起动状况及仪表故障指示灯。
使用丰田专用诊断仪或 KT600 诊断仪，读取车辆故障码、冻结帧和数据流，读取曲轴位置传感器波形，正常波形如图 4-51 所示。绘制波形并记录相关数据。
通过用故障诊断仪读取的发动机电控系统故障码为 P0335，其含义为曲轴位置传感器故障。
② 依据故障现象及故障码提示，按照维修手册的要求，确定诊断思路，制订检修流程。

3) 检测步骤。
① 用起动机起动发动机，观察仪表板发动机转速表数据。
② 使用丰田专用诊断仪或 KT600 诊断仪，读取车辆故障码、冻结帧和数据流，记录相关数据。

项目四 电控点火系统的检修

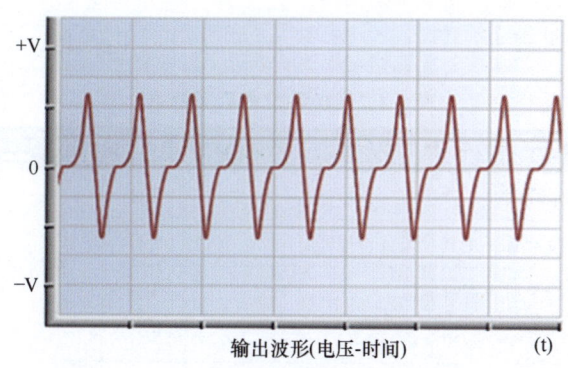

图 4-51 曲轴位置传感器波形图

③ 曲轴位置传感器安装状态检查。进入车下检查曲轴位置传感器插接器的安装状况及电路导线的连接状况。

4) 元件测量检查。

① 使用举升机将车辆举升至一定高度后锁死。

② 进入车下断开曲轴位置传感器 B13 插接器，拆卸传感器。

③ 用万用表 20kΩ 电阻档测量传感器 1 号与 2 号端子之间的电阻，正常值冷态时应为 1630～2740Ω（20℃时为 1850～2450Ω）。热态（50～100℃）时应为 2.065～3.225kΩ（图 4-52）。

如果实测值符合规定，说明传感器线圈没有故障。否则，应更换曲轴位置传感器。

④ 安装传感器，并将 B13 插接器移向发动机的上部，降下举升机。

图 4-52 曲轴位置传感器线圈电阻的测量

5) 电路测量。

① 确认点火开关处于关闭位置，拆卸蓄电池负极搭铁线及断开 ECU-B31 插接器。

② 用万用表 200Ω 档，测量 B13-1 与 ECU.B31-122（NE+）导线之间的电阻值，应符合要求。如果为无穷大，说明 B13-1 与 ECU.B31-122（NE+）的导线和插接器内有断路故障。

③ 用万用表 200Ω 档，测量传感器：B13-2 与 ECU.B31-121（NE-）导线之间的电阻值不大于 1Ω，说明电路正常。

④ 用万用表 10kΩ 档，测量 ECU.B31 插接器 B31-122（NE+）与车身搭铁之间的电阻值，如果为无穷大，说明 B31-122（NE+）与车身搭铁之间没有短路现象。

⑤ 用万用表 10kΩ 档，测量 ECU.B31 插接器 B31-121（NE-）与车身搭铁之间的电阻值，如果为无穷大，说明 B31-121（NE-）与车身搭铁没有短路现象。

⑥ 用万用表 200Ω 档，测量传感器：B13-1 与 B13-2 导线之间的电阻值，如果为无穷大，说明 B13-1 与 B13-2 的导线和插接器没有短路现象。

6) 故障部位确定及修复。

依据检测结果，确定故障点，并进行修复（修理或更换），帮助排除故障。

7) 检查故障是否排除。再次读取故障码，观察数据流，并清除车辆系统故障码。

4. 任务评价

任务评价内容及标准见表 4-2。

表 4-2 任务评价内容及标准

序号	项　目	操 作 内 容	分值	评分标准
1	职业素养	基本礼仪	5分	酌情扣分
		工位准备（工具、设备、仪器）	5分	
		维修手册及资料准备	5分	
		工装及安全防护准备	5分	
2	工作任务单理解及填写	明确任务内容、操作要求	5分	理解及填写不当扣1~5分
3	电路识图	正确查阅维修手册	5分	酌情扣分
		理解曲轴位置传感器的工作机理	5分	酌情扣分
		绘制曲轴位置传感器电路简图	5分	酌情扣分
4	诊断作业	正确连接故障诊断仪	5分	操作不当扣1~5分
		正确读取故障码、数据流并记录	5分	不会读取不得分，记录错误、未记录扣5分
		正确测试曲轴位置传感器波形，分析结论	10分	不会读取不得分，分析错误、记录错误、未记录扣5分
5	检查作业	进行部件外部直观检查	10分	漏检一处或检查不当，扣2~10分
6	检修作业	检测曲轴位置传感器电阻	10分	检查方法不当，扣2~10分，结论错误不得分
		检测曲轴位置传感器电路	10分	检查方法不当，扣2~10分，结论错误不得分
7	质检作业	检查操作完成情况及维修质量	5分	漏检、检查方法不当，扣2~5分，未检查不得分
8	6S作业	工作场地清洁 工具、设备及仪器整理清洁 检修车辆复位	5分	清洁复位不到位，扣2~5分，未操作扣5分
		总分	100分	

任务三　凸轮轴位置传感器的检修

1. 目的描述

1）能够正确使用维修手册查询凸轮轴位置传感器的电路图，画电路简图。
2）能正确识别凸轮轴位置传感器的安装位置，能描述其作用。
3）能正确检测、判断凸轮轴位置传感器的故障。

4）能正确拆装、更换凸轮轴位置传感器。
5）能遵规守时、团结协作，积极主动参与学习活动，按要求完成工作任务。
6）能规范操作，妥善处置废弃物，具有较强的安全意识和环保意识。
7）主动完成工位整理、场地清洁。

2. 任务准备

1）维修资料准备：一汽大众迈腾 B7L 维修手册、电路图各四套。
2）工具仪器准备：数字式万用表、专用诊断仪或 KT600 诊断仪、常用工具各四套。
3）车辆设备准备：迈腾 B7L 整车四辆或发动机台架四台。

3. 任务步骤

1）查阅维修手册，依据凸轮轴位置传感器电路图（图 4-53），绘制电路简图。
2）分析故障原因。
① 传感器与 ECU 之间的电路故障。
② 传感器部件及机械故障：凸轮轴位置气隙过大或有异物或松动，正时链条、张紧器和链轮磨损或损坏，凸轮轴位置传感器安装不正确；机油中有碎屑等。
③ 发动机 ECU 故障。
3）诊断检修步骤。
① 验证故障现象，读取故障码、冻结帧和数据流。
确认客户车辆燃油箱有油，变速器档位在 P 位或 N 位，无防盗限制，起动车辆，观察起动状况及仪表故障指示灯。

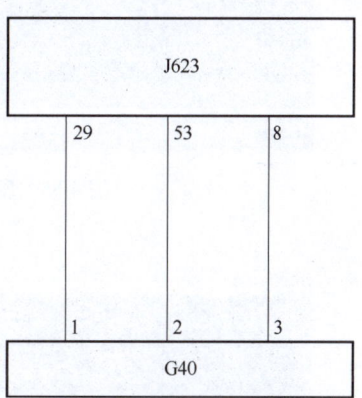

图 4-53 迈腾轿车凸轮轴位置传感器的电路图

使用大众专用诊断仪或 KT600 诊断仪，读取车辆故障码、冻结帧和数据流，读取凸轮轴位置传感器波形，绘制波形并记录相关数据。
通过用故障诊断仪读取的发动机电控系统故障码为 P0343，其含义为凸轮轴位置传感器故障。
② 观察凸轮轴位置传感器计数器是否符合要求：
进气凸轮轴活动计数器：0~255 变化，排气凸轮轴活动计数器：0~255 变化。
进气凸轮轴位置：□（凸轮轴角度变化），排气凸轮轴位置：□（凸轮轴角度变化）。
③ 检查凸轮轴位置传感器安装状态。检查凸轮轴位置传感器插接器的安装状况及电路导线的连接状况。
4）检测凸轮轴位置传感器电路。
① 检测凸轮轴位置电源电压。关闭点火开关，拔下凸轮轴位置传感器插头，将点火开关置于"ON"位置。将万用表旋转开关置于直流电压档，检测传感器插头 1 号端子与搭铁之间的电压，应为 5V 左右。
② 检测凸轮轴位置传感器搭铁。如图 4-54 所示，关闭点火开关，拔下凸轮轴位置传感器插头，用万用表检测凸轮轴位置传感器插头 3 号端子与搭铁之间的电阻，电阻值应小于 1Ω。
③ 检测凸轮轴位置传感器信号。起动发动机，用万用表检测凸轮轴位置传感器信号电压，信号值在 0~5V 范围内变化。

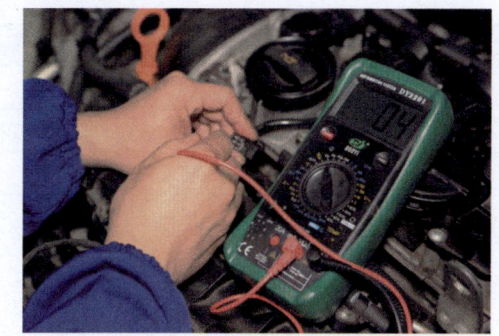

图 4-54 凸轮轴位置传感器搭铁的检测

④ 检测凸轮轴位置传感器电路电阻。断开点火开关,断开曲轴位置传感器、凸轮轴位置传感器插接器,检测两个传感器插头端与发动机 ECU 对应端子的电阻,应小于 1Ω。

5) 检测凸轮轴位置传感器波形(图 4-55 和图 4-56)。从凸轮轴位置传感器波形图中可以看出凸轮轴位置传感器的信号频率随着转速的升高而升高,但电压值不发生变化。

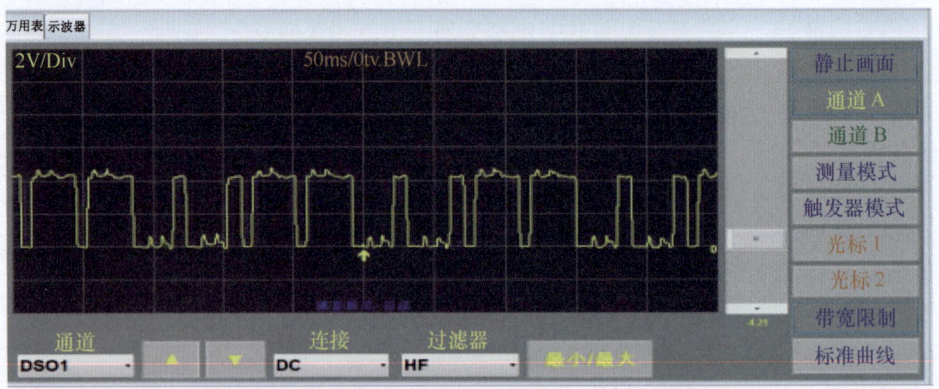

图 4-55　发动机怠速时的凸轮轴位置传感器波形图

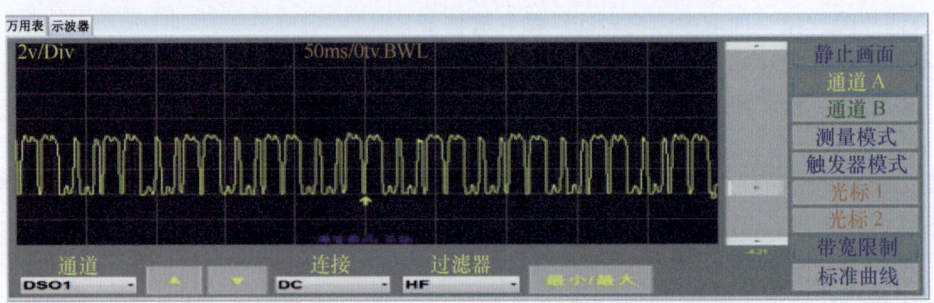

图 4-56　发动机转速为 2000r/min 时的凸轮轴位置传感器波形图

6) 故障部位确定及修复。依据检测结果,确定故障点,并进行修复(修理或更换),帮助排除故障。

7) 检查故障是否排除。再次读取故障码,观察数据流,并清除车辆系统的故障码。

4. 任务评价

任务评价内容及标准见表 4-3。

表 4-3　任务评价内容及标准

序号	项目	操作内容	分值	评分标准
1	职业素养	基本礼仪	5 分	酌情扣分
		工位准备(工具、设备、仪器)	5 分	
		维修手册及资料准备	5 分	
		工装及安全防护准备	5 分	
2	工作任务单理解及填写	明确任务内容、操作要求	5 分	理解及填写不当扣 1~5 分

项目四　电控点火系统的检修

（续）

序号	项目	操作内容	分值	评分标准
3	电路识图	正确查阅维修手册	5分	酌情扣分
		理解凸轮轴位置传感器的工作机理	5分	酌情扣分
		绘制凸轮轴位置传感器电路简图	5分	酌情扣分
4	诊断作业	正确连接故障诊断仪	5分	操作不当扣1~5分
		正确读取故障码、数据流并记录	5分	不会读取不得分，记录错误、未记录扣5分
		正确测试凸轮轴位置传感器，分析结论	10分	不会读取不得分，分析错误、记录错误、未记录扣5分
5	检查作业	进行部件外部直观检查	10分	漏检一处或检查不当，扣2~10分
6	检修作业	检测凸轮轴位置传感器电阻	10分	检查方法不当，扣2~10分，结论错误不得分
		检测凸轮轴位置传感器电路	10分	检查方法不当，扣2~10分，结论错误不得分
7	质检作业	检查操作完成情况及维修质量	5分	漏检、检查方法不当，扣2~5分，未检查不得分
8	6S作业	工作场地清洁 工具、设备及仪器整理清洁 检修车辆复位	5分	清洁复位不到位，扣2~5分，未操作扣5分
		总分	100分	

任务四　爆燃传感器的检修

1. 目的描述

1）能够正确使用维修手册查询爆燃传感器的电路图，画电路简图。
2）能正确识别爆燃传感器的安装位置，能描述其作用。
3）能正确检测、判断爆燃传感器的故障。
4）能正确拆装、更换爆燃传感器。
5）能遵规守时、团结协作，积极主动参与学习活动，按要求完成工作任务。
6）能规范操作，妥善处置废弃物，具有较强的安全意识和环保意识。
7）主动完成工位整理、场地清洁。

2. 任务准备

1）维修资料准备：一汽大众迈腾B7L维修手册、电路图各四套。
2）工具仪器准备：数字式万用表、专用诊断仪或KT600诊断仪、常用工具各四套。
3）车辆设备准备：迈腾B7L整车四辆或发动机台架四台。

3. 任务步骤

1）熟悉爆燃传感器的安装位置及结构，读懂爆燃传感器电路图，如图4-57和图4-58所示。

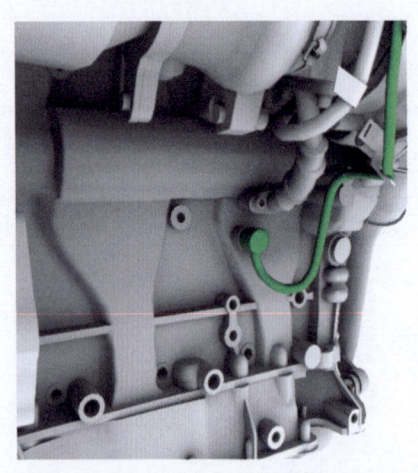

图 4-57 爆燃传感器的安装位置示意图

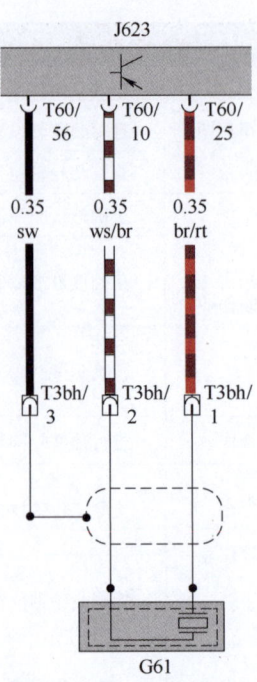

图 4-58 爆燃传感器电路图

2) 分析故障原因。

① 传感器 G61 与发动机 ECU（J623）之间的电路故障。

② 传感器部件及机械故障：安装位置变化或松动，内部故障等。

③ 发动机 ECU 故障。

3) 诊断检修步骤。

① 检测爆燃传感器电阻。将点火开关置于"OFF"位置，拔开爆燃传感器导线插头，用万用表欧姆档检测爆燃传感器的接线端子与外壳间的电阻，应为无穷大（不导通）；若为0Ω（导通），则需更换爆燃传感器。用万用表的欧姆档测量传感器两个端子与搭铁之间的电阻，若导通，说明传感器已经损坏，必须更换。

对于磁致伸缩式爆燃传感器，还可应用万用表欧姆档检测线圈的电阻，其阻值应符合规定值（具体数据见具体车型维修手册），否则更换爆燃传感器。

② 检测爆燃传感器波形。爆燃传感器是否正常，应该用示波器检测发动机工作时，爆燃传感器的输出电压波形。如果有不规则的振动波形出现，并且该波形随发动机爆燃情况的变化而有明显的变化，则说明爆燃传感器工作正常。如果没有波形输出或者输出波形不随发动机工作情况的变化而变化，说明爆燃传感器有故障，应该更换。

③ 检测爆燃传感器输出信号。在爆燃传感器的连接电路中，端子 1 为信号线正极，端子 2 为信号线负极，端子 3 为屏蔽线。拔开爆燃传感器的连接插头，在发动机怠速时用万用表电压档检查爆燃传感器的接线端子与搭铁间的电压，应有脉冲电压输出。如没有，应更换爆燃传感器。

④ 更换爆燃传感器。如确认爆燃传感器故障，需按维修手册的要求更换爆燃传感器。

a. 故障部位确定及修复。依据检测结果，确定故障点，并进行修复（修理或更换），帮助排除故障。

b. 检查故障是否排除。再次读取故障码，观察数据流，并清除车辆系统故障码。

4. 任务评价

任务评价内容及标准见表4-4。

表4-4 任务评价内容及标准

序号	项目	操作内容	分值	评分标准
1	职业素养	基本礼仪	5分	酌情扣分
		工位准备（工具、设备、仪器）	5分	
		维修手册及资料准备	5分	
		工装及安全防护准备	5分	
2	工作任务单理解及填写	明确任务内容、操作要求	5分	理解及填写不当扣1~5分
3	电路识图	正确查阅维修手册	5分	酌情扣分
		理解爆燃传感器的工作机理	5分	酌情扣分
		绘制爆燃传感器的电路简图	5分	酌情扣分
4	诊断作业	正确连接故障诊断仪	5分	操作不当扣1~5分
		正确读取故障码、数据流并记录	5分	不会读取不得分，记录错误、未记录扣5分
		正确测试爆燃传感器的波形，分析结论	10分	不会读取不得分，分析错误、记录错误、未记录扣5分
5	检查作业	进行部件外部直观检查	10分	漏检一处或检查不当，扣2~10分
6	检修作业	检测爆燃传感器电阻	10分	检查方法不当，扣2~10分，结论错误不得分
		检测爆燃传感器电路	10分	检查方法不当，扣2~10分，结论错误不得分
7	质检作业	检查操作完成情况及维修质量	5分	漏检、检查方法不当，扣2~5分，未检查不得分
8	6S作业	工作场地清洁 工具、设备及仪器整理清洁 检修车辆复位	5分	清洁复位不到位，扣2~5分，未操作扣5分
		总分	100分	

任务五　电控点火系统的检修

1. 目的描述

1）能够正确使用维修手册查询电控点火系统的电路图，画电路简图。
2）能正确识别电控点火系统主要部件的安装位置，能描述其作用。
3）能正确检测、判断电控点火系统的故障。
4）能正确拆装、更换火花塞、点火线圈、点火模块。
5）会进行点火控制单元及控制电路的就车检查。
6）能正确检测点火控制单元的控制电路及控制信号波形。

7）能遵规守时、团结协作，积极主动参与学习活动，按要求完成工作任务。
8）能规范操作，妥善处置废弃物，具有较强的安全意识和环保意识。
9）主动完成工位整理、场地清洁。

2. 任务准备

1）维修资料准备：一汽大众迈腾 B7L 维修手册、电路图各四套。
2）工具仪器准备：数字式万用表、专用诊断仪或 KT600 诊断仪、常用工具各四套。
3）车辆设备准备：迈腾 B7L 整车四辆或发动机台架四台。

3. 任务步骤

1）分析故障原因。查阅一汽大众迈腾 B7L 1.8TSI 发动机维修手册点火系统的电路图，画出点火控制简图。

2）诊断检修步骤。

① 读取故障码和数据流。关闭点火开关，连接诊断仪，读取故障码和数据流。看是否有相关故障码和失火率。

② 检查外观。对整个点火系统进行外观目视检查，检查点火系统所有线束插接器是否连接正常，检查所有的部件安装是否正确，检查高压线、火花塞是否破损或漏电，检查所有的高压线是否与火花塞、点火线圈连接牢固，检查点火线圈的绝缘层有无脏污、破裂等。

3）检查火花塞。如果发动机无着火迹象，则应检查点火线圈公共电源的控制电路及上游熔丝是否正常。如果发动机个别气缸火花塞不工作，则应对故障气缸的火花塞进行跳火试验，如果火花较弱或无火花，应优先检查火花塞的工作状况是否正常。若不正常则应更换火花塞。同时用塞尺检查火花塞的间隙，火花塞的电极间隙一般为 0.6~1.2mm（具体车型参数参见维修手册）。

4）检查点火线圈供电及搭铁。根据点火系统控制电路可知，点火线圈的 1 端子为供电。端子 2 和端子 4 分别搭铁，搭铁电压为 0V。端子 3 为控制。

用万用表电压档测量点火线圈 1 端子搭铁电压，标准值为 12V，若电压不正常，则应进一步检查上游电路。用万用表电压档测量端子 2 和端子 4 搭铁电压，标准值为 0V，若电压异常，则应进一步检查电路是否正常。

5）检查点火线圈控制信号。用示波器测量点火线圈端子 3 搭铁波形，波形图如图 4-59 所示。

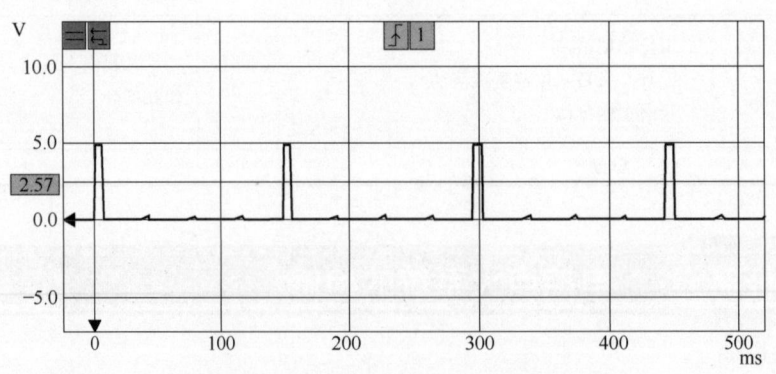

图 4-59　点火线圈控制信号波形图

6）检测点火线圈。对于有些车型点火线圈可以进行电阻测量，而迈腾采用的独立点火线圈是和控制器制成了一体，无法对其线圈阻值进行测量。

如果以上测量均正常，则需更换点火线圈。

7）二次点火波形测试。如果点火线圈的供电、基地、控制信号均正常，除了检查火花塞外，还可以在不解体的情况下测量二次点火波形，并对其进行分析，如图4-60和图4-61所示。

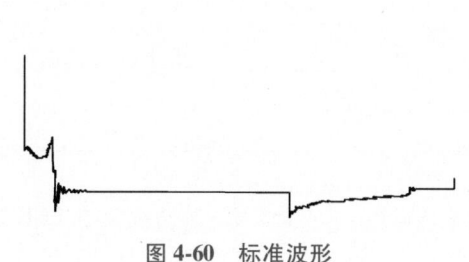

图4-60　标准波形

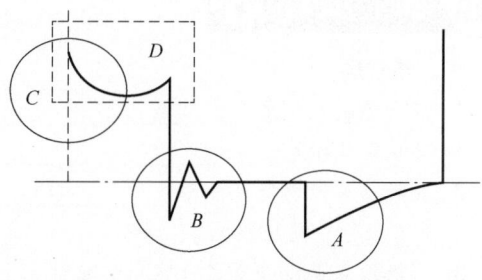

图4-61　二次波形故障反映区

4. 任务评价

任务评价内容及标准见表4-5。

表4-5　任务评价内容及标准

序号	项目	操作内容	分值	评分标准
1	职业素养	基本礼仪	5分	酌情扣分
		工位准备（工具、设备、仪器）	5分	
		维修手册及资料准备	5分	
		工装及安全防护准备	5分	
2	工作任务单理解及填写	明确任务内容、操作要求	5分	理解及填写不当扣1~5分
3	电路识图	正确查阅维修手册	5分	酌情扣分
		理解电控点火系统工作机理	5分	酌情扣分
		绘制电控点火系统电路简图	5分	酌情扣分
4	诊断作业	正确连接故障诊断仪	5分	操作不当扣1~5分
		正确读取故障码、数据流并记录	5分	不会读取不得分，记录错误、未记录扣5分
		正确测试点火线圈控制信号波形、点火线圈二次信号波形，分析结论	10分	不会读取不得分，分析错误、记录错误、未记录扣5分
5	检查作业	进行点火系统部件直观检查	10分	漏检一处或检查不当，扣2~10分
6	检修作业	检测电控点火系统部件	10分	检查方法不当，扣2~10分，结论错误不得分
		检测电控点火系统电路	10分	检查方法不当，扣2~10分，结论错误不得分
7	质检作业	检查操作完成情况及维修质量	5分	漏检、检查方法不当，扣2~5分，未检查不得分
8	6S作业	工作场地清洁 工具、设备及仪器整理清洁 检修车辆复位	5分	清洁复位不到位，扣2~5分，未操作扣5分
		总分	100分	

巩固与提高

一、填空题

1. 点火控制系统主要由_____、_____和_____三部分组成，电控点火系统的主要作用是_____。
2. 曲轴位置传感器可分为_____、_____、_____和_____几种类型。
3. 凸轮轴位置传感器用来检测凸轮轴_____及_____信号，作为发动机 ECU 确定第一缸_____，起动时识别_____。

二、选择题

1. 【单项选择】（　　）主要用来检测发动机转速信号。
   A. 凸轮轴位置传感器　　B. 曲轴位置传感器　　C. 节气门位置传感器　　D. 爆燃传感器
2. 【单项选择】（　　）主要用来判断缸序及位置信号。
   A. 曲轴位置传感器　　B. 凸轮轴位置传感器　　C. 节气门位置传感器　　D. 爆燃传感器
3. 【单项选择】发动机 ECU 依据（　　）信号来调整点火时刻，抑制爆燃燃烧。
   A. 空气流量传感器　　B. 冷却液温度传感器　　C. 节气门位置传感器　　D. 爆燃传感器
4. 【多项选择】下列部件属于电控点火系统元件的是（　　）。
   A. 点火线圈　　　　　　　　　　　　B. 点火模块
   C. 节气门位置传感器　　　　　　　　D. 凸轮轴位置传感器

三、判断题

1. 火花塞间隙越大，则能提供较大的点火能量。因此，火花塞间隙越大越好。（　　）
2. 爆燃传感器失效后可能造成发动机无法起动。（　　）
3. 如果有一缸的火花塞"淹死"，则发动机无法起动。（　　）
4. 独立点火系统的点火线圈仅有一个。（　　）

四、简答题

1. 请简述电控点火系统的控制策略。
2. 请简述霍尔式凸轮轴位置传感器的工作原理。
3. 请描述故障码 P0335 的含义，写出诊断流程。

五、识图题

1. 写出下图中数字所代表的部件名称。

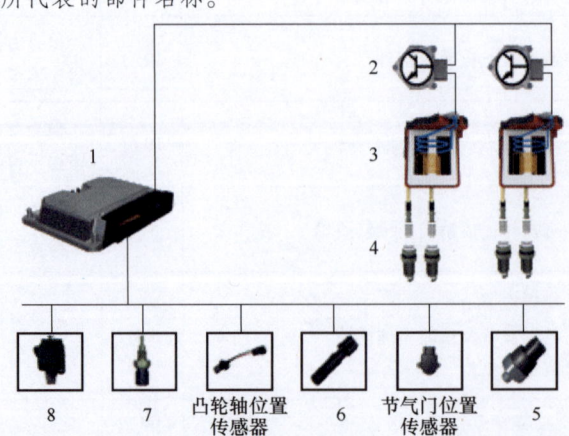

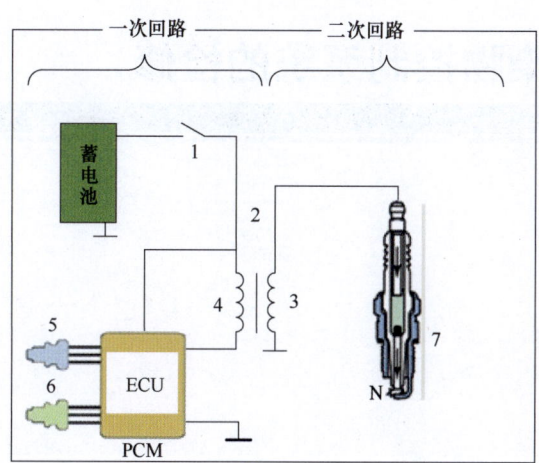

2. 分析迈腾轿车电路图，写出此图是哪个系统的电路图，并据此画出电路简图。

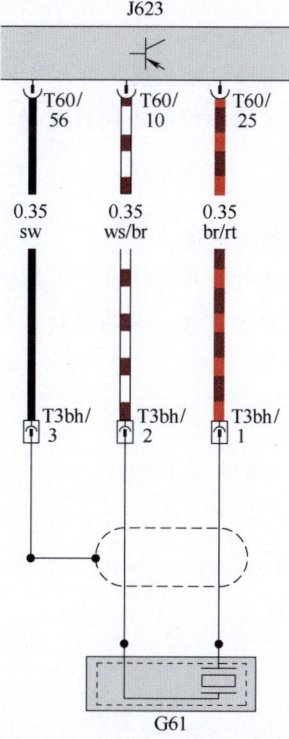

项目五 污染物控制系统的检修

知识目标

1. 知道汽车污染物的危害及防控措施。
2. 理解发动机污染物的控制策略。
3. 掌握燃油蒸发控制系统、二次空气喷射系统、废气再循环系统、氧传感器及汽油机颗粒捕集器的工作原理。

技能目标

1. 能够按照维修手册要求进行污染物控制系统主要部件的拆检与更换。
2. 能够借助汽车诊断仪器,读取污染物控制系统故障码、分析数据流,进行波形测试,分析并排除污染物控制系统的常见故障。

素养目标

1. 在学习汽车污染物危害时,要树立环保意识。
2. 在进行污染物控制系统主要部件拆检与更换时,培养规范操作的工作习惯。
3. 在进行污染物控制系统故障诊断分析时,必须坚持问题导向,注重沟通表达能力、团队合作能力的培养。

1. 燃油蒸发控制系统的检修。
2. 二次空气喷射系统的检修。
3. 废气再循环系统的检修。
4. 氧传感器故障的检修。
5. 汽油机颗粒捕集器的检修。

学习发动机污染物控制系统的检修,可通过对接企业工作情境,将项目学习内容学习提炼为五个典型工作任务:燃油蒸发控制系统的检修、二次空气喷射系统的检修、废气再循环系统的检修、氧传感器故障的检修、汽油机颗粒捕集器的检修。

本项目典型工作任务的实施,对接企业工作过程,包括创设工作任务、分析工作任务、链接相关知识、进行任务实施、任务检查评价、反馈总结等流程。教师设计学习流程,启发、指导学生完成工作任务,从而建构专业能力和非专业能力,实现项目学习目标。

项目五　污染物控制系统的检修

知识准备

第一课　燃油蒸发控制系统

一、燃油蒸发控制系统的组成

燃油蒸发控制系统（EVAP）是为了防止燃油箱内的燃油蒸气排入大气产生污染，其功能是收集燃油箱内蒸发的燃油蒸气，并将燃油蒸气导入气缸参与燃烧，从而防止燃油蒸气直接排入大气而造成污染。同时，根据发动机工况，控制导入气缸参加燃烧的燃油蒸气量。

燃油蒸发控制系统如图 5-1 所示，它主要由燃油箱、活性炭罐、炭罐控制电磁阀和发动机 ECU 等组成。

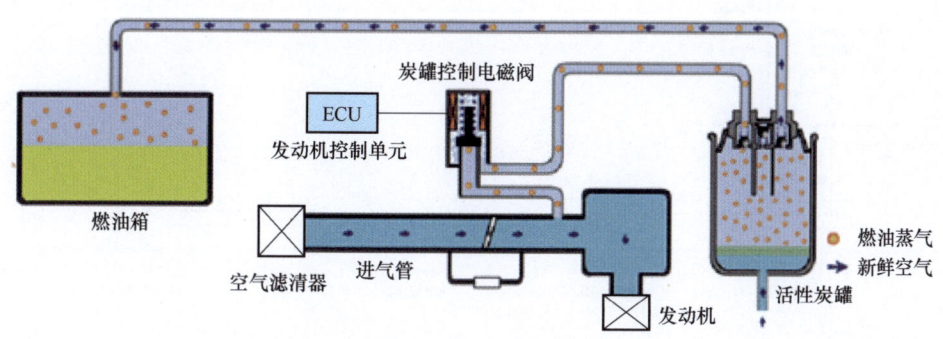

图 5-1　燃油蒸发控制系统

二、燃油蒸发控制系统的工作原理

活性炭罐是燃油蒸发控制系统中收集和存储燃油蒸气的部件，活性炭罐的下部与大气相通，上部有接头与油箱和进气歧管相连，其内部充满活性炭颗粒，它具有极强吸附燃油分子的作用。炭罐电磁阀控制活性炭罐到发动机进气管之间的气路，电磁阀主要部件是电磁线圈，电磁线圈通电产生磁力吸引衔铁，衔铁带动针阀使电磁阀开启，该电磁阀受 ECU 控制。

燃油箱内的燃油蒸气经连接油箱的管路进入活性炭罐后，蒸气中的燃油分子被吸附在活性炭颗粒表面。活性炭罐有一个出口，经软管与发动机进气歧管相通。软管的中部设一个活性炭罐电磁阀（常闭），以控制管路的通断。当发动机运转时，如果发动机 ECU 控制活性炭罐电磁阀开启，则在进气歧管真空吸力的作用下，空气从活性炭罐底部进入，经过活性炭至上方出口，再经软管进入发动机进气管，吸附在活性炭表面的燃油分子又重新脱附，随新鲜空气一起被吸入发动机气缸燃烧。这一过程一方面使燃油得到充分利用，另一方面也使活性炭罐内的活性炭保持良好吸附燃油分子的能力，不会因用久而失效。当活性炭罐电磁阀关闭时，燃油蒸气存储在活性炭罐中。

为了防止破坏发动机正常工作时的可燃混合气成分，影响发动机正常工作，必须对燃油蒸气进入发动机进气歧管的时机和进入量进行控制，通常是通过发动机 ECU 控制炭罐控制电磁阀的占空比来控制其开启和关闭的。

发动机 ECU 使炭罐控制电磁阀工作通常考虑以下条件：

1) 发动机起动已超过规定的时间。
2) 冷却液温度已高于规定值。
3) 发动机处于非怠速状态。
4) 发动机转速高于规定值。

当满足以上条件时，发动机 ECU 使电磁阀线圈通电，并控制电磁阀开启程度，存储在活性炭罐内的燃油蒸气经软管被吸入发动机燃烧。此时由于发动机的进气量较大，少量的燃油蒸气进入发动机不会影响可燃混合气的浓度。如果不完全满足上述条件，ECU 不会激活炭罐电磁阀，燃油蒸气被存储在炭罐中。

三、燃油蒸发控制系统的检修

1. 依据燃油蒸发控制电路图（图 5-2）绘制电路简图（图 5-3）

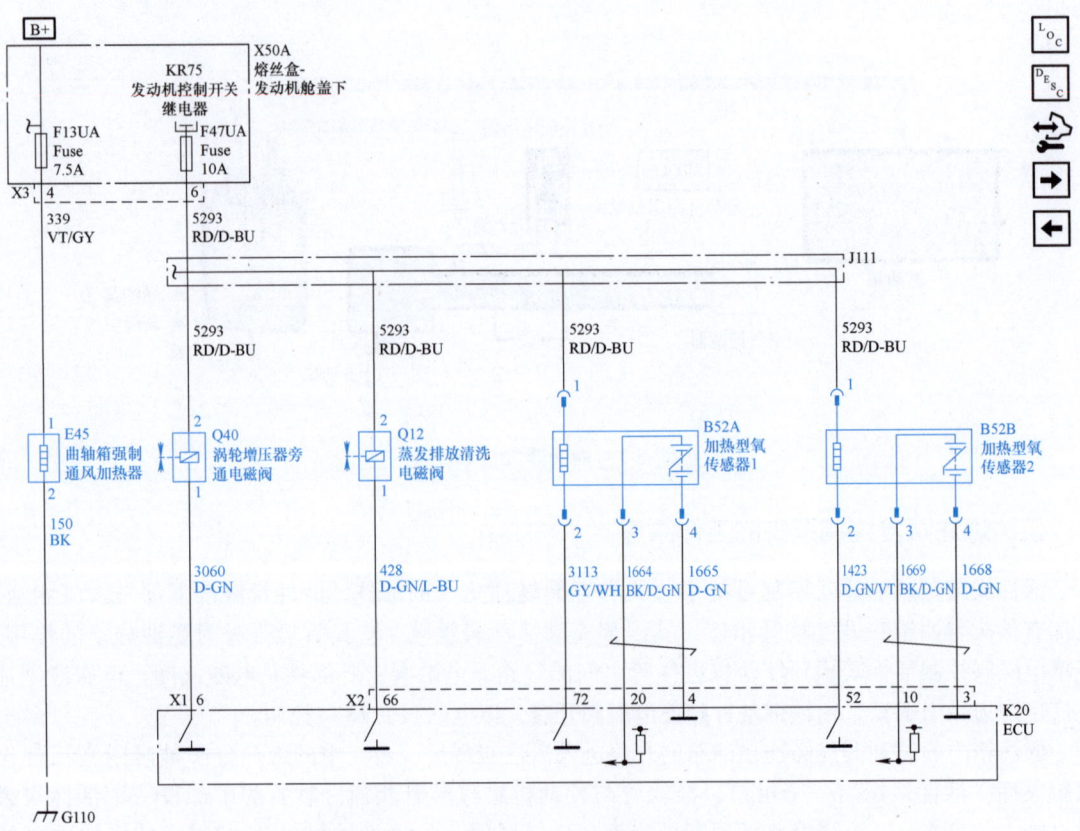

图 5-2　燃油蒸发控制系统的电路图

2. 分析故障原因

1) 电磁阀与 ECU 之间的电路故障。
2) 电磁阀、炭罐部件及机械故障等。
3) 发动机 ECU 故障。

3. 诊断检修步骤

1) 验证故障现象，读取故障码、冻结帧和数据流。
2) 依据故障现象及故障码提示，按照维修手册的要求，确定诊断思路，制订检修流程。
3) 检测步骤。

① 检查电源电路。

断开炭罐电磁阀线束插接器。将点火开关置于"ON"位置,将试灯连接在电源电压电路端子和搭铁之间,试灯点亮,说明炭罐电磁阀的电源电压电路正常。若试灯不亮,测试电源电压电路是否对搭铁短路或断路/电阻过大。

如果电路测试正常,且电源电压电路熔丝熔断,则应测试所有连接到该熔丝的部件对地是否短路,必要时进行维修。

② 检查控制电路。在电源电压电路端子和控制电路端子之间连接一个试灯。使用诊断仪将炭罐电磁阀控制占空比设置为50%,试灯应闪烁。

如果试灯常亮,测试控制电路是否对搭铁短路。如果电路测试正常,则更换ECU。

如果试灯始终熄灭,则测试控制电路是否对电压短路或断路/电阻过大。如果电路测试正常,则更换ECU。

③ 检测炭罐电磁阀:电磁阀线圈标准值在10～30Ω范围内,每个端子与壳体之间的电阻为无穷大。

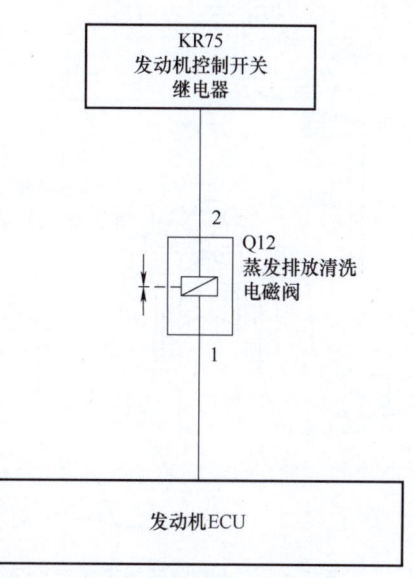

图5-3 燃油蒸发控制简图

④ 检查系统泄漏。闻到汽油蒸气的味道,信息中心提示检查燃油箱盖(增强型蒸发排放控制系统)。可使用专用烟雾测试器向系统内充入低压烟雾,并观察烟雾的泄漏情况,也可用氮气压力测试(增强型蒸发排放控制系统),向系统内注入低压氮气,压力保持在6.9kPa,观察泄漏情况。

4. 故障部位确定及修复

依据检测结果,确定故障点,并进行修复(修理或更换),帮助客户排除故障。

5. 检查故障是否排除

再次读取故障码,观察数据流,并清除车辆系统故障码。

 **第二课 二次空气喷射系统**

一、二次空气喷射系统的作用、分类和结构原理

1. 二次空气喷射系统的作用

二次空气喷射系统是通过空气泵将新鲜空气送入发动机排气管内,使废气中未燃烧的有害物质CO、HC再次燃烧,从而降低排气中HC和CO的排放量,如图5-4和图5-5所示。

2. 二次空气喷射系统的分类

1)二次空气喷射系统按其空气喷入的部位可分为两类:第一类,新鲜空气被喷入排气歧管的基部,即排气歧管与气缸体相连接的部位,因此,排气中的HC和CO只能从排气歧管开始被氧化;第二类,新鲜空气通过气缸盖上的专设管道喷入排气门后气缸盖内的排气通道内,排气中HC、CO的氧化更早进行。

2)二次空气喷射系统按照结构和工作原理的不同可以分为空气泵型和吸气器型两种结构类型。按控制形式的不同可分为空气泵型二次空气喷射系统和脉冲型二次空气喷射系统。

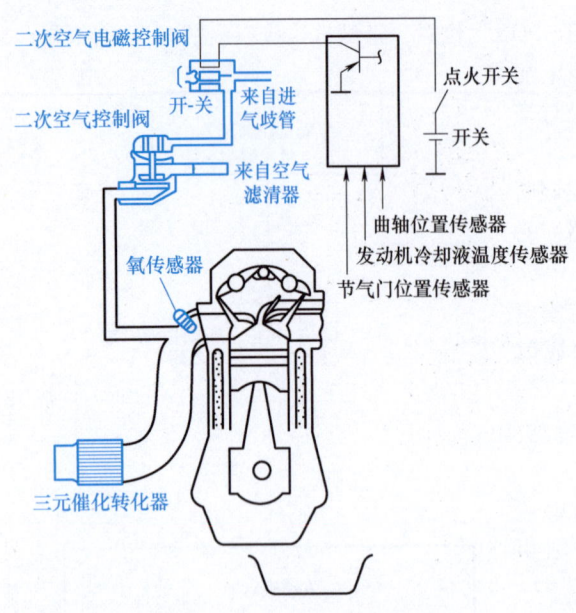 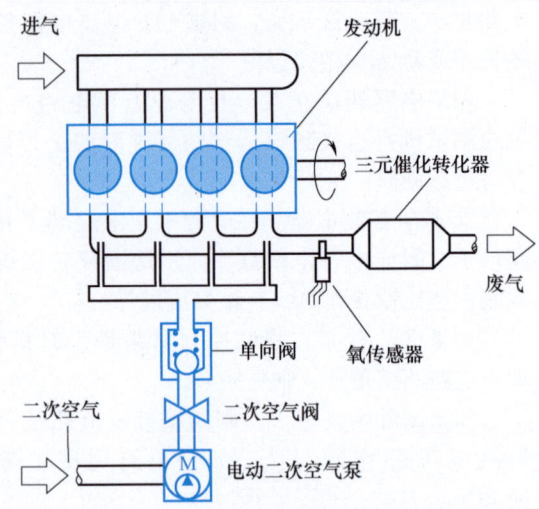

图 5-4 二次空气喷射系统示意图　　图 5-5 二次空气喷射系统的组成

3. 二次空气喷射系统的结构原理

电控空气泵型二次空气喷射系统中的空气由 ECU 根据输入信号通过控制相关电磁阀引往空气滤清器、排气管及催化式排气净化器中。该系统有两套主控电磁阀,第一套电磁阀为分流阀,用于将空气送往空气滤清器;第二套电磁阀为开关电磁阀,用于将空气送往排气管或催化式排气净化器。该系统有以下几种工作方式:

1) 在发动机冷态和开环状态工作时,由于催化式排气净化器不够热,不能使用额外空气,因此 ECU 控制分流电磁阀和开关电磁阀,使空气经分流电磁阀被送往开关电磁阀,而开关电磁阀将空气引向排气管。

2) 发动机在正常工作或闭环状态工作时,ECU 控制分流电磁阀和开关电磁阀,使空气经分流电磁阀被送往开关电磁阀,再由开关电磁阀将空气送往催化式排气净化器中的氧化剂与还原剂之间,从而提高氧化剂的工作效率。

3) 当催化净化器过热时,加入的空气对催化式排气净化器中的催化剂会造成污染,在这种情况下,ECU 控制分流电磁阀,将空气送往空气滤清器。

如图 5-6 所示,二次空气控制阀受发动机 ECU 控制,发动机 ECU 根据工况的需要适时地打开与关闭二次空气控制阀。二次空气机械阀接受二次空气控制阀控制,二次空气控制阀工作后,来自进气道的真空吸力打开二次空气机械阀,二次空气机械阀打开后新鲜空气经过该阀进入排气管。

发动机起动后,发动机 ECU 激活二次空气喷射系统开始工作,ECU 控制二次空气控制阀,并通过进气真空吸力打开二次空气机械阀,空气经过滤清器过滤后通过二次空气泵增大压力直接被吹到二次空气机械阀后,最终进入排气管。二次空气泵的电源通过继电器得到。二次空气泵的作用是在很短时间内将空气压进二次空气机械阀后面的废气中。二次空气喷射系统未工作时,热的废气将停止在组合阀门处,阻止进入二次空气泵。在控制过程中,自诊断系统同时进行检测。由于废气中所含氧气量的增加导致氧传感器电压降低,所以氧传感器必须处于工作状态。二次空气喷射系统正常工作时,氧传感器将检测到极稀的混合气。

二次空气喷射系统也常称为补燃系统或后燃系统,可燃混合气在气缸内进行第一次燃烧后,

项目五　污染物控制系统的检修

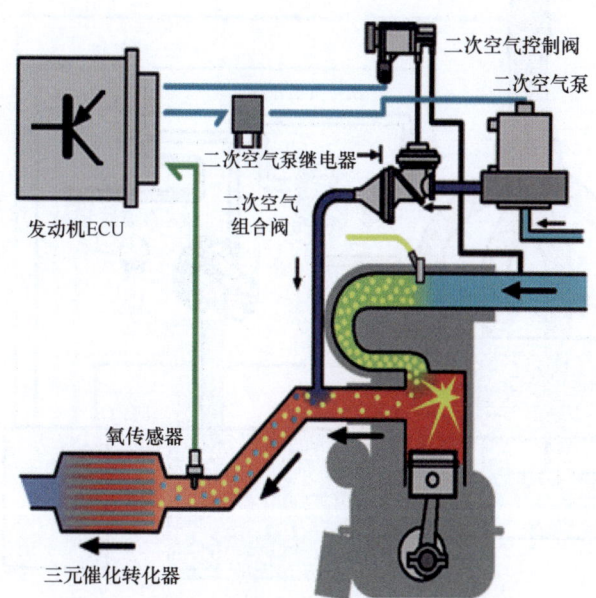

图 5-6　二次空气喷射系统的工作原理示意图

其中那些未完全燃烧的部分由于人为地引入新鲜空气而使其在排气过程中进行了补燃，因而经消声器排入大气时的尾气很少有或者完全没有火星。而排气内有火星是在有可燃气体存在的情况下引发火灾的一大原因。因此，二次空气喷射系统也是防止内燃机尾气引起火灾的一项重要技术和设施。除了在轿车上应用外，它还广泛应用于安全性能要求更高的内燃机车和专用汽车，如液化气运输车、轻油运输车和机场加油车等。

二、大众车系二次空气喷射系统

图 5-7 所示为一汽大众宝来轿车二次空气喷射系统。发动机 ECU 激活二次空气喷射系统开始工作，发动机 ECU 输出信号（图 5-8 中 T121/9）控制二次空气喷射进气阀 N112 工作，阀门打开，压力 p 经过阀体到达二次空气组合阀，在负压的作用下组合阀打开。

同时发动机 ECU 控制二次空气泵继电器 J299 工作，继电器工作后接通二次空气泵电机 V101 的电源，使二次空气泵电机 V101 工作，二次空气泵电机 V101 把经过空气滤清器的干净新鲜空气输送到二次空气组合阀，因为二次空气组合阀已经打开，所以空气经过二次空气组合阀直接输送到排气歧管内。二次空气泵的作用是在短时间内将空气压进排气门后面的废气中。发动机 ECU 接收冷却液温度传感器的输入信号（图 5-7 中绿色 t°线）来控制二次空气喷射工作的时间。冷却液温度 5~33℃ 时控制喷射系统工作 100s，冷却液温度 33~96℃ 时控制喷射系统工作 10s。

发动机 ECU 在二次空气喷射系统工作的过程中检测氧传感器信号（图 5-7 中两条绿色 λ 线）进行自诊断。由于喷入新鲜的空气，尾气中的氧含量会增加，氧传感器电压下降，正常工作情况下氧传感器应该检测到极稀的混合气。

二次空气喷射系统工作结束时，发动机 ECU 控制二次空气喷射进气阀 N112 停止工作，阀门关闭。因为阀门关闭，二次空气组合阀没有压力 p 驱动，也会停止工作，关闭阀门，发动机排出的废气会被阀门阻挡，不会经过管路窜进发动机进气系统。同时发动机 ECU 也断开对二次空气泵继电器 J299 的控制，继电器不工作，二次空气喷射泵电机也停止工作。

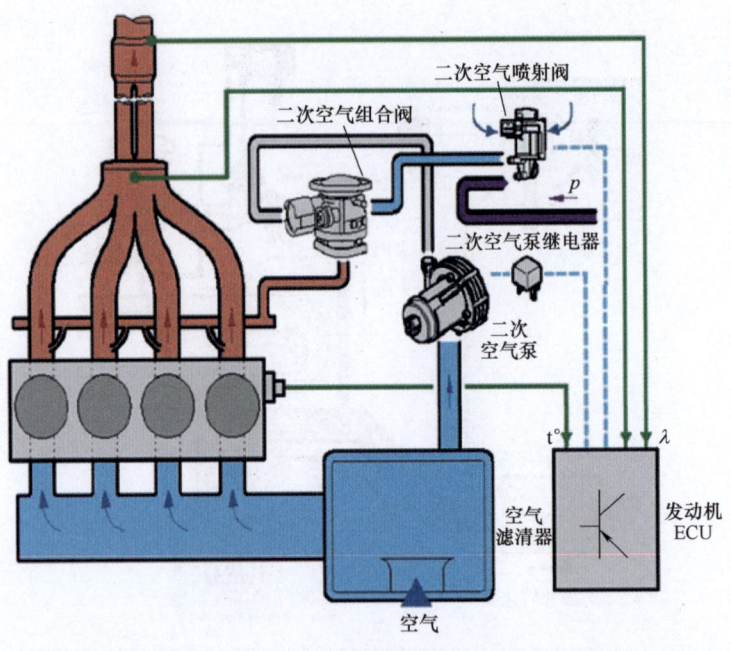

图 5-7 一汽大众宝来轿车二次空气喷射系统

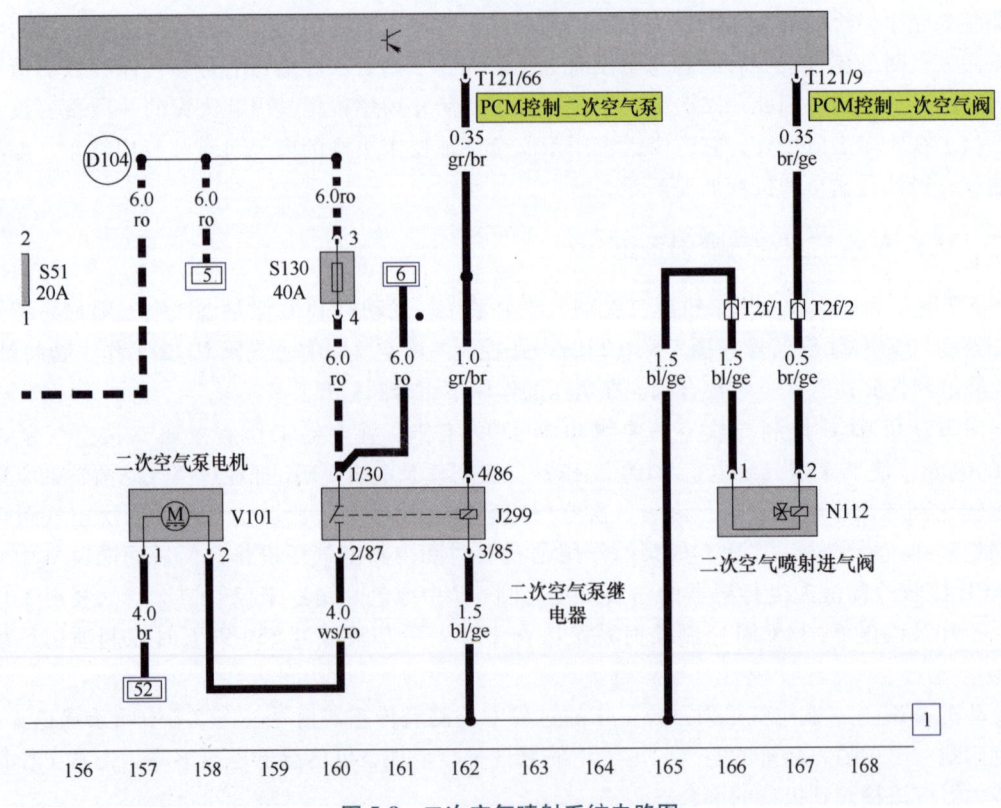

图 5-8 二次空气喷射系统电路图

三、丰田车系二次空气喷射系统

丰田轿车二次空气喷射系统由电子空气泵、空气喷射控制阀、空气喷射驱动器和连接管等组成，如图 5-9 所示。发动机 ECU 通过空气喷射驱动器控制空气泵及空气喷射控制阀工作，同时空气喷射驱动器将二次空气喷射系统工作状态反馈给发动机 ECU，如图 5-10 所示。

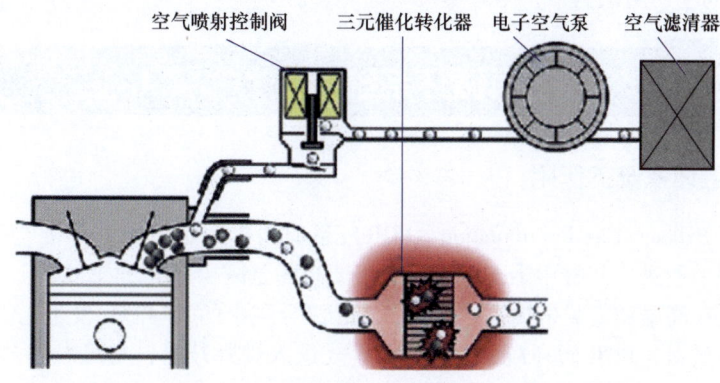

图 5-9　二次空气喷射系统的结构示意图

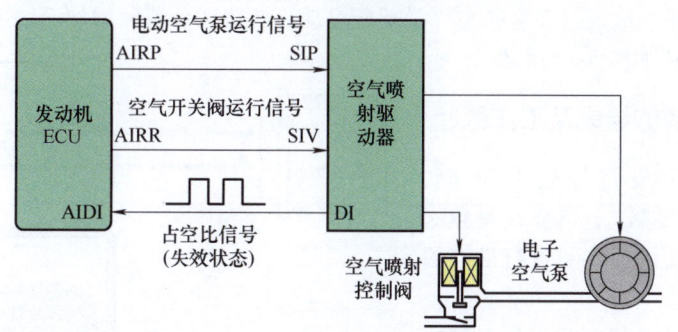

图 5-10　二次空气喷射系统的控制策略

四、二次空气喷射系统的检修

1. 故障原因

1）二次空气喷射系统部分堵塞或泄漏。
2）二次空气泵 V101 故障。
3）二次空气喷射进气阀 N122 故障。
4）排气系统三元催化转化器前部堵塞。
5）二次空气泵继电器 J299 故障。

2. 检修步骤

1）检查二次空气喷射系统是否存在以下情况：
① 软管/管路阻塞或堵塞。
② 软管/管路断开。
③ 二次空气喷射进气阀是否损坏。

2）将点火开关置于"OFF"位置，拆下二次空气泵继电器 J299。

3）检查二次空气喷射泵继电器，如继电器正常，则进行下一步测试。

4）检查二次空气泵 V101（图 5-11）。拆下二次空气泵继电器

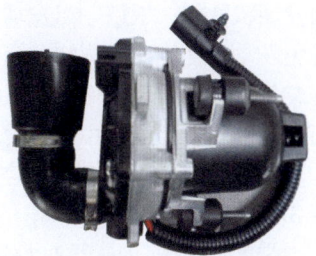

图 5-11　二次空气泵 V101

J299 与发动机 ECU 的接线端子，跨接二次空气泵继电器 J299 30 号、87 号端子，二次空气泵应运转，如不转动，则更换二次空气泵。

5）如果所有的电路测试正常，则更换发动机 ECU。

第三课　废气再循环系统

一、废气再循环系统的作用

废气再循环（Exhaust Gas Recirculation，EGR）系统的作用是把一部分排气引入进气系统中，使其和新鲜混合气一起进入气缸中参与燃烧，其主要目的是减少 NO_x 的排放。

NO_x 是混合气在高温和富氧条件下燃烧时，含在混合气中的 N_2 和 O_2 发生化学反应产生的。当发动机在负荷下运转时，EGR 阀开启，使少量的废气进入进气歧管，与可燃混合气一起进入燃烧室。急速时 EGR 阀关闭，几乎没有废气再循环至发动机。汽车废气是一种不可燃气体（不含燃料和氧化剂），在燃烧室内不参与燃烧。它通过吸收燃烧产生的部分热量来降低燃烧温度和压力，以减少氧化氮的生成量。进入燃烧室的废气量随着发动机转速和负荷的增加而增加。

EGR 系统的组成如图 5-12 所示。

二、EGR 系统的组成及工作原理

EGR 系统的主要元件是 EGR 阀，EGR 阀安装在排气歧管上，其作用是独立地对再循环到发动机的废气量进行准确的控制。

EGR 阀通常在发动机暖机运转、转速超过急速时开启。ECU 根据发动机冷却液温度传感器、节气门位置传感器和空气流量传感器来控制 EGR 系统。

发动机 ECU 根据发动机转速、负荷（节气门开度）、温度、进气量、排气温度控制电磁阀适时地打开，进气管真空度经电磁阀进入 EGR 阀真空膜室，膜片拉杆

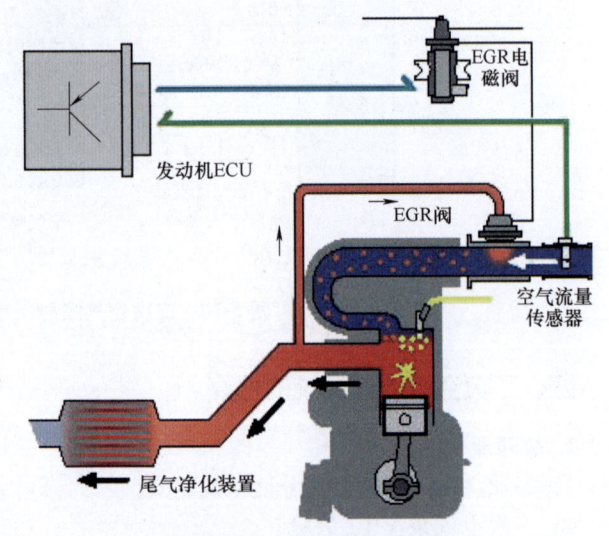

图 5-12　EGR 系统的组成

将 EGR 阀门打开，排气中的少部分废气经 EGR 阀进入进气系统，与混合气混合后进入气缸参与燃烧。少部分废气进入气缸参与混合气的燃烧，降低了燃烧时气缸中的温度，抑制了 NO_x 的生成，从而降低了废气中 NO_x 的含量。但是，过度的废气参与再循环，将会影响混合气的着火、性能、影响发动机的动力性，特别是在发动机急速、低速、小负荷及冷机时，再循环的废气会明显地影响发动机性能。所以，当发动机在急速、低速、小负荷及冷机时，ECU 控制废气不参与再循环，避免发动机性能受到影响；当发动机超过一定的转速、负荷及达到一定的温度时，ECU 控制少部分废气参与再循环，而且，参与再循环的废气量根据发动机转速、负荷、温度及废气温度的不同而不同，以达到废气中的 NO_x 最低。

EGR 系统的控制包括真空驱动（开环/闭环控制）和电驱动（开环/闭环控制），如图 5-13 和图 5-14 所示。

带 EGR 位置传感器的 EGR 系统如图 5-15 所示。除了有与普通 EGR 控制系统相同功能的 EGR 电磁阀、EGR 阀以外，在 EGR 阀上还装有一个可以检测 EGR 阀升程的 EGR 位置传感器，该传感

项目五　污染物控制系统的检修

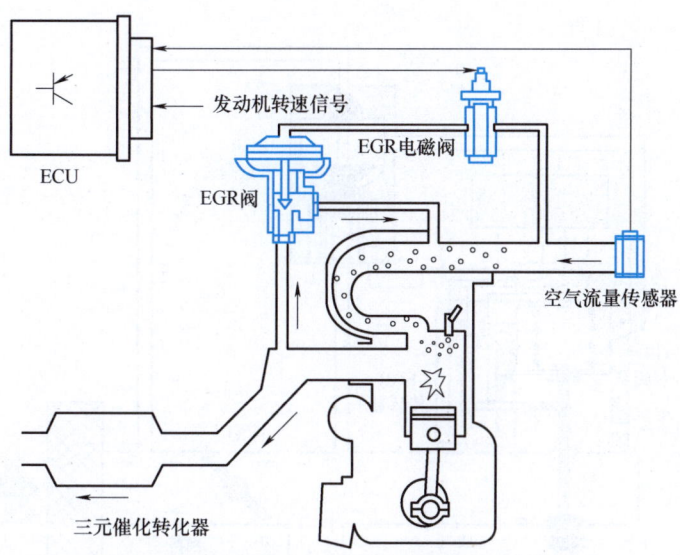

图 5-13　真空驱动型 EGR 系统的结构示意图

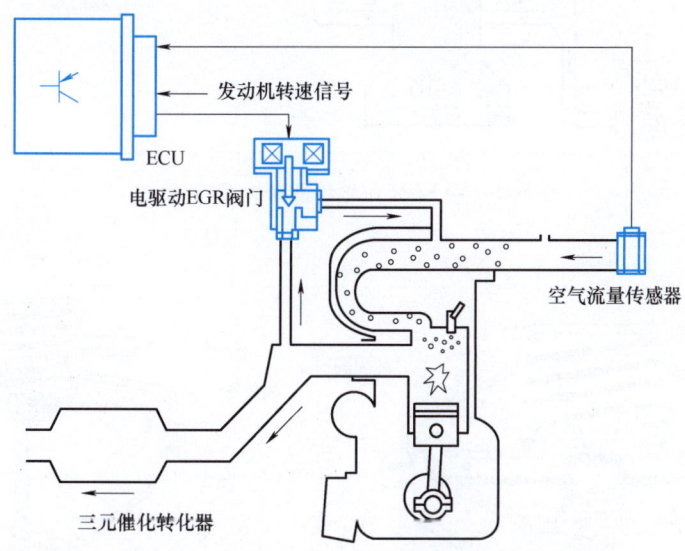

图 5-14　电驱动型 EGR 系统的结构示意图

器是一个电位计，它向发动机 ECU 传送 EGR 阀开度信号，作为控制 EGR 的参考信号，实现 EGR 系统的闭环控制。

三、EGR 阀

EGR 系统中最关键的部件是 EGR 阀，用来控制发动机废气进入进气歧管的流量，其安装在发动机废气从排气歧管通向进气歧管的通道中间。

常用的 EGR 阀分为膜片式和电磁式两种类型，膜片式 EGR 阀有正背压和负背压两种类型，电磁式 EGR 阀包括数字式和线性式两种。

正背压 EGR 利用排气压力控制 EGR 阀的开启和关闭，在早期的机械式 EGR 系统中应用较多，如图 5-16 所示。负背压 EGR 阀利用排气脉冲之间的低压区产生的真空来控制阀门开启，如图 5-17 所示。电磁式 EGR 阀如图 5-18 所示。

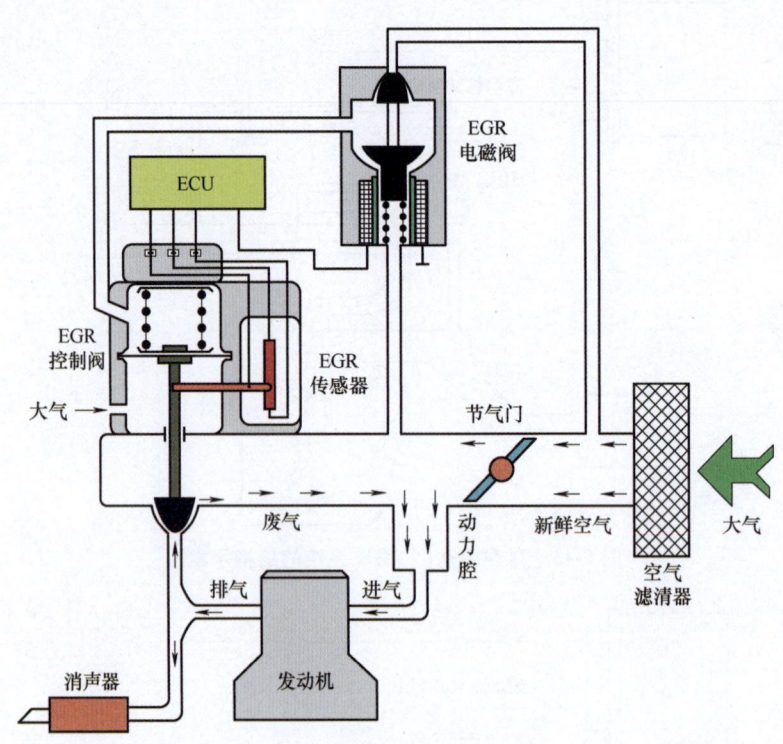

图 5-15 带 EGR 位置传感器的 EGR 系统

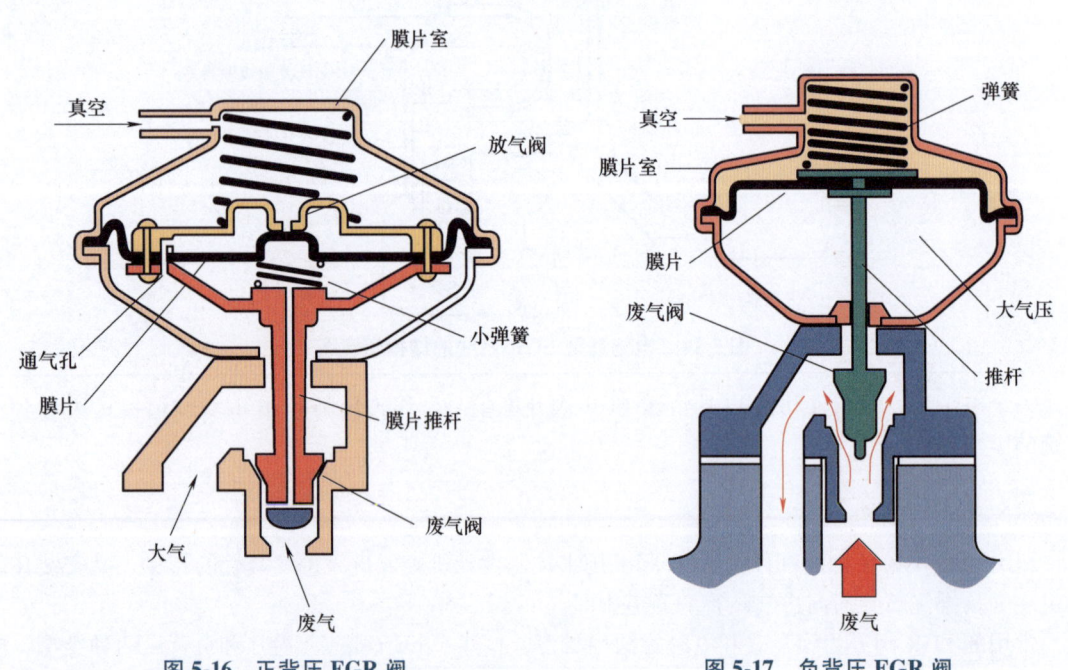

图 5-16 正背压 EGR 阀　　　　　　图 5-17 负背压 EGR 阀

发动机大多数采用电子式 EGR 系统，由 ECU 控制，如图 5-19 所示。ECU 通过起动信号、节气门位置、发动机转速及发动机温度等信号来判断发动机是否处于中小负荷工况。如果发动机处于中小负荷工况，ECU 控制 EGR 阀打开，废气经 EGR 阀进入进气歧管。

项目五　污染物控制系统的检修

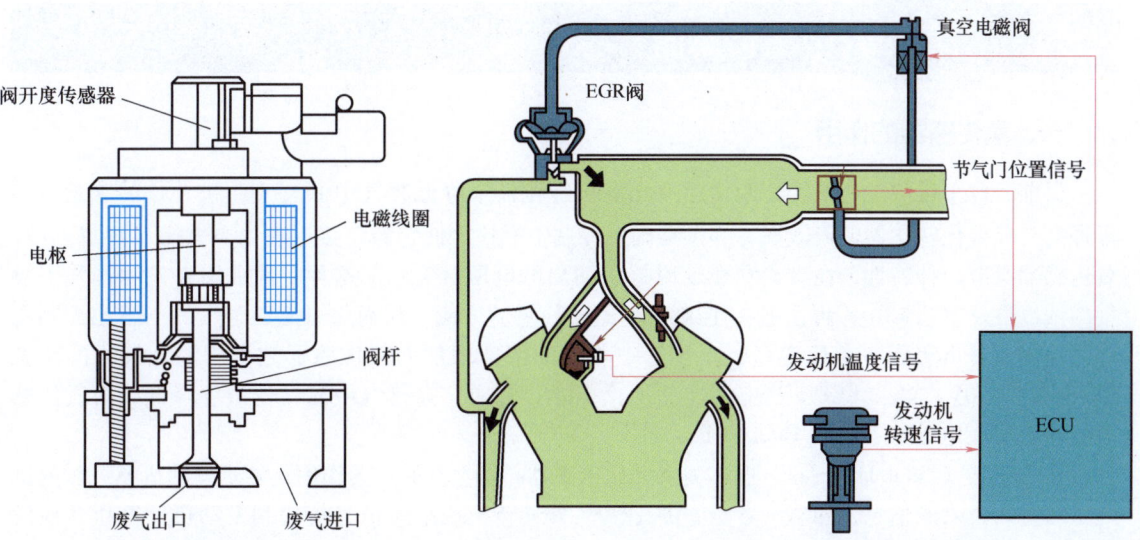

图 5-18　电磁式 EGR 阀

图 5-19　EGR 系统控制策略示意图

EGR 系统一般在急速、冷机以及节气门全开时停止工作。EGR 系统工作时，发动机功率下降。

四、EGR 系统的检修

1）故障原因。

① 如果加速或匀速行驶时爆燃，NO_x 排放量增大，可能是 EGR 阀无法开启。

② 如果急速抖动，低速频繁熄火，则有可能是 EGR 阀卡在开启位置。

2）检修步骤。

① 目视检查：真空管是否脱落或破损，管路接回是否松动漏气，垫片是否破损，安装螺钉是否松动，线束插接器连接是否良好。

② 使用手持式真空泵测试 EGR 阀，如图 5-20 所示。

a. 检查真空膜片是否能够保持真空，真空不能保持则更换 EGR 阀。

b. 检查阀的运行状态：施加真空过程中，阀应该上下动作，保持真空，阀芯应该保持在相应位置。

c. 使用真空表检查 EGR 系统的工作状态。发动机转速达到 2500r/min 时，通过诊断仪器激活 EGR 阀，进气歧管的真空度应下降 15~1.8kPa。

3）故障部位确定及修复。

依据检测结果，确定故障点，并进行修复（修理或更换），帮助客户排除故障。

4）检查故障是否排除。

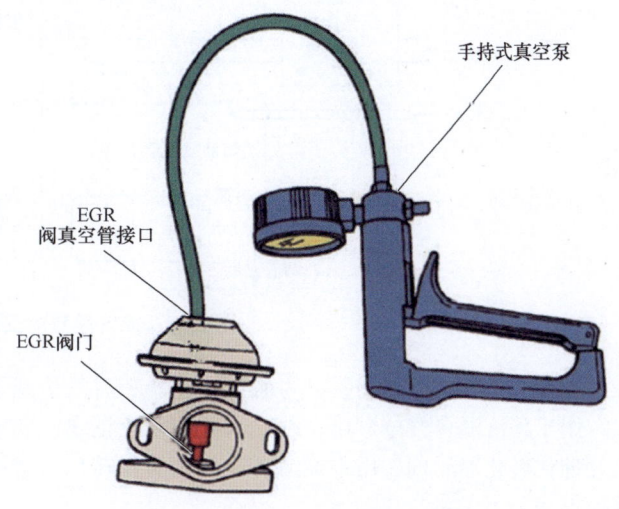

图 5-20　使用手持式真空泵测试 EGR 阀

第四课　氧传感器

一、氧传感器的作用

目前，汽车排放控制系统普遍使用三元催化转化器来降低废气中 CO、HC 和 NO_x 的含量。为了提高三元催化转化器转换效率，必须精确地控制空燃比，使它始终接近理论空燃比（14.7∶1）。氧传感器具有一种特性，在理论空燃比附近它输出的电压有突变。这种特性被用来检测排气中氧气的浓度并反馈给 ECU，再由 ECU 控制喷油器喷油量的增减，从而将可燃混合气的空燃比控制在理论值附近。当实际空燃比变高，在排气中氧气的浓度增加而氧传感器把可燃混合气稀的状态（小电动势：0V）通知 ECU。当空燃比比理论空燃比低时，在排气中氧气的浓度降低，而氧传感器的状态（大电动势：1V）通知 ECU。

氧传感器（Lambda Sensor，也称为空燃比传感器，用 l 表示）的作用是测定发动机燃烧后的排气中氧是否过剩的信息，即氧气含量，并把氧气含量转换成电压信号传递到发动机计算机，使发动机能够实现以过量空气系数为目标的闭环控制；确保三元催化转化器对排气中的 HC、CO 和 NO_x 三种污染物都有最大的转化效率，最大限度地进行排放污染物的转化和净化。

二、氧传感器的结构及工作原理

氧传感器（图 5-21）按检测空燃比数值的范围不同分为普通型氧传感器和宽带型氧传感器。普通型氧传感器只能检测空燃比是大于或小于 14.7，当空燃比偏离理想空燃比较多时，其反应灵敏性降低；宽带型氧传感器即新式氧传感器，简称为"空燃比传感器"，能检测的空燃比范围为 23∶1~11∶1，且检测精度高，不仅能使发动机实现稀可燃混合气或浓可燃混合气控制，而且喷油量的控制更加精确。

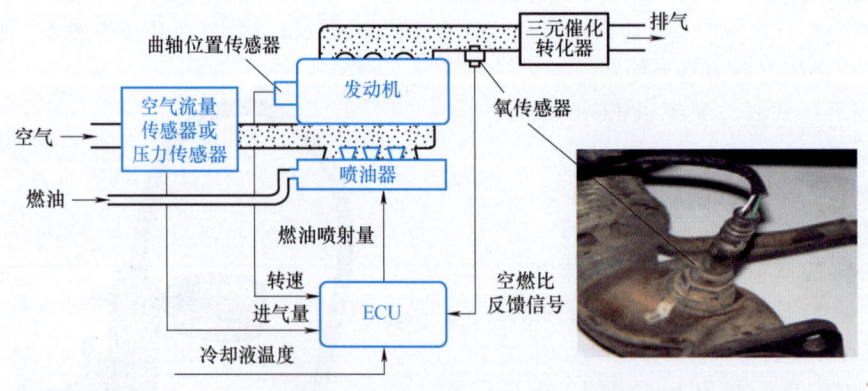

图 5-21　氧传感器的安装位置

按功能的不同氧传感器分为前氧传感器和后氧传感器。前氧传感器安装在三元催化转化器前面，用于检测混合气空燃比，ECU 据此调节喷油量，实现空燃比的闭环控制；后氧传感器安装在三元催化转化器后面，用于检测经过三元催化转化器转换后的排气成分，监测三元催化转化器的转换效率。

1. 氧化锆式氧传感器

氧化锆式氧传感器的基本元件是氧化锆（ZrO_2）陶瓷管（固体电解质），也称为锆管，如图 5-22 所示。锆管固定在带有安装螺纹的固定套中，内外表面均覆盖着一层多孔性的铂膜，其内表面与大气接触，外表面与废气接触，如图5-23所示。

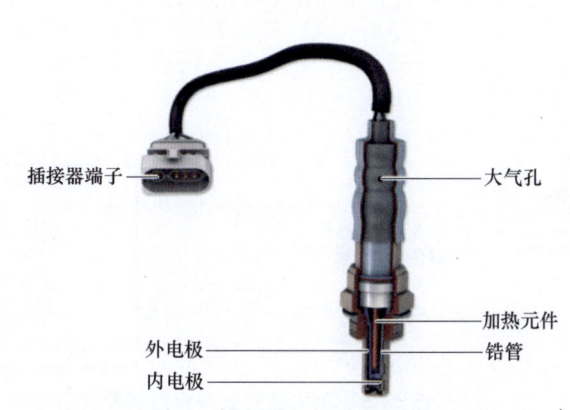

图5-22 氧化锆式氧传感器的组成

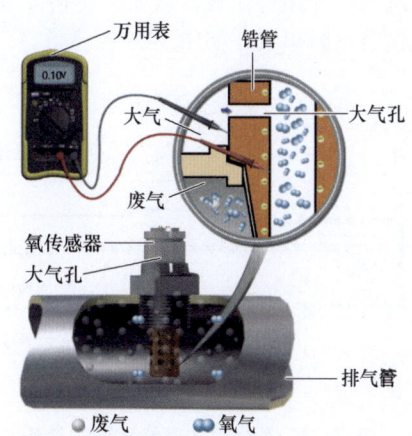

图5-23 氧化锆式氧传感器的工作原理示意图

内外两侧表面的氧含量不平衡，氧离子从含氧量高的一侧向含氧量低的一侧扩散，由于锆管内、外侧氧含量不一致，存在浓度差，因而氧离子从大气侧向排气一侧扩散，从而使锆管成为一个微电池，在两铂极间产生电压。

可燃混合气较浓——排气中的氧含量极少，氧化锆内外侧氧的浓度差大，产生一个较高的电压（一般为0.6~1V）；可燃混合气较稀——排气中含有较多的氧，氧化锆内外侧氧的浓度差较小，产生的电压也较低，一般为0~0.3V；理论空燃比——氧传感器信号电压约为0.45V。

要准确地保持可燃混合气浓度为理论空燃比是不可能的。实际上的反馈控制只能使可燃混合气在理论空燃比附近一个较小的范围内波动，所以氧传感器的输出电压在0.1~0.8V范围内不断变化（通常每10s内变化8次以上）。如果氧传感器输出的电压变化过缓（每10s少于8次）或电压保持不变（不论保持在高电位或低电位），则表明氧传感器有故障，需检修。

2. 氧化钛式氧传感器

氧化钛式氧传感器是利用多孔状导体（TiO_2）的导电性随排气中氧含量的变化而变化的特性制成的，所以又称为电阻性氧传感器。这种传感器的结构简单、体积小、成本低，但是在300~900℃工作时，电阻值随温度变化较大，所以必须用温度补偿的方法来提高精度，通常用另一个实心TiO_2导体作为温度补偿。

氧化钛式氧传感器的结构如图5-24所示，当发动机的可燃混合气较浓时，排出的废气中氧离子含量较少，氧化钛管外表面氧离子很少或没有氧离子，二氧化钛呈现低阻状态；当发动机的可燃混合气较稀时，排出废气中的氧离子含量较多，氧化钛管外表面的氧离子浓度较大，二氧化钛呈现高阻状态。由于氧传感器的电阻发生改变，使与ECU连接的氧传感器负极上的电压降也产生变化。如图5-25所示，当氧传感器负极上的电压高于参考电压时，ECU判定混合气过浓，于是就控制喷油器逐渐减少喷油量。

氧化钛式氧传感器有两个电极，一个是信号正极，另一个是信号负极。为了使氧化钛式氧传感器能迅速达到它的工作温度（300℃）而投入工作，在氧传感器内部有热敏电阻加热元件对它进行加热，以保持氧化钛式氧传感器在发动机工作过程中的温度恒定。

3. 宽带型氧传感器

宽带型氧传感器能够在比较宽的范围内提供更快、更准确的空燃比反馈信号给ECU，从而ECU能够精确地控制喷油时间，使气缸内可燃混合气浓度始终保持在理论空燃比值附近。宽带型氧传感器能够在宽转速范围内配合实现更为精确的燃油修正控制。同时，还能确保发动机在起动时更快进入闭环运行模式，从而减少冷车排放污染。宽带型氧传感器由测氧单元、泵氧单元、加热器及调节电阻组成，如图 5-26 所示。

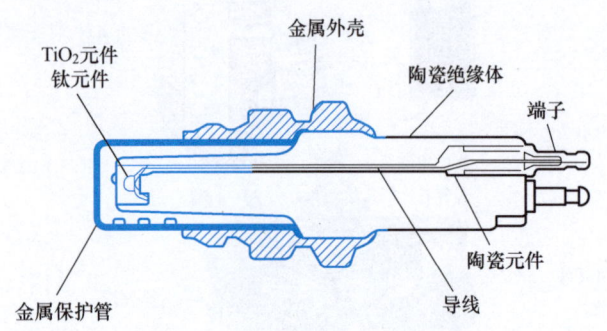

图 5-24　氧化钛式氧传感器的结构

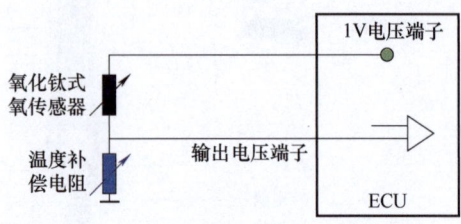

图 5-25　氧化钛式氧传感器的原理示意图

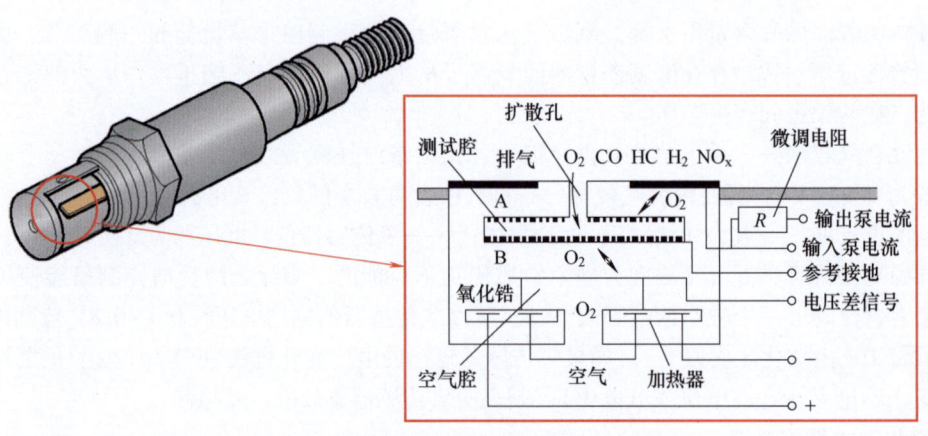

图 5-26　宽带型氧传感器结构示意图

宽带型氧传感器的工作原理示意图如图 5-27 所示，排气中的氧从扩散孔进入测量室，测氧单元像传统氧化锆式氧传感器一样检测测量室中的含氧量，并产生一个信号电压输送给 ECU，ECU 根据此电压控制泵氧单元的电流（通常称为泵氧电流）大小和方向，使测量室中的氧含量保持恒定，此时氧单元输出的信号电压稳定在 0.45V。ECU 通过测量泵氧电流的方向和数值确定排气中氧的精确浓度。

理论空燃比：测氧单元输出的电压为 0.45V，泵氧电流为 0。

混合气偏浓：测氧单元输出的电压大于 0.45V，泵氧电流一般为 0~2mA 的负电流。

混合气偏稀：测氧单元输出的电压小于 0.45V，泵氧电流一般为 0~1.5mA 的正电流。

宽带型氧传感器以 l 值显示混合气浓度信号。l 值为 1 相当于理论空燃比，为 14.7∶1，

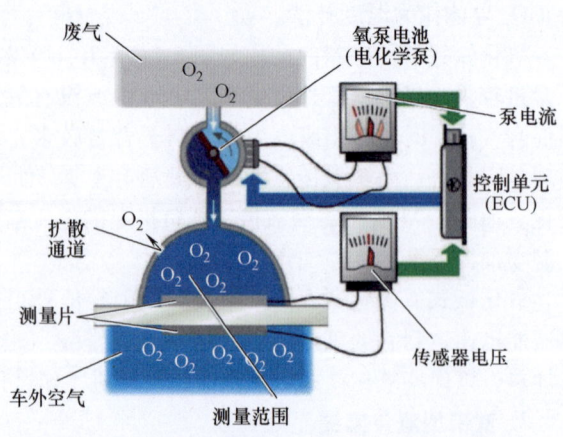

图 5-27　宽带型氧传感器的工作原理示意图

在正常运行状态下，l 值保持在 1 左右；当混合气偏稀时，排气中氧含量较高，l 值大于 1；当混合气偏浓时，排气中氧含量较低，l 值小于 1。

一汽大众迈腾轿车上游氧传感器为宽带型，其电路图如图 5-28 所示。迈腾轿车发动机安装有两个氧传感器，上游氧传感器为 G39，加热器为 Z19；下游氧传感器为 G130，加热器为 Z29。

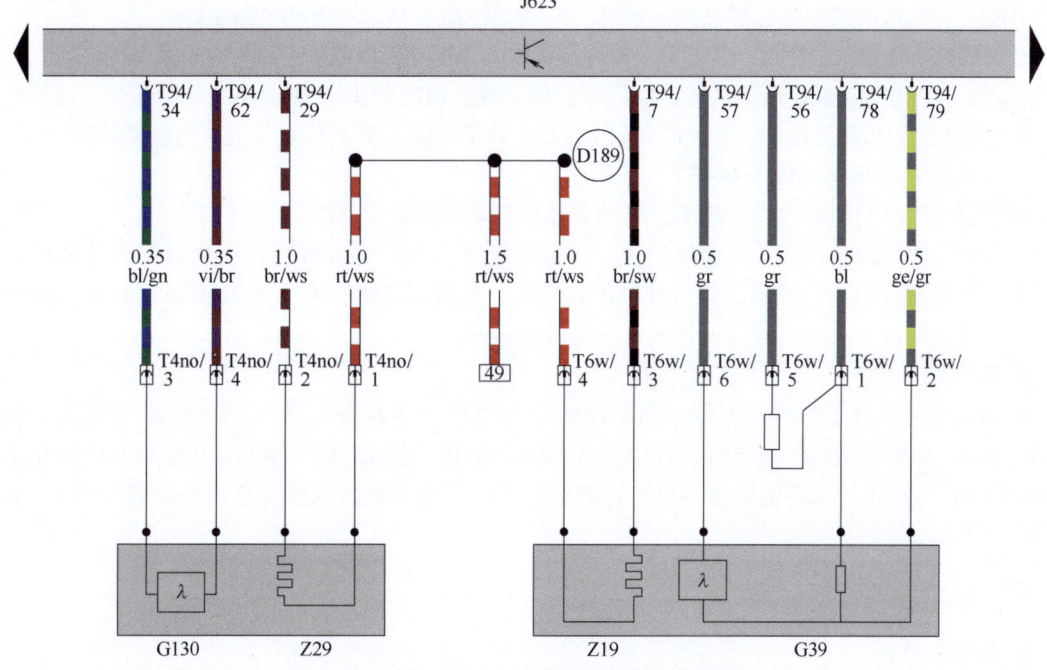

图 5-28　迈腾轿车上游氧传感器的电路图

上游氧传感器为新型宽带型，有 6 根线，如图 5-29 所示。T6w/4 为加热器 12V 电源、T6w/3 为加热器 ECU 控制的搭铁端子，T6w/6 为测氧单元的信号端子，T6w/5 为校准后泵氧单元的信号端子，T6w/1 为泵氧单元的初始信号端子，T6w/2 为测氧单元与泵氧单元的共用参考搭铁端子。下游氧传感器为普通加热式氧传感器，有 4 根线，T4no/1、T4no/2 为加热器端子，T4no/3、T4no/4 为氧传感器端子。

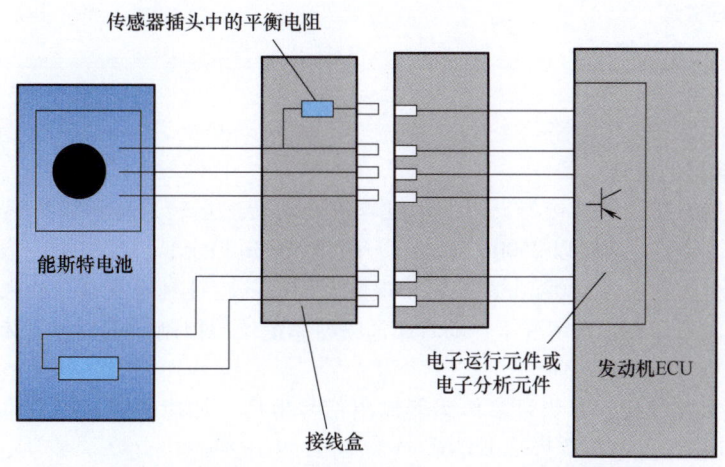

图 5-29　宽带型氧传感器与发动机 ECU 的连接示意图

三、氧传感器的电压分析

氧传感器信号电压高通常表示排气中的氧含量低、可燃混合气浓,氧传感器信号电压低表示排气中的氧含量高、可燃混合气稀。但是,氧传感器的信号电压高低并不一定说明混合气的浓度大小。

1. 氧传感器信号电压高于 0.45V

可燃混合气过浓的原因:燃油压力过高、喷油器泄漏、燃油压力调节器故障。

非可燃混合气过浓的原因:氧传感器被冷却液中的添加剂污染或硅中毒;点火系统的高压线与氧传感器信号电路过于靠近,造成氧传感器信号受到干扰,而向 ECU 发送错误的可燃混合气过浓的信号;氧传感器信号搭铁线松动,造成信号电压过高;EGR 阀卡在开启位置(尤其在怠速时)。

2. 氧传感器信号电压低于 0.45V

可燃混合气稀的原因:真空泄漏、燃油泵油压低和喷油器堵塞等。

非可燃混合气稀的原因:发动机缺火、火花塞短路、高压线脱落和点火线圈失效等原因造成的缺火会导致没有燃烧的可燃混合气经过氧传感器,氧传感器前部排气系统泄漏,氧传感器前方的排气管路泄漏将导致空气被吸入排气管并通过氧传感器。

3. 电压低于 0V

在测试氧传感器波形时,有些氧传感器的信号电压会出现负电压(可以被接受的负电压为 -0.75mV)。如果测试氧传感器时,其信号电压出现负值,应考虑以下原因:传感器元件被化学材料污染(油、硅等)、发动机过热、更换氧传感器操作不当(跌落或撞击造成绝缘体裂纹)、氧传感器搭铁不良。

四、氧传感器诊断检测

1. 外观的检查

从排气管上拆下氧传感器后,首先检查氧传感器保护外壳上的气孔是否被堵塞,然后仔细观察氧传感器顶尖部位的颜色。

1)呈淡灰色:氧传感器工作正常。
2)呈棕色:氧传感器铅中毒,严重时应更换氧传感器。
3)呈白色:氧传感器硅中毒,应更换氧传感器。
4)呈黑色:积炭严重,在排除发动机积炭故障后,传感器可以继续使用。导致黑色沉积的原因可能与可燃混合气过浓有关,比如燃油压力过高、喷油器泄漏和氧传感器损坏等。

2. 加热元件的检查

加热元件的检查方法如下:
1)检查加热元件的电阻值。
2)检查加热元件的工作电路。

3. 氧传感器信号的检查

1)连接好氧传感器线束插接器,使发动机以较高的转速运转,直到氧传感器工作温度达到 400℃以上。注意,要使发动机以 2500r/min 的转速运转 2min 以上,以消除氧传感器表面的积炭。

2)保持发动机的转速为 1500r/min 左右,观察万用表的指针是否在 0~1V 来回摆动,并记下 10s 内指针摆动的次数。在正常情况下,随着燃油喷射系统反馈控制的进行,氧传感器的输出电压在 10s 内的变化次数不应低于 6 次。

3)反复踩动加速踏板,并测量氧传感器输出信号电压,加速时应输出高电压信号(0.75~0.90V),减速时应输出低电压信号(0.1~0.4V)。

如果氧传感器电压保持在 0.45V 左右,则可燃氧传感器有可能失效,需要更换。

如果信号一直处于高值（大于0.55V），则说明可燃混合气过浓或传感器被污染。

如果信号一直处于低值（小于0.35V），则说明可燃混合气过稀，应检查真空是否泄漏或喷油器是否有堵塞现象。

4. 注意事项

检修氧传感器时应注意以下两点：

1）测量电控燃油喷射系统闭环控制氧传感器的输出信号时，一定要插好氧传感器的线束插接器。

2）在更换氧传感器时，为了方便再次拆卸，应使用专用防粘胶液刷涂氧传感器的安装螺纹。在刷涂时，注意不要将防粘胶液涂到氧传感器的气孔中。

五、氧传感器故障检修

1. 故障原因

1）氧传感器与发动机ECU之间的电路、插头故障。
2）氧传感器部件及机械故障。
3）发动机ECU故障。

2. 诊断检修步骤

（1）读取氧传感器数据流 将故障诊断仪连接到诊断座DLC3，打开点火开关并起动发动机，打开诊断仪，测量数据流，发动机转速在700~860r/min范围内（迈腾1.8T），氧传感器的数据流见表5-1。

表5-1 氧传感器的数据流

地址列	ID	测量值	数量	单位	目标值
01	1.1	发动机转速	2640	r/min	
01	1.2	冷却液温度	67.0	℃	
01	1.3	氧传感器控制值	0.0	%	
01	34.2	三元催化转化器温度	498.0	℃	
01	34.3	传感器1、动态因素	1.00		
01	36.1	传感器2、传感器电压	0.45	V	
01	37.3	确定空燃比控制的部件	0.000		
01	41.1	氧传感器加热、传感器1的ECU	510	Ω	
01	41.3	氧传感器加热、传感器2的ECU			
01	41.4	传感器2的状态	HIg AC，断电		
01	43.1	发动机转速、空燃比传感器老化	2040	r/min	
01	43.3	传感器2、氧传感器电压	0.47	V	

（2）检测氧传感器电路

1）检测加热器电源。关闭点火开关，拔下前氧传感器插头，将点火开关置于"ON"位置，用万用表检测前氧传感器插头4号端子与搭铁之间的电压，电压应为12V左右。

2）检测氧传感器输出信号。起动发动机并运转至工作温度，用万用表检测前氧传感器信号端子T6w/5与搭铁之间的电压，怠速时信号电压值应在2.2~2.8V范围内变化。后氧传感器信号在0.45V左右。

3）检测氧传感器电路电阻。断开点火开关，断开氧传感器插接器，检测氧传感器与发动机

ECU 对应端子的电阻应小于 1Ω。

4) 检测氧传感器加热器电阻。关闭点火开关，拔下前氧传感器插头，用万用表检测前氧传感器插头 T6w/3 与 T6w/4 端子之间的电阻，电阻值应为 3.7Ω 左右。

(3) 检测氧传感器信号特性 用示波器测量氧传感器信号波形，普通型氧传感器信号波形如图 5-30 所示，宽带型氧传感器信号波形如图 5-31 所示。

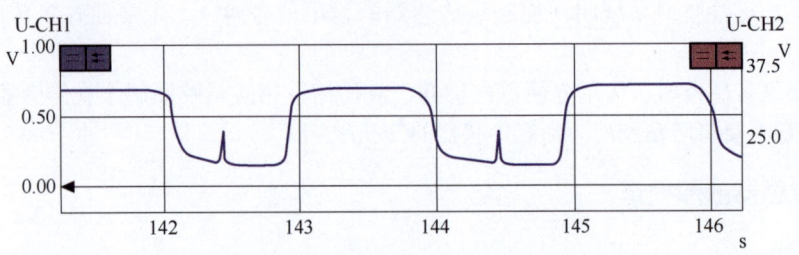

图 5-30 普通型氧传感器信号波形

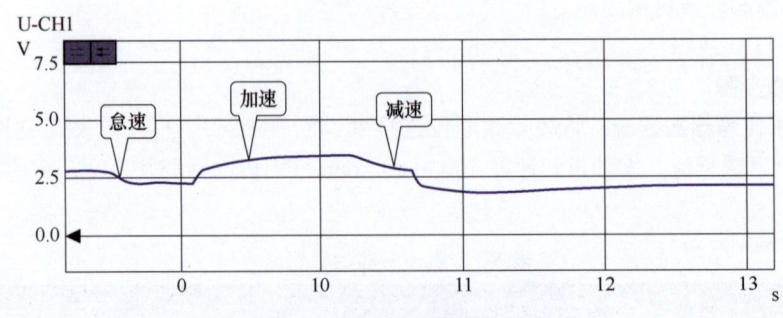

图 5-31 宽带型氧传感器信号波形

3. 故障部位确定及修复

依据检测结果，确定故障点，并进行修复（修理或更换），帮助排除故障。

4. 检查故障是否排除

再次读取故障码，观察数据流，并清除车辆系统故障码。

 第五课　汽油机颗粒捕集器

一、汽油机颗粒捕集器的作用

汽油机颗粒捕集器（OPF，也称为 GPF）是一种用于减少汽油发动机尾气中颗粒物排放的后处理装置。随着全球环保法规的日益严格，如中国的国六排放标准，OPF 在汽油发动机中的应用越来越广泛。

OPF 安装在三元催化转化器后面，可过滤掉废气中 90% 的颗粒物，如图 5-32 所示。在正常行驶条件下，会定期燃烧 OPF 中积聚的碳颗粒，从而清空滤清器中的碳颗粒。通过这种方式，可以"再生" OPF，并再次完全运行，以按照预定的方式过滤排气中的炭颗粒。

二、OPF 的结构及工作原理

以一汽大众为例，其首次采用的是车底颗粒捕集系统，该系统主要由颗粒滤清器，压差传感器和温度传感器组成，如图 5-33 所示。

项目五　污染物控制系统的检修

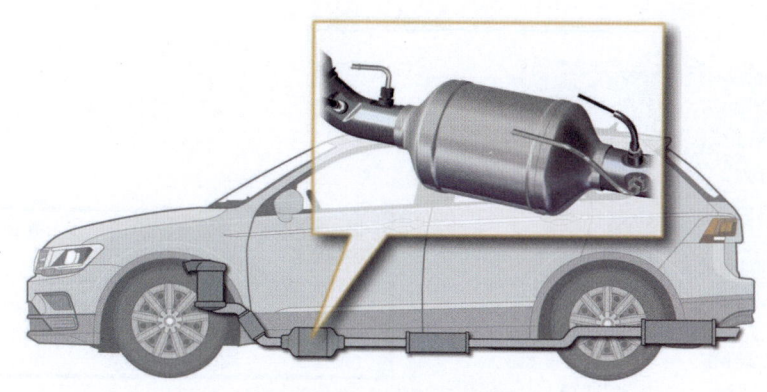

图 5-32　OPF 的安装位置

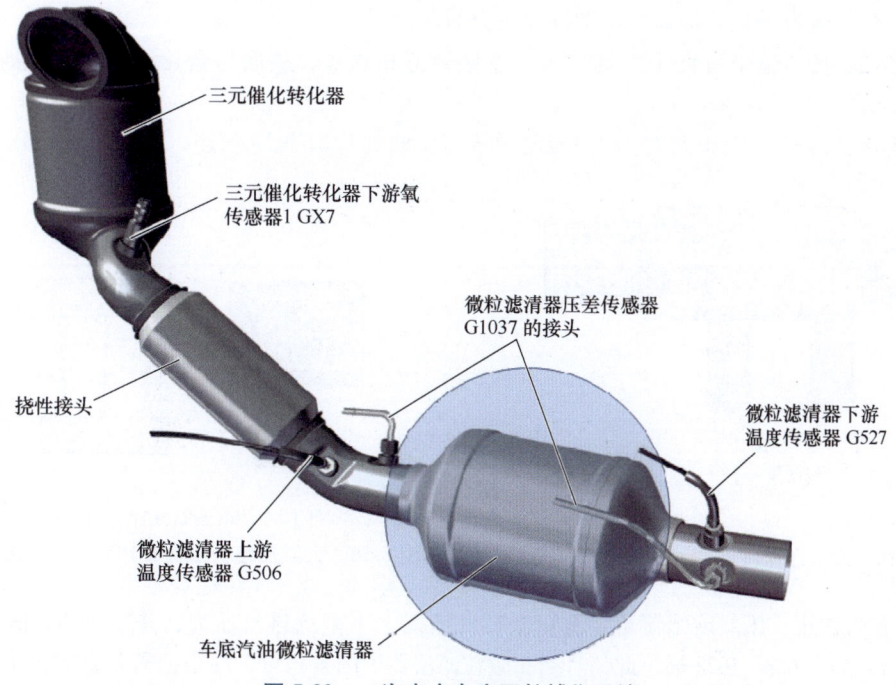

图 5-33　一汽大众车底颗粒捕集系统

1. OPF 压差传感器

（1）作用及工作原理　OPF 压差传感器通过排气压力管路与汽油机颗粒捕集器相连。压差传感器测量颗粒滤清器上游和下游之间的压力差，然后将压力差转换成电压信号。发动机 ECU 接收信号并评估 OPF 中的颗粒含量。

如果颗粒累积量很低，则滤清器上下游的压力几乎相等。带压电元件的隔膜处于止动位置。

如果有炭灰颗粒积聚，滤清器上游的排气压力将增加。这一压力施加在带压电电阻器的隔膜上，从而使其发生变形。电阻器上的电压由传感器的电子装置加以处理，并传输到发动机 ECU，如图 5-34 所示。

压差传感器是 OPF 状态监测的关键零部件，为满足国六排放法规对 OPF 监测的要求，需要传感器能在生命周期内持续提供高精度的输出，以便让系统随时掌握 OPF 的状态信息。

（2）大众压差传感器 G1037　安装位置：传感器 G1037 安装在发动机舱左后下部。

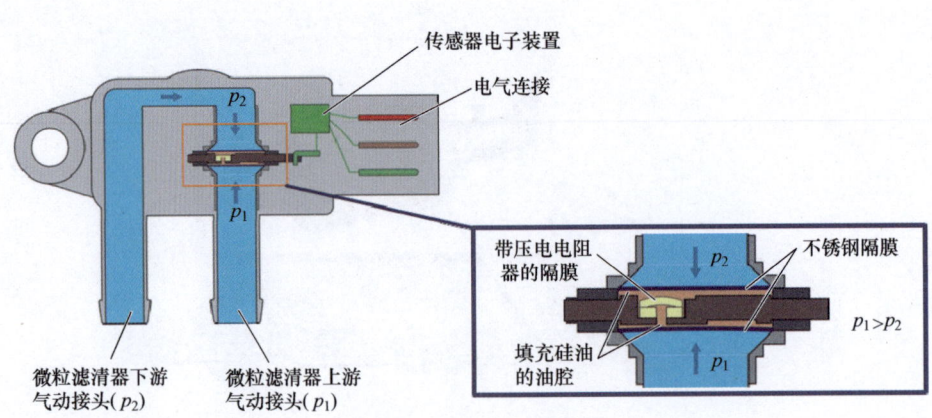

图 5-34　OPF 压差传感器

任务：负责测量微粒滤清器上下游排气压力的压差。

气动连接：传感器带有两个气动插头、连接管道和软管，从而与微粒滤清器上的插头相连，如图 5-35 所示。

电气连接：传感器 G1037 经一根三极电源线与发动机 ECU J623 相连，如图 5-36 所示。

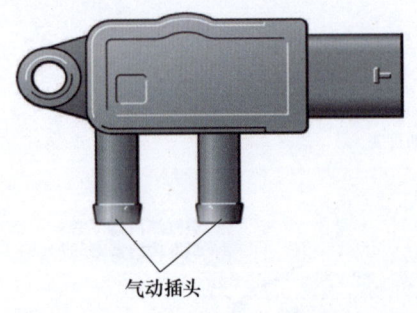

图 5-35　大众压差传感器 G1037 气动连接

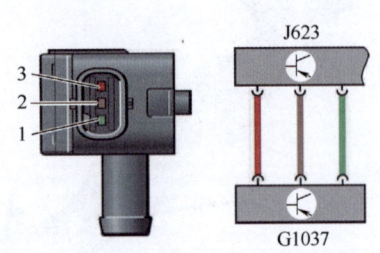

端子 1：SENT 信号　端子 2：搭铁　端子 3：+5V

图 5-36　大众压差传感器 G1037 电气连接

SENT 信号作用：压差传感器负责测量微粒滤清器上下游的排气压力，并以 SENT 信号的形式（图 5-37）传输到 J623。J623 通过此信号判断微粒滤清器中的累积量，并根据需要启动再生程序。此外，发动机 ECU 还会检查信号的合理性，以便通过监控微粒滤清器来确认其是否正在产生废气背压。

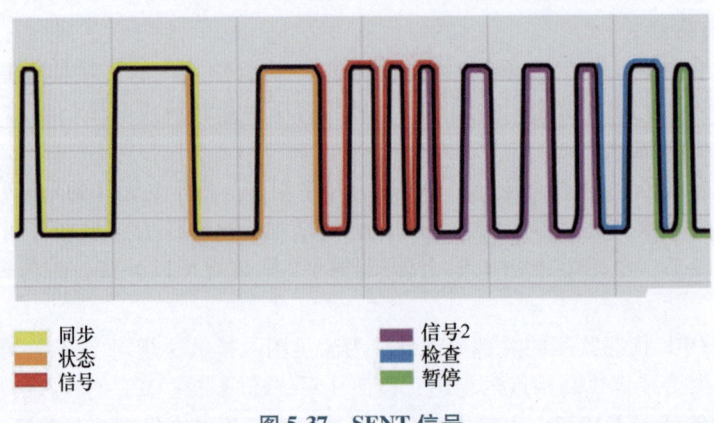

同步　信号2
状态　检查
信号　暂停

图 5-37　SENT 信号

2. OPF 温度传感器

（1）作用及工作原理　OPF 温度传感器（图 5-38）安装在 OPF 的上游和下游，用于检测 OPF 上游和下游的废气温度。OPF 温度传感器采用热电偶原理，热电偶的电动势随温差的变化而变化。OPF 温度传感器对来自发动机 ECU 的电压信号进行修正，修正后的电压信号作为废气温度输入返回到 ECU。ECU 根据 OPF 温度传感器信号确定是否激活再生及进行再生控制，用于 OPF 模型温度计算，该信号还可用于组件保护，防止排气高温损坏滤清器。

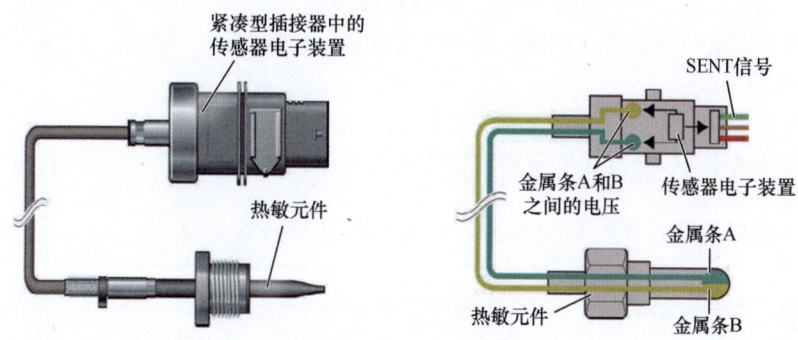

图 5-38　OPF 温度传感器

（2）大众 OPF 上游温度传感器 G506 及下游温度传感器 G527

1）安装位置及任务。温度传感器 G506 安装在颗粒滤清器上游的排气系统中，温度传感器 G527 则安装在颗粒滤清器下游的排气系统中。这两台传感器在相应的测量点测量排气温度。

2）设计和功能。两个温度传感器在设计和功能上完全相同。它们都包含一个热敏元件和一套传感器电子装置。传感器电子装置和热敏元件彼此分开布置，以确保传感器电子装置不受废气高温的影响。

G506 负责测量颗粒滤清器上游的温度。颗粒滤清器仅在温度达到约 600℃ 时才会启动再生程序。发动机 ECU 据此计算是否已启动再生程序，以及已经启动多长时间。此外，该信号还可用于组件保护，以防排气高温损坏颗粒滤清器。

G527 负责测量颗粒滤清器下游的温度。由于车底颗粒滤清器安装在远离发动机的地方，因此它更容易受到环境的影响。这大大降低了计算颗粒滤清器温度的准确性。因此，根据烟尘排放模型，颗粒滤清器的下游温度也需要测量。此外，该信号还可用于组件保护，以防排气高温损坏颗粒滤清器。

3）电气连接：两个温度传感器 G506/G527 共用一个内置传感器电子装置的紧凑型插接器。此插接器经一根三极电源线与发动机 J623 相连，如图 5-39 所示。

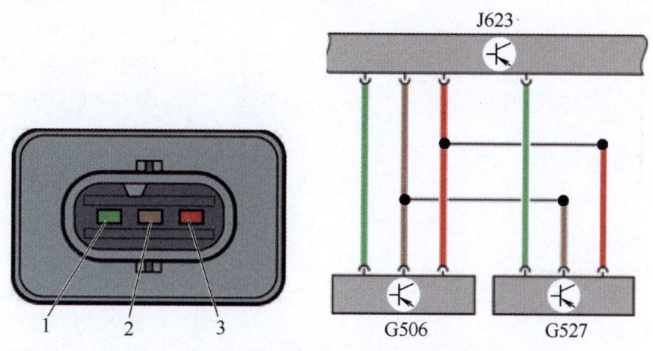

端子 1：SENT 信号　端子 2：搭铁　端子 3：+5V

图 5-39　大众温度传感器 G506/G527 电气连接

三、颗粒滤清器再生

由于颗粒仅在汽油直喷发动机的冷起动期间和之后不久产生,因此再生很少需要。再生过程的频率和持续时间因累积水平和再生条件而异,存在被动再生、主动再生和车间再生三种类型的再生。

1. 被动再生

当车辆在没有发动机 ECU 使用特殊措施的情况下行驶时,几乎持续发生被动再生。

要求行驶时间足够长,使汽油颗粒滤清器达到约 600℃ 的要求温度。再生颗粒滤清器需要氧气,它主要由超速燃油切断提供。如果工作温度足够高,借助这种"额外"氧气,烟尘颗粒就会燃烧成二氧化碳(CO_2)。

2. 主动再生

尽管存在被动再生,但是如果颗粒滤清器中的累积超过某个值,该措施将启动,以支持再生。

如果驾驶行为不足以支持再生,驾驶人将会看到颗粒滤清器警告灯 ,此时需要再生驾驶。

再生驾驶的前提条件如下:

1)发动机达到工作温度。
2)以最低 80km/h 的速度行驶。

然后将脚从加速踏板上完全离开几秒,让车辆在挂入档位的情况下滑行。重复此操作方法(加速并滑行),直到指示灯熄灭。此操作方法会触发颗粒滤清器的自清洁过程,这可能需要一段时间。

3. 车间再生

如果颗粒滤清器中的累积超过设定限制,例如驾驶人忽略了再生驾驶请求,此时在某些情况下,车辆行驶时的主动再生可能已经不足够。发动机管理系统会额外打开排气警告灯和发动机控制故障灯 EPC。显示屏上也会出现一条消息,提示驾驶人返厂维修。

颗粒滤清器各负荷级下车辆状况及解决方法见表 5-2。

表 5-2 颗粒滤清器各负荷级下车辆状况及解决方法

颗粒物累积量	指示灯状态	再生阶段	驾驶感受与维护
1级(低累积量)	无指示灯点亮	被动再生	用户基本没有异常感受
2级(较低累积量)	无指示灯点亮	被动再生	启停系统不工作
3级(中等累积量)	无指示灯点亮	主动再生	换档点变化,启停系统不工作
4级(较高累积量)	OPF 警告灯点亮	主动再生	换档点变化,启停系统不工作。OPF 警告灯点亮,建议及时主动采取措施使颗粒滤清器完成再生,如中高速行驶一段距离,完成再生后颗粒滤清器可恢复正常使用
5级(高累积量)	OPF 警告灯、EPC 灯、发动机故障灯点亮	车间再生	换档点变化,启停系统不工作,发动机动力受限。提醒驾驶人颗粒滤清器需要再生,表明颗粒滤清器已严重堵塞,建议车主前往维修站进行再生。安全起见,需进行车间再生方式

(续)

颗粒物累积量	指示灯状态	再生阶段	驾驶感受与维护
6级（累积量达到极限）	OPF警告灯、EPC灯、发动机故障灯点亮	更换颗粒滤清器	启停系统不工作，发动机动力受限。需要更换颗粒滤清器或其他相关的传感器

四、OPF的检修

1. 目视检查

检查排气系统是否有损坏、泄漏或堵塞的迹象。

检查OPF外壳是否有变形、裂缝或其他损坏。

检查与OPF相关的线束和插接器，确保其连接牢固，无松动、腐蚀或损坏。

检查故障指示灯：如果车辆的故障指示灯亮起，使用诊断工具读取故障码，以确定是否与OPF相关。

2. 传感器检查

（1）检查压差传感器

1）使用万用表检测压差传感器的电压输出是否正常。

2）检查传感器线束的连续性和电阻值，确保无短路或断路。

3）如果传感器故障，需更换新的压差传感器。

（2）检查温度传感器 检查温度传感器的信号是否准确，确保其能够正确反映OPF内的温度。

3. OPF状态检查

（1）检查堵塞 通过诊断工具读取OPF两端的压差值，如果压差过高，则说明可能存在堵塞。目视检查OPF内部是否有过多的积炭或颗粒物堆积。

（2）检查再生功能 检查车辆是否能够正常执行OPF的再生程序。如果再生功能未正常启动，可能是ECU软件或传感器故障。

如果车辆支持手动再生，可以通过诊断工具触发再生程序，并观察再生过程是否正常。

4. 系统功能测试

（1）再生测试 使用诊断工具监控OPF再生过程中的压差和温度变化。如果再生后压差仍未恢复正常，可能需要进一步清洁或更换OPF。

（2）压力测试 使用压力计绕过OBD系统，直接测量OPF两端的压力差，以获得更准确的诊断数据。

5. 软件与系统检查

1）ECU软件更新：检查发动机ECU是否有可用的软件更新，并及时进行升级。

2）系统标定检查：确保车辆的排放控制系统和OPF的标定符合当前法规要求。

6. 故障排除后的验证

1）路试验证：完成维修后，进行路试，观察车辆的性能是否恢复正常，故障指示灯是否熄灭。尽量进行高速行驶测试，以确保OPF的再生功能正常。

2）数据监测：使用诊断工具持续监测OPF的压差和温度数据，确保其在正常范围内。

7. 预防性维护建议

1）定期维护：按照车辆制造商的建议，定期检查和清洁OPF。使用高质量的燃油和润滑油，避免使用劣质燃油导致颗粒物过多。

2)驾驶习惯调整：避免频繁短途行驶，尽量进行长途高速驾驶，以促进 OPF 的自然再生。

  燃油蒸发控制系统的检修

1. 目的描述
1）了解燃油蒸发控制系统的类型、作用和组成。
2）掌握燃油蒸发控制系统的结构和工作原理。
3）能正确检测、更换活性炭罐电磁阀。
4）能排除燃油蒸发控制系统的常见故障。

2. 任务准备
1）知识准备。
完成燃油蒸发控制系统相关知识的学习。
2）设备准备。
整车或台架、演示课件（或操作视频）、万用表、故障诊断仪、维修手册及专用通用工具。

3. 任务步骤
1）老师明确学习任务和安全操作要求。
2）老师演示或播放视频：燃油蒸发控制系统的检修。
3）学生分组操作，并完成工作页的填写。

4. 任务评价
任务评价内容及标准见表 5-3。

表 5-3　任务评价内容及标准

序号	项目	操作内容	分值	评分标准
1	准备	清点准备工具设备、清理工位	5 分	酌情扣分
2	识图	识读电路图	10 分	酌情扣分
3	检查	检查电磁阀线束插头连接情况	5 分	操作不当扣 1~5 分
4	测量	用诊断仪读取故障码	10 分	操作不当扣 1~5 分
5	测量	用万用表电压档测量电源电路	10 分	操作不当扣 1~5 分
6	测量	用万用表电压档测量控制电路	10 分	操作不当扣 1~10 分
7	测量	用万用表电阻档测量炭罐电磁阀电阻	10 分	操作不当扣 1~10 分
8	测量	用万用表电阻档测量电路电阻	10 分	操作不当扣 1~10 分
9	检查	检查系统泄漏	10 分	操作不当扣 1~10 分
10	完成时间	40min	5 分	超时 1~5min 扣 1~5 分 超时 5min 以上扣 5 分
11	安全文明	无安全隐患，无不文明操作	5 分	未达标扣 1~5 分
12	6S 作业	工具清洁归位	5 分	漏一项扣 1 分，未做扣 5 分
		工作场地清洁	5 分	清洁不彻底扣 1~5 分，未做扣 5 分
		总分	100 分	

项目五　污染物控制系统的检修

任务二　二次空气喷射系统的检修

1. 目的描述
1）了解二次空气喷射系统的类型、作用和组成。
2）掌握二次空气喷射系统的结构和工作原理。
3）能正确检查、更换二次空气进气阀及二次空气泵继电器。
4）能排除二次空气喷射系统的常见故障。

2. 任务准备
1）知识准备。
完成二次空气喷射系统相关知识的学习。
2）设备准备。
整车或台架、演示课件（或操作视频）、万用表、故障诊断仪、维修手册及专用通用工具。

3. 任务步骤
1）老师明确学习任务和安全操作要求。
2）老师演示或播放视频：二次空气喷射系统的检修。
3）学生分组操作，并完成工作页的填写。

4. 任务评价
任务评价内容及标准见表5-4。

表5-4　任务评价内容及标准

序号	项目	操作内容	分值	评分标准
1	准备	清点准备工具设备、清理工位	5分	酌情扣分
2	识图	识读电路图	10分	酌情扣分
3	检查	检查管路是否堵塞或断开，进气阀是否损坏	5分	操作不当扣1~5分
4	拆卸	拆下二次空气泵继电器并检测	10分	操作不当扣1~5分
5	检查	检查二次空气泵	10分	操作不当扣1~5分
6	测量	用万用表电压档测量控制电路	10分	操作不当扣1~10分
7	测量	用万用表电阻档测量电路阻值	10分	操作不当扣1~10分
8	更换	如果所有电路测试正常，则更换发动机ECU	10分	操作不当扣1~10分
9	检查	检查故障是否排除	10分	操作不当扣1~10分
10	完成时间	40min	5分	超时1~5min扣1~5分 超时5min以上扣5分
11	安全文明	无安全隐患，无不文明操作	5分	未达标扣1~5分
12	6S作业	工具清洁归位	5分	漏一项扣1分，未做扣5分
		工作场地清洁	5分	清洁不彻底扣1~5分，未做扣5分
		总分	100分	

 任务三　废气再循环系统的检修

1. 目的描述
1) 了解 EGR 系统的类型、作用和组成。
2) 掌握 EGR 系统的结构和工作原理。
3) 能正确检查、更换 EGR 阀。
4) 能排除 EGR 系统的常见故障。

2. 任务准备
1) 知识准备。
完成 EGR 系统相关知识的学习。
2) 设备准备。
汽车、举升机、故障诊断仪、万用表、示波器、常用工具、演示课件（或操作视频）。

3. 任务步骤
1) 老师明确学习任务和安全操作要求。
2) 老师演示或播放视频：EGR 的检修。
3) 学生分组操作，并完成工作页的填写。

4. 任务评价
任务评价内容及标准见表 5-5。

表 5-5　任务评价内容及标准

序号	项目	操作内容	分值	评分标准
1	准备	清点准备工具设备、清理工位	5 分	酌情扣分
2	识图	识读电路图	10 分	酌情扣分
3	检查	目视检查：真空管是否脱落或破损，管路接回是否松动漏气，垫片是否破损，安装螺钉是否松动，线束插接器连接是否良好	5 分	操作不当扣 1~5 分
4	检查	检查真空膜片是否能够保持真空	10 分	操作不当扣 1~5 分
5	检查	检查阀的运行状态	15 分	操作不当扣 1~5 分
6	检查	使用真空表检查 EGR 系统的工作状态	15 分	操作不当扣 1~10 分
7	定位	依据检测结果，确定故障点，并进行修复（修理或更换），帮助排除故障	10 分	操作不当扣 1~10 分
8	检查	检查故障是否排除	10 分	操作不当扣 1~10 分
9	完成时间	40min	5 分	超时 1~5min 扣 1~5 分 超时 5min 以上扣 5 分
10	安全文明	无安全隐患，无不文明操作	5 分	未达标扣 1~5 分
11	6S 作业	工具清洁归位	5 分	漏一项扣 1 分，未做扣 5 分
		工作场地清洁	5 分	清洁不彻底扣 1~5 分，未做扣 5 分
		总分	100 分	

项目五　污染物控制系统的检修

 任务四　氧传感器故障的检修

1. 目的描述

1) 能正确检测、判断氧传感器的故障。
2) 能正确拆装、更换氧传感器。
3) 知道氧传感器的类型、组成、作用及工作原理。
4) 掌握氧传感器本身或电路损坏时可能引起的故障现象。
5) 掌握氧传感器本身或电路损坏时的故障检修方法。

2. 任务准备

1) 知识准备。
完成氧传感器相关知识的学习。
2) 设备准备。
整车或台架、故障诊断仪、万用表、示波器、常用工具、演示课件（或操作视频）。

3. 任务步骤

1) 老师明确学习任务和安全操作要求。
2) 老师演示或播放视频：氧传感器检修。
3) 学生分组操作，并完成工作页的填写。

4. 任务评价

任务评价内容及标准见表 5-6。

表 5-6　任务评价内容及标准

序号	项目	操作内容	分值	评分标准
1	准备	清点准备工具设备、清理工位	5 分	酌情扣分
2	识图	识读电路图	10 分	酌情扣分
3	检查	检查氧传感器外观和加热元件	5 分	操作不当扣 1~5 分
4	测量	使用诊断仪读取故障码和数据流	10 分	操作不当扣 1~5 分
5	测量	检测加热器电源	15 分	操作不当扣 1~5 分
6	测量	检测氧传感器输出信号	15 分	操作不当扣 1~10 分
7	测量	检测氧传感器电路电阻、加热器电阻	10 分	操作不当扣 1~10 分
8	测量	检测氧传感器信号特性	10 分	操作不当扣 1~10 分
9	完成时间	40min	5 分	超时 1~5min 扣 1~5 分 超时 5min 以上扣 5 分
10	安全文明	无安全隐患，无不文明操作	5 分	未达标扣 1~5 分
11	6S 作业	工具清洁归位	5 分	漏一项扣 1 分，未做扣 5 分
		工作场地清洁	5 分	清洁不彻底扣 1~5 分，未做扣 5 分
		总分	100 分	

 ## 任务五　汽油机颗粒捕集器的检修

1. 目的描述

1）掌握 OPF 的作用和组成。
2）理解 OPF 的工作原理。
3）能进行 OPF 的检修。

2. 任务准备

1）知识准备。
完成 OPF 相关知识的学习。
2）设备准备。
汽车、故障诊断仪、万用表、示波器、常用工具、演示课件（或操作视频）。

3. 任务步骤

1）老师明确学习任务和安全操作要求。
2）老师演示或播放视频：OPF 的检修。
3）学生分组操作，并完成工作页的填写。

4. 任务评价

任务评价内容及标准见表 5-7。

表 5-7　任务评价内容及标准

序号	项目	操作内容	分值	得分	评分标准
1	职业素养	基本礼仪	5 分		酌情扣分
		工位准备（工具、设备、仪器）	5 分		
		维修手册及资料准备	5 分		
		工装及安全防护准备	5 分		
2	工作任务单理解及填写	明确任务内容和操作要求	5 分		理解及填写不当扣 1~5 分
3	电路识图	正确查阅维修手册	5 分		酌情扣分
		理解 OPF 控制机理	5 分		酌情扣分
		绘制 OPF 压力及温度传感器电路简图	5 分		酌情扣分
4	诊断作业	正确连接故障诊断仪	5 分		操作不当扣 1~5 分
		正确读取故障码、数据流并记录	5 分		不会读取不得分，记录错误、未记扣 5 分
		正确测试 OPF 数据流	10 分		不会读取不得分；分析错误、记录错误、未记录扣 5 分
5	检查作业	目视检查 OPF	10 分		漏检一处或检查不当，扣 2~10 分
6	检修作业	检测 OPF 部件	10 分		检查方法不当，扣 2~10 分，结论错误不得分
		检查 OPF 状态	10 分		检查方法不当，扣 2~10 分，结论错误不得分

项目五　污染物控制系统的检修

(续)

序号	项　目	操作内容	分值	得分	评分标准
7	质检作业	检查操作完成情况及维修质量	5分		漏检、检查方法不当，扣2~5分，未检查不得分
8	6S作业	工作场地清洁 工具、设备及仪器整理清洁 检修车辆复位	5分		清洁复位不到位，扣2~5分，未操作扣5分
		总分	100分		

一、单项选择题

1. 燃油蒸发控制系统的主要功能是（　　）。
   A. 提高燃油燃烧效率
   B. 收集和控制燃油蒸气，防止其排放到大气中
   C. 降低发动机噪声
   D. 增加发动机动力输出

2. 燃油蒸发控制系统中活性炭罐的作用是（　　）。
   A. 存储燃油　　　　　　　　　　B. 吸附燃油蒸气
   C. 过滤燃油杂质　　　　　　　　D. 提供燃油压力

3. 二次空气喷射系统的主要作用是（　　）。
   A. 提高发动机动力　　　　　　　B. 降低尾气排放
   C. 改善燃油经济性　　　　　　　D. 增大发动机转矩

4. 二次空气喷射系统在（　　）会工作。
   A. 发动机起动时　　　　　　　　B. 发动机高速运转时
   C. 发动机怠速时　　　　　　　　D. 发动机熄火时

5. EGR的主要功能是（　　）。
   A. 提高发动机动力　　　　　　　B. 降低尾气中的NO_x排放
   C. 改善燃油经济性　　　　　　　D. 增加发动机转矩

6. EGR在（　　）会停止工作。
   A. 发动机冷起动时　　　　　　　B. 发动机怠速时
   C. 发动机大负荷工况时　　　　　D. 以上所有情况

7. 氧传感器的主要作用是（　　）。
   A. 监测燃油质量　　　　　　　　B. 监测尾气中的氧含量
   C. 监测发动机温度　　　　　　　D. 监测发动机转速

8. 氧传感器通常安装在（　　）。
   A. 进气歧管　　　B. 排气管　　　C. 燃油箱　　　D. 发动机缸体

9. OPF的主要功能是（　　）。
   A. 提高发动机动力　　　　　　　B. 降低尾气中的颗粒物排放
   C. 改善燃油经济性　　　　　　　D. 增加发动机转矩

10. OPF的再生过程通常发生在（　　）时。

A. 车辆长时间怠速 B. 车辆高速行驶
C. 车辆短距离行驶 D. 车辆熄火

二、判断题

1. 燃油蒸发控制系统的主要功能是防止燃油蒸气直接排放到大气中,从而减少环境污染。(   )。

2. 二次空气喷射系统的主要作用是提高发动机的动力输出。(   )。

3. EGR 通过将一部分废气重新引入进气歧管,从而降低发动机的燃烧温度,减少 NOx 的排放。(   )。

4. 氧传感器的主要作用是监测尾气中的氧含量,并将信号发送给发动机 ECU,以调整空燃比,确保发动机燃烧效率和尾气排放符合标准。(   )。

5. OPF 的主要功能是过滤尾气中的颗粒物,从而减少向环境中排放的烟尘。(   )。

项目六 发动机电控系统故障诊断与排除

知识目标

1. 了解 OBD-Ⅱ 的功能。
2. 熟悉故障码分级的定义。
3. 熟悉故障码的解释、类型和冻结帧。
4. 熟悉燃油修正的作用和类型。
5. 了解 OBD-Ⅱ 的运行模式。
6. 了解发动机电控系统信号类型及检测方法。

技能目标

1. 掌握诊断仪的使用方法。
2. 掌握发动机电控系统典型故障的排除方法。

素养目标

1. 在对发动机电控系统进行故障诊断与排除时，必须坚持问题导向。
2. 在分析发动机无法起动故障原因时，必须坚持系统观念，注重把握各系统之间的相互关系。
3. 在小组合作学习过程中，培养学生沟通表达、团队合作的能力。

1. 发动机 ECU 无法通信故障诊断与排除。
2. 起动机不转故障诊断与排除。
3. 发动机无法起动故障诊断与排除。
4. 发动机运行不良故障诊断与排除。

本项目主要学习车载故障诊断系统的使用方法。通过使用故障诊断仪对发动机电控系统进行故障诊断，掌握信号类型与测试技术以及典型的故障诊断与排除方法等内容。

学习方式采用观看多媒体课件、相互讨论、现场教学和专题讲座。

 车载诊断系统

一、车载诊断系统的概述

1. OBD

（1）**OBD-Ⅰ** 第一代 OBD 系统在 20 世纪 80 年代产生，该系统的功能包括：仪表上有一个可以提醒驾驶人的指示灯，称为"故障指示灯"（MIL）；系统可以存储和发送与排放相关的故障码；电子控制系统可以监测氧传感器、EGR 阀以及蒸发排放电磁阀等部件。通过标准的诊断仪器和诊断接口可以以故障码的形式读取相关信息。根据故障码的提示，维修人员能迅速、准确地确定故障的性质和部位。

（2）**OBD-Ⅱ** 比 OBD-Ⅰ 更先进的 OBD-Ⅱ 在 20 世纪 90 年代中期产生，汽车工程师协会（SAE）制定了一套标准规范，要求各汽车制造企业按照 OBD-Ⅱ 的标准提供统一的诊断模式。OBD-Ⅱ 与以前的所有车载诊断系统不同之处在于有严格的排放针对性，其实质性能就是通过监测汽车的动力和排放控制系统来监控汽车的排放。当汽车的动力或排放控制系统出现故障时，有可能导致 CO、HC、NO_x 或燃油蒸发污染量超过设定的标准，故障灯就会点亮报警。除了能够监测出导致不符合排放标准的发动机故障；能够警示驾驶人对排放相关的系统进行维修或保养，能够使用标准化故障码，并可以通过故障诊断仪进行诊断。

OBD-Ⅱ 具有以下特点：统一的诊断座形状为 16 针，具有数据分析资料传输功能（Data Link Connector，DLC），统一的故障码及含义，具有行车记录器功能，具有重新显示记忆故障码功能，具有可由故障诊断仪器直接读取和清除故障码功能。

带有 OBD-Ⅱ 系统的车辆，其发动机 ECU 必须具有以下功能：检测排放系统部件运行是否正常；能够对与排放相关的部件进行主动测试；连续监测发动机的运转并保持其排放不超过排放标准；检查发动机是否失火；如果系统或电路出现故障，ECU 将点亮故障指示灯；在故障码设置以后，设置一个可以通过诊断工具读取的冻结帧；在发动机失火可能损坏三元催化转化器时，让故障指示灯点亮报警。

2. 监测器

监测器是 ECU 执行的一种简单的测试程序，对部件和系统的性能进行评估。监测器分为连续监测和非连续监测两种。

（1）**连续监测器** 在满足一定条件时，连续监测器开始运行，并在本次车辆的驾驶循环中剩余的时间内一直运行。连续监测器包括综合部件监测、失火监测和燃油监测。综合部件监测中主要用于监测传感器和执行器，监测向 ECU 提供输入或输出信号的所有电气部件或电路的故障；传感器或转向器出现断路、数值不在标准范围或信号不合理时会设置相关故障码，故障与排放有关时会点亮故障指示灯。可以对发动机失火和燃油进行监测。

失火监测，是指发动机出现缺缸、断缸、不点火和燃烧不良等故障现象。ECU 通过曲轴位置传感器的转速变化信息来判断发动机是否出现失火现象。

燃油监测，是指 ECU 连续监测短期和长期燃油修正值。长期修正值被存储于长期存储器中，补偿由于燃油系统故障造成的控制偏差，修正值达极限并保持一段时间后，ECU 将会点亮故障指示灯。

（2）**非连续监测** 非连续性监测通常只在车辆的一个驾驶循环中运行一次。在非连续性监测运行完成以后,通过诊断工具读取的数据状态应该是"完成"或"通过",否则显示"未完成"。非连续性监测主要监测以下部件或系统:氧传感器、氧传感器加热器、三元催化转化器、EGR、EVAP、变速器、电子节温器等。

3. 故障指示灯

1)故障指示灯不亮,表明ECU没有监测到任何与排放相关的故障码或故障指示灯电路故障或不工作。

2)故障指示灯常亮,表明车辆与排放相关的部件存在故障,会影响车辆的排放性能。

3)故障指示灯闪亮,表明发动机有失火现象或燃油供给系统故障,可能会导致三元催化转化器损坏。

4)在以下任意情况出现时,ECU将会关闭故障指示灯:清除了故障码;ECU电源断开一段时间(有时需要几小时或更久);车辆在三个连续的暖机驾驶循环中,均达到设置故障码的前提条件,但是故障没有再现;在排放水平超过排放标准时,ECU将会设置故障码。但是,ECU在车辆连续三个驾驶循环监测后才会点亮故障指示灯。

4. 故障码的组成与定义

OBD-Ⅱ故障码由1位字母和4位数字组成,包含四部分信息。B代表车身ECU(BODY),C代表底盘ECU(CHASSIS),P代表发动机变速器ECU,即动力控制总成(POWER TRAIN),U代表车身网络。例如P0302是SAE定义的通用型故障码,表示发动机第二缸失火。故障码具体含义如图6-1所示。

5. 故障码的冻结帧

故障码的冻结帧指ECU记录设置排放相关的故障码时的即时数据。读取故障码冻结帧数据,对于解决相关故障具有十分重要的意义,其数据包括以下内容:发动机负荷、发动机转速、短期和长期燃油修正值、车速、发动机冷却液温度、进气歧管绝对压力、开/闭环状态、触发冻结帧的故障码、某缸失火故障码。

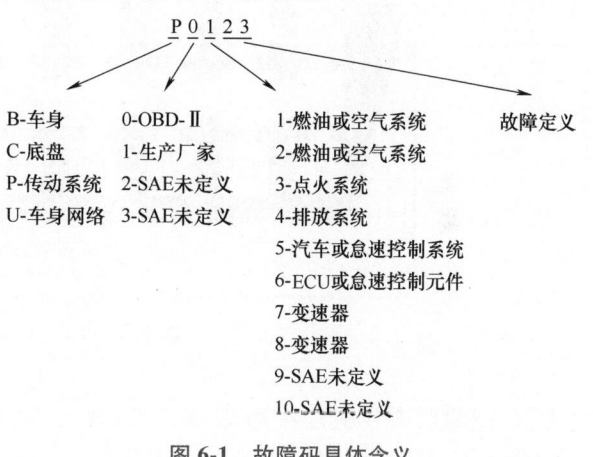

图6-1 故障码具体含义

6. 燃油修正

发动机在正常运行过程中,在不同运行工况不同的运行条件下,发动机ECU会对燃油进行修正,以确保发动机的正常工作和合格的尾气排放。燃油修正是指ECU计算出的燃油量的增减百分比,用"+"或"-"和百分数表示。ECU进行燃油修正,使混合气浓度接近理想空燃比,提高三元催化转化器转换效率。

(1)短期燃油修正 短期燃油修正参考氧传感器信号进行短期燃油修正在0%左右摆动,如图6-2所示。

(2)长期燃油修正 长期燃油修正是经过学习得来的修正方案,作为长期燃油修正方案保存在存储器中,可以保存为转速/负荷的函数或空气质量的函数。

如果发动机的一个真空管脱落,将会导致可燃混合气过稀。短期燃油修正将会通过增压燃油来修正混合气过稀的现象。如果真空泄漏持续了几秒甚至1min后,发动机ECU将会通过长期燃油修正来补偿真空泄漏造成的影响。在长期燃油修正做出了调整后,短期燃油修正仍然可以快速、少量地修正混合气,以确保三元催化转化器正常工作。

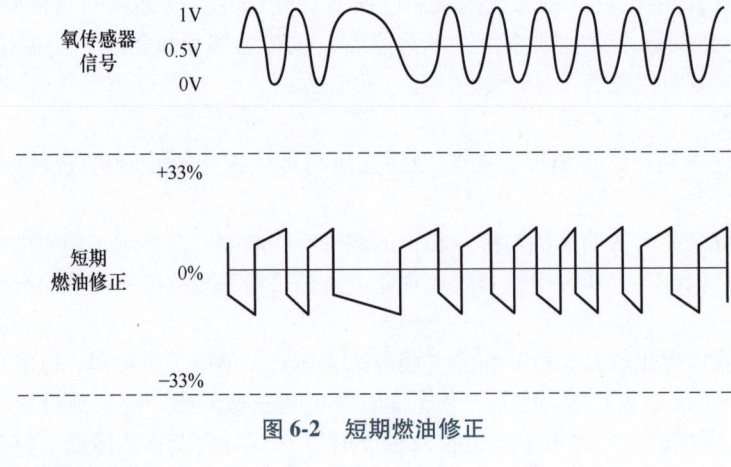

图 6-2 短期燃油修正

7. OBD-Ⅱ诊断接口

在现在各厂商车型中,诊断接口为 16 端子,如图 6-3 所示,并安装在驾驶室仪表板下方。

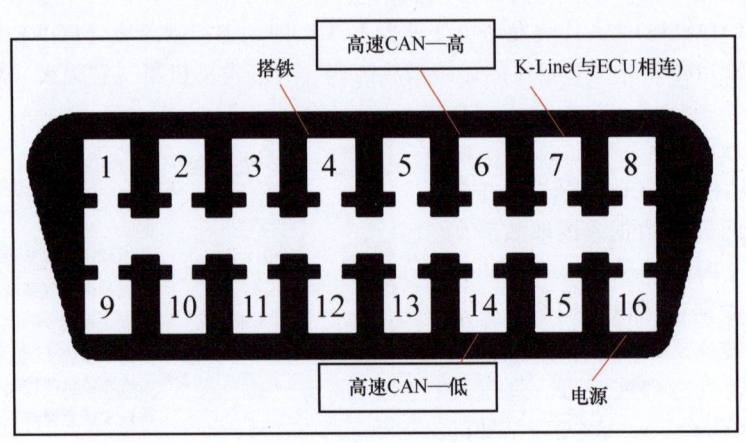

图 6-3 OBD-Ⅱ诊断接口

二、故障诊断仪的使用方法

1. 概述

为了方便汽车维修人员对汽车各部分的电控系统进行维修,许多汽车制造厂家为自己生产的带有 ECU 的汽车设计了专用的 ECU 诊断仪,有些专业厂家则开发出可以兼容的汽车 ECU 检测仪。带 ECU 的汽车,其控制电路上有一个专用的 ECU 故障检测插座,其通常置于发动机附近或驾驶室仪表板下方,通过电路与汽车各部分 ECU 连接。只要把 ECU 检测仪与汽车上的 ECU 故障检测插座连接,然后接通点火开关,就可方便地对汽车的发动机、自动变速器及其他部分电控系统进行检测。

故障诊断仪也称为汽车解码器,是利用配套连接线和车上检测接口相连,从而达到与各种电控系统 ECU 进行数据交流的专用仪器。

汽车故障诊断仪常用的功能包括读取控制单元版本号、读取故障码、读取数据流、动作测试、匹配、基本设定等功能等。

2. 分类

故障诊断仪有两种,一种是原厂专用故障诊断仪,另一种是通用故障诊断仪。故障诊断仪的分类如图 6-4 所示。

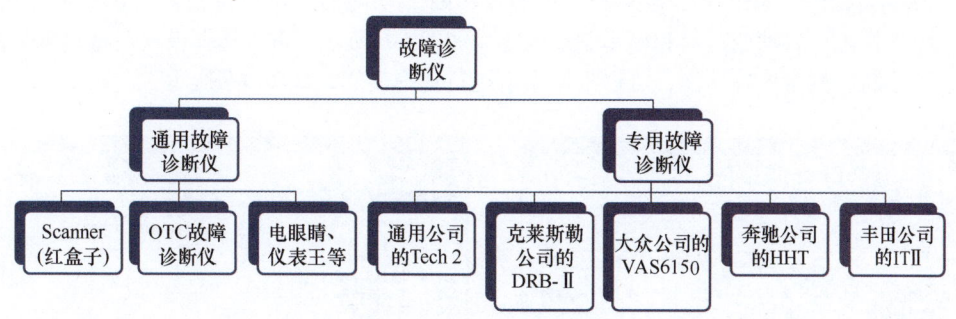

图 6-4　故障诊断仪的分类

专用故障诊断仪即各汽车厂家为自己所生产的车型而设计的，它主要是为了检测本公司所生产的指定车型，例如大众的 VAS6160 等。

通用故障诊断仪根据其来源，目前使用的主要有进口故障诊断仪与国产故障诊断仪两种。实耐宝（Snap-On）公司生产的 Scanner（红盒子）和欧瓦顿勒公司（Owatonna Tool Company）生产的 OTC 故障诊断仪。国产故障诊断仪主要有电眼睛、仪表王和金德等。

用户可以利用故障诊断仪迅速地读取汽车电控系统中的故障，并通过显示屏显示故障信息，迅速查明发生故障的部位及原因。汽车故障诊断仪已经实现了只要是配备有电控系统并遵守国际标准诊断协议的车辆，包括重型货车、轻型货车、客车、工程机械都可以直接进行汽车故障检测。通用故障诊断仪一般适用于各种车型，并且可以完成读取故障码、清除故障码、读取数据流、基本设置、匹配、执行诊断等功能。

3. 大众诊断仪 VAS6150 的使用方法

大众诊断仪 VAS6150 是大众厂商使用的专用诊断仪，使用方法与通用型故障诊断仪基本一样。首先连接诊断接口，然后打开点火开关，开机后起动诊断程序，进入操作主界面。操作主界面如图 6-5 所示。

图 6-5　操作主界面

在 VAS6150 的操作界面中，包括车辆自诊断、OBD、引导性故障查询、引导和管理等功能。

（1）车辆自诊断 单击操作界面的"车辆自诊断"功能后，可以选择需要诊断的系统模块，如发动机电控系统、自动变速器和停车制动器等，如图 6-6 所示。进入选择模块后将出现故障存储器、作动器诊断、测量值等功能，可以根据需求进行选择使用，如图 6-7 所示。

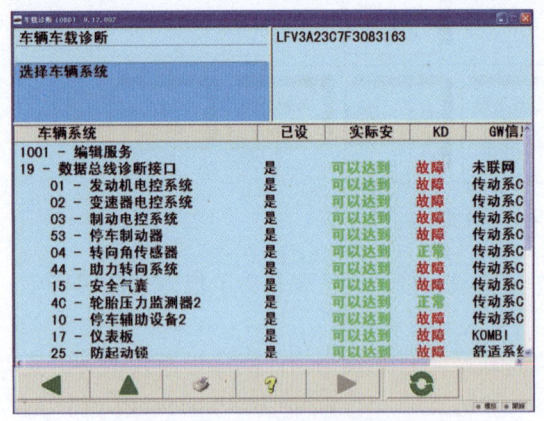

图 6-6 功能模块操作界面

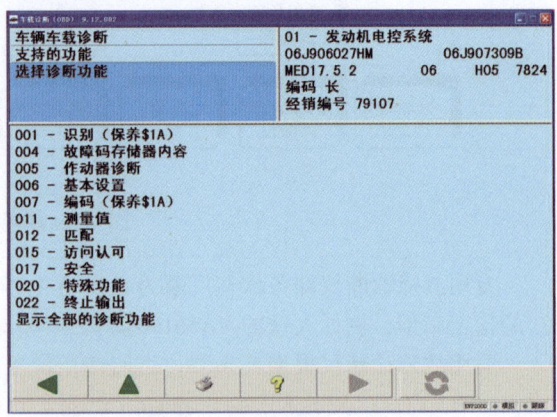

图 6-7 诊断功能操作界面

（2）OBD OBD 是国际通用的诊断协议，其功能与车辆自诊断功能有不同之处，车辆自诊断仅用于指定车型进行诊断，而 OBD 可以用于指定车型之外的带 OBD 车型。单击操作界面的"OBD"功能后，可出现其功能选项，如图 6-8 所示。

（3）引导性故障查询功能 引导性故障查询功能可以根据所选车型，对整车各个系统进行自动扫描，对有故障的模块进行显示和处理，从而来引导技师进行故障排除。操作界面如图 6-9 所示。

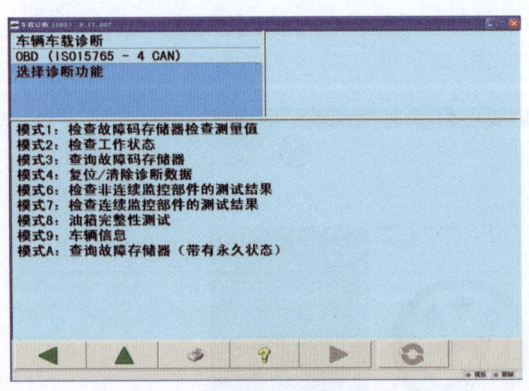

图 6-8 OBD 功能操作界面

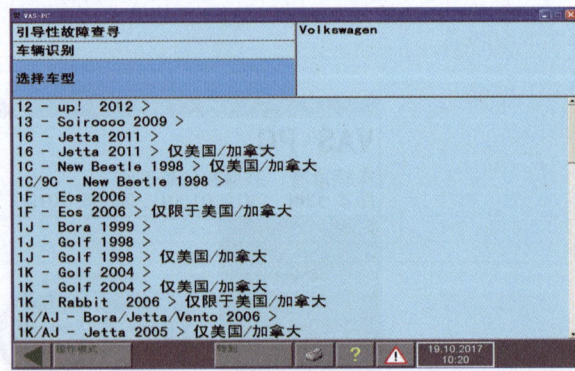

图 6-9 引导性故障查询功能操作界面

（4）引导性功能 引导性功能与引导性故障查询功能的区别在于，引导性功能可以对每一个系统进行单独诊断，而引导性故障查询功能自动对全车进行检测。操作界面如图 6-10 所示。

（5）管理功能 管理功能可以更改经销商标标识，可以对用户文件和网络等进行设置，如图 6-11 所示。

项目六　发动机电控系统故障诊断与排除

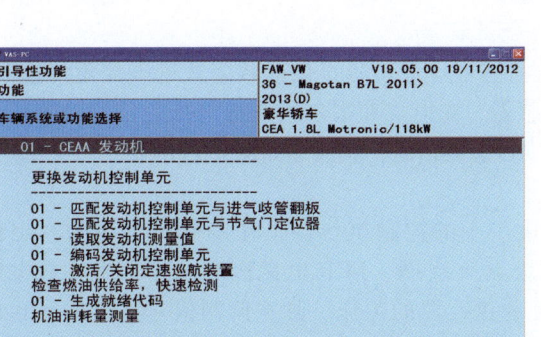

图 6-10　引导性功能操作界面

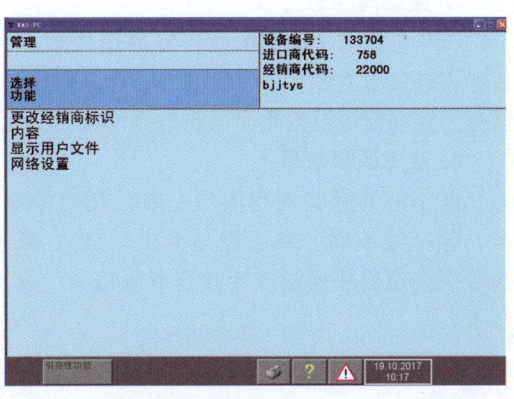

图 6-11　管理功能操作界面

第二课　信号技术与测量

随着微机技术的发展，在发动机电控系统中，信号类型越来越复杂，传统的模拟信号逐渐被数字信号或频率信号所替代。发动机的控制信号更加精确，使发动机性能也得到了提高。

一、信号类型

1. 直流电压信号

汽车中的直流电压信号主要是指直流电源的信号和传感器产生的模拟信号。直流电源信号有蓄电池电压（12V）和PCM输出给传感器的参考电压（5V）。产生模拟信号的传感器有叶片式进气流量传感器、热线式（热膜式）进气流量传感器、进气歧管压力传感器、节气门位置传感器、发动机冷却液温度传感器、进气温度传感器、燃油量传感器、EGR位置传感器等。控制模块根据直流电压信号的大小识别传感器信息。直流电压信号波形如图6-12所示。

2. 交流电压信号

汽车中的交流电压信号主要是指传感器产生的交流电压信号，包括电磁感应式曲轴（凸轮轴）位置传感器、爆燃传感器、电磁感应式车速传感器、电磁感应式轮速传感器等。控制模块根据交流电压信号的频率和幅值识别传感器信息。交流电压信号波形如图6-13所示。

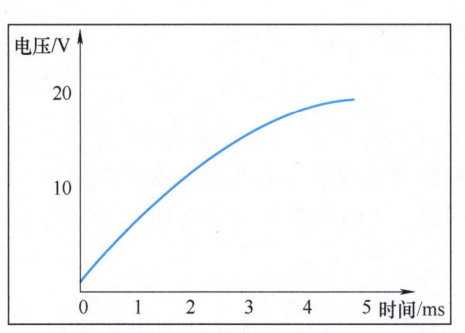

图 6-12　直流电压信号波形

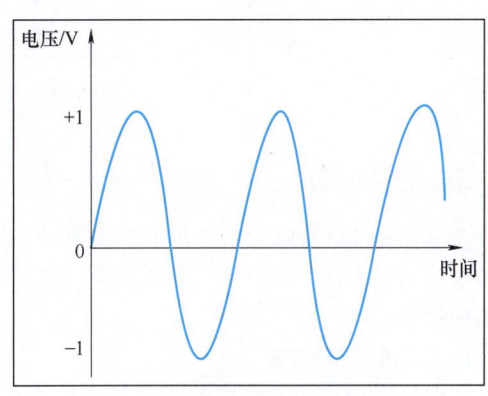

图 6-13　交流电压信号波形

3. 频率调制信号

汽车中的频率调制信号主要是指传感器产生的频率可变信号，包括数字式进气流量传感器、数字式进气压力传感器、光电式和霍尔式车速传感器、光电式和霍尔式曲轴（凸轮轴）位置传感器等。控制模块根据频率调制信号的频率变化识别传感器信息，其波形如图 6-14 所示。

4. 脉宽调制信号

汽车中的脉宽调制信号主要是指由控制模块产生的控制执行器工作的脉宽可调的输出信号，包括喷油器、怠速控制电机、点火器、初级点火线圈、EGR 电磁阀和油箱蒸气排放电磁阀等。控制模块通过改变脉宽调制信号的脉宽控制执行器的工作。脉宽调制信号波形如图 6-15 所示。

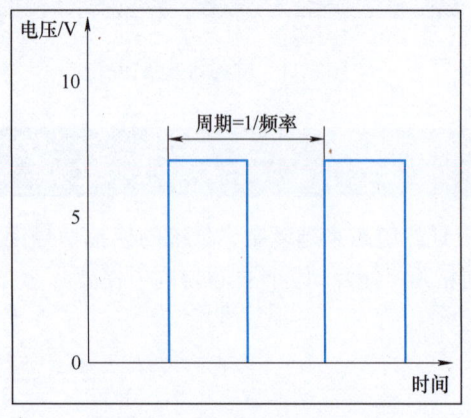

图 6-14　频率调制信号波形

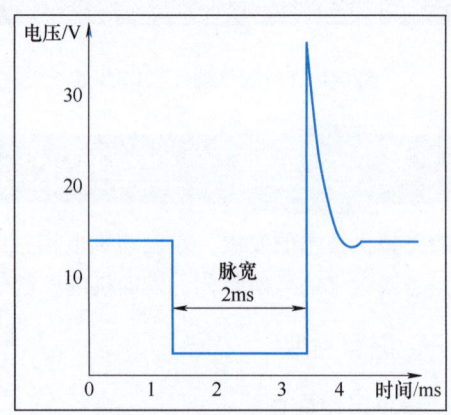

图 6-15　脉宽调制信号波形

5. 串行数据信号

串行数据信号是指汽车电路各控制模块之间、控制模块与故障诊断仪之间相互通信的信号。串行数据信号波形如图 6-16 所示。

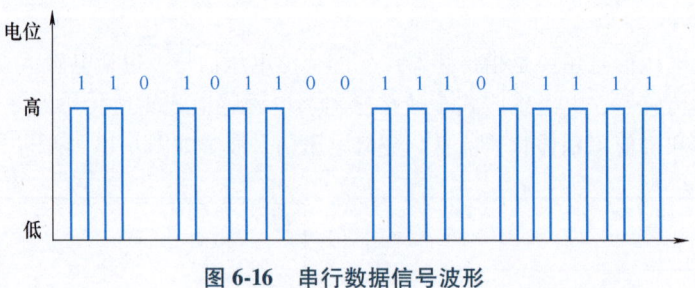

图 6-16　串行数据信号波形

二、信号测量

在电控发动机故障诊断过程中，需要全面把握电控发动机的信号类型及特点，根据信号特性来确定检测方法和检测设备。否则测量结果不能说明问题，无法与标准值进行比对，也无法评价其工作状态。

1. 输入信号的测量

在电控发动机中有许多输入信号，在测量过程中需要根据输入信号的特点来确定其测量方法。在电控发动机中的输入信号一般包括开关类信号、滑动变阻器型的信号、NTC 温度信号、电磁感应类信号、霍尔式传感器类信号和频率信号等，在测量过程中应合理选用万用表或示波器进行检测。

（1）**开关类信号** 开关类信号一般包括点火开关信号、制动踏板开关信号、P/N 位开关信号等。其检测方法如图 6-17 所示。此类信号可以选用万用表进行测量，也可以选用示波器进行测量。

（2）**滑动变阻器型的信号** 滑动变阻器型的信号有加速踏板位置传感器、节气门位置传感器、进气风门电位计等。其检测方法如图 6-18 所示。此类信号可以选用万用表进行测量，也可以选用示波器进行测量。

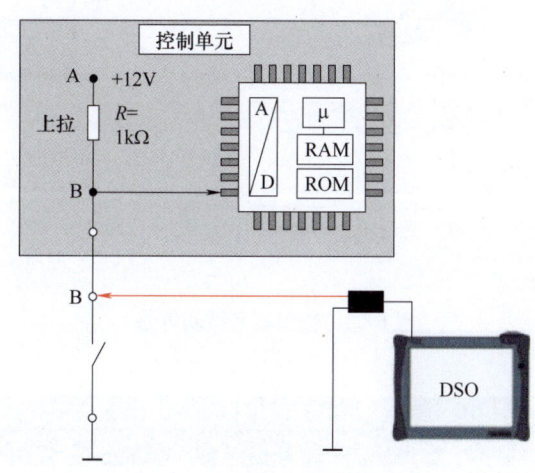

图 6-17　开关类信号检测方法　　　　　图 6-18　电位计类信号检测方法

（3）**NTC 温度信号** NTC 温度信号有冷却液温度传感器、进气温度传感器和油温传感器等，其检测方法如图 6-19 所示。此类信号可以选用万用表进行测量，也可以选用示波器进行测量。

（4）**电磁感应类信号** 电磁感应类信号一般有曲轴位置传感器等，其信号是交变的电压信号，在测量时需要使用示波器进行检测。检测方法如图 6-20 所示。

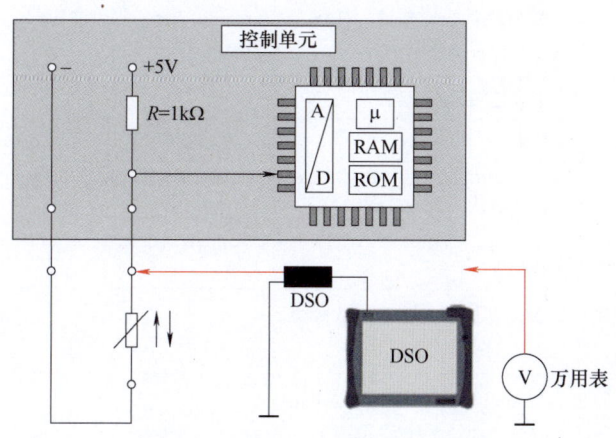
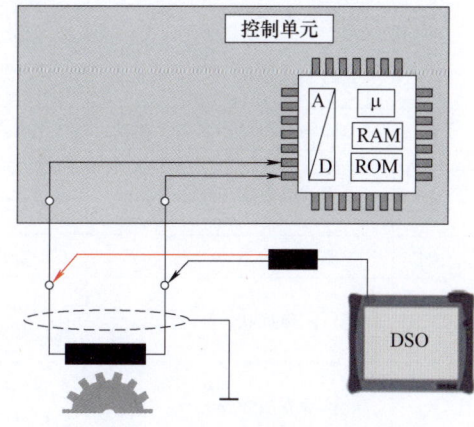

图 6-19　NTC 温度信号检测方法　　　　图 6-20　电磁感应类信号检测方法

（5）**霍尔式传感器类信号** 霍尔式传感器一般用于发动机的凸轮轴位置传感器、曲轴位置传感器等。其信号为数字信号波形，在测量时需要使用示波器进行检测。检测方法如图 6-21 所示。

（6）**频率信号** 在现在的电控发动机输入信号中，有些传感器为频率信号，例如空气流量传感器和空调压力传感器等。因此应采用示波器进行测量。测量方法与霍尔式传感器信号测量方法相同。

2. 输出信号的测量

输出信号是指发动机 ECU 对执行器的控制信号。一般为脉宽调制信号或占空比控制信号，如节气门电机的控制信号为占空比控制信号，喷油器和燃油压力调节阀为脉宽调制信号。为此在测量其控制信号时应使用示波器进行测量。测量方法如图 6-22 所示。

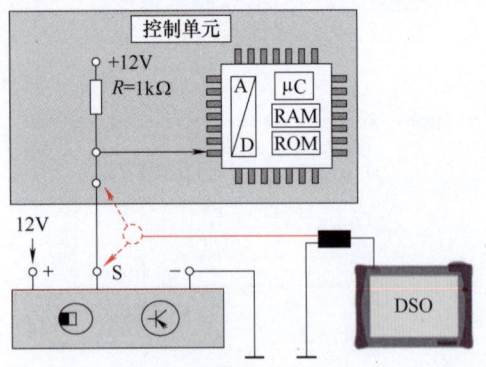

图 6-21 霍尔信号检测方法

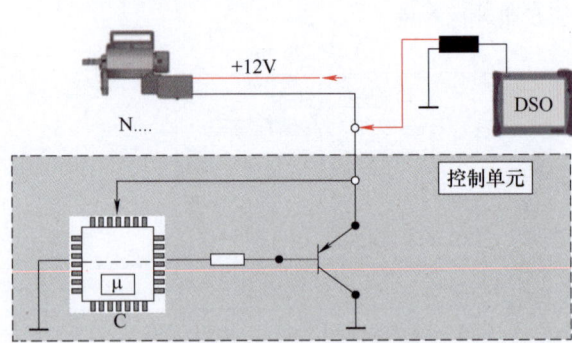

图 6-22 输出信号检测方法

第三课　故障诊断流程

发动机故障诊断流程见表 6-1。

表 6-1　发动机故障诊断流程

序号	项　目	内　容	备　注
1	前期准备	安装座椅套、地板垫、转向盘套、翼子板布、前格栅布，准备工具仪器	
2	安全检查	安装车轮挡块，检查机油、冷却液，插汽车排气抽气管，现场安全检查确认	任意位置、前后油标尺目测
3	仪器连接	点火开关关闭，正确连接诊断仪器	
4	故障码检查（不起动发动机）	正确读取并记录故障码	内容要求填写
5	正确读取数据和清除故障码	与故障码相关的数据确认，清除故障码	填写与故障码相关的数据
6	检查安装状态	检查相关器件安装状态	
7	确认故障症状	起动发动机，检查发动机运行状态、故障灯显示状态	
8	再次检查故障码	正确读取并记录故障码与故障码相关的定格数据确认、与故障码相关的动态数据确认	
9	根据检测出的故障码，画出相关信号的正确波形并画出相关电路的测试点，写出测试内容	正确查阅资料，确认测试电路和端子，正确画出相应的正常波形	画出正确波形、相关电路的测试点波形的标出幅值和时间

（续）

序号	项　目	内　容	备　注
10	检查元件测量及安装状态	正确查阅资料，确认测试插头及电路，正确选择、连接和使用测量仪具，正确读取和记录测试数据，正确分析测量结果	测试结果 标准值 得出分析结论
11	电路测量（ECU侧的电路测量采用背插）	正确查阅资料，确认测试插头及电路，正确选择、连接和使用测量仪具，正确读取和记录数据，正确分析测量结果	备测量插针
12	故障点确认和排除	正确说明故障点，正确排除故障	
13	故障码再次检查	正确清除故障码、正确读取并记录故障码，定格数据确认、相关数据内容（如未能排除故障，按上述步骤重复检测）	
14	尾气测量 注：分别在急速和 2500r/min 工况点测量	正确插入尾气采样管，按照给定转速点测量、正确读值并记录	1）转速的确定参照本车仪表中发动机转速值 2）NO_x 值不读
15	文明安全作业	正确使用工具、量具，清洁整理工作台面及工具，作业安全	

第四课　发动机 ECU 无法通信故障

一、故障现象及初步分析

一辆迈腾 B7L 轿车搭载 1.8TSI 电控发动机，客户反映正常起动发动机时起动机不转，请按专业要求排除故障。

根据故障现象对其进行常规检查，踩下制动踏板，挂入 P 位，按下点火开关至 ON 档，转向盘正常解锁，仪表中 EPC 灯未点亮。按下点火开关至起动档时，起动机不运转。

除了以上故障现象分析，还要综合考虑转向盘是否可以正常解锁，如果可以正常解锁就可以排除防盗系统故障。连接诊断仪读取故障码，发现诊断仪与发动机 ECU 无法通信，此时还要考虑通过动力 CAN 与发动机 ECU 相连接的其他控制模块是否能够通信，如果无法通信，则需要考虑动力 CAN 故障。如果与其他模块通信正常，说明动力 CAN 通信正常。所以确定故障方向为发动机控制 ECU 本身及电源、搭铁电路故障。其他模块包括 ABS ECU J104、变速器 ECU J743、安全气囊 ECU J234 等。

二、控制策略

迈腾 B7L 1.8TSI 发动机 ECU J623 的控制电路包括供电、搭铁和通信线等三个方面，如图 6-23 所示。图中 J623 为发动机 ECU，J234 为安全气囊 ECU，J743 为变速器

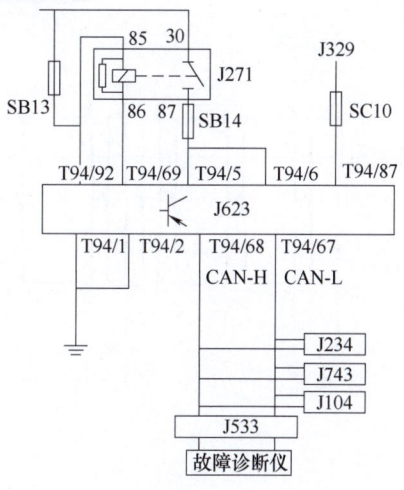

图 6-23　发动机 ECU 控制电路

ECU，J104 为 ABS ECU，J533 为网关，J271 为主供电继电器，SC10、SB13、SB14 为供电熔丝。由电路图可知，发动机 ECU J623 的供电端子为 T94/92、T94/5、T94/6、T94/87，搭铁端子为 T94/1、T94/2，通信端子（驱动 CAN）为 T94/67、T94/68。若上述端子电压存在故障将引起发动机 ECU 无法通信，从而导致发动机 ECU 无法控制起动继电器的吸合，最终导致起动机无法运转。如果以上各端子电压正常，则说明 ECU 本身存在故障，ECU 本身一般不对其进行拆解修理，需要更换 ECU 并对其进行匹配和基本设置，才能正常工作。

三、故障诊断过程

1. 分析故障原因

连接诊断仪后，如果发现诊断仪发动机 ECU J623 无法通信，但 ABS ECU J104、变速器 ECU J743、安全气囊 ECU J234 均通信正常，说明动力 CAN 通信正常，且无动力 CAN 相关故障码出现。所以确定故障原因如下：

1）发动机 ECU J623 供电故障，具体包括 T94/92、T94/5、T94/6、T94/87 四个端子。
2）发动机 ECU J623 搭铁故障，具体包括 T94/1、T94/2 两个端子。
3）发动机 ECU J623 本身故障。

如果发现诊断仪与发动机 ECU J623 无法通信，且与其他动力 CAN 连接的模块也无法通信，或有动力 CAN 相关故障码出现，则故障原因为动力 CAN 故障。

2. 诊断检修步骤

1）测量发动机 ECU J623 的供电端子电压用万用表电压档，分别测量发动机 ECU J623 的 T94/92、T94/5、T94/6、T94/87 四个端子搭铁电压，标准值应为 12V。如果电压异常，则应进一步检查各端子的上游供电电路。

2）测量发动机 ECU J623 的搭铁端子电压，用万用表电压档分别测量发动机 ECU J623 的 T94/1、T94/2 两个端子搭铁电压，标准值应为 0V。如果搭铁电压异常，应进一步检查各端子下游搭铁电路或搭铁点是否正常。

3）测量发动机 ECU J623 端 T94/67、T94/68 两个端子驱动 CAN 波形。

用示波器双通道进行测量，将测量探针分别接在发动机 ECU J623 端 T94/67、T94/68 两个端子上，搭铁连接可靠。标准波形如图 6-24 所示。

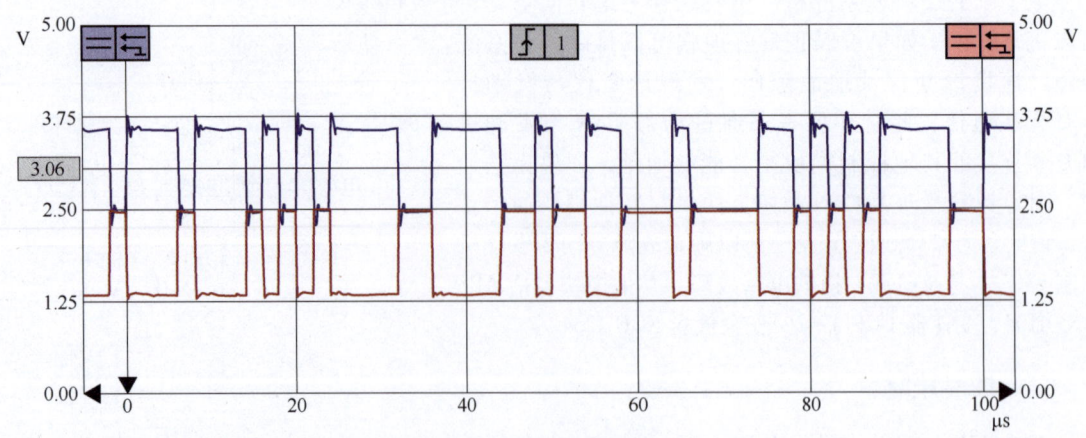

图 6-24　驱动 CAN 波形

项目六　发动机电控系统故障诊断与排除

第五课　起动机不转故障

一、故障现象及初步分析

一辆迈腾 B7L 轿车搭载 1.8TSI 电控发动机，客户反映在正常起动发动机时起动机无法运转，请按专业要求排除故障。

根据故障现象对其进行常规检查，踩下制动踏板，挂入 P 位，按下点火开关至 ON 档，转向盘正常解锁，仪表显示正常。按下点火开关至起动档时，起动机无法运转。

除了以上故障现象分析，还要综合考虑转向盘是否可以正常解锁，如果可以正常解锁就可以排除防盗系统故障。连接诊断仪读取故障码，如果诊断仪与发动机 ECU 无法通信，此时还要考虑通过动力 CAN 与发动机 ECU 相连接的其他控制模块是否能够通信，如果无法通信则需要考虑动力 CAN 故障。如果与其他模块通信正常，说明动力 CAN 通信正常。所以确定故障方向为发动机 ECU 本身及电源、搭铁电路故障。其他模块包括：ABS ECU J104、变速器 ECU J743、安全气囊 ECU J234 等。如果与各模块均能正常通信，则应进一步进入发动机 ECU，读取相关故障码和数据流。

二、控制策略

迈腾 B7L 1.8TSI 发动机起动系统的控制电路图如图 6-25 所示，图中 J623 为发动机 ECU，D9 为点火开关，J743 为自动变速器 ECU，F 为制动开关，J682 和 J710 为起动继电器，SC10 为供电熔丝。A 为蓄电池，B 为起动机，T1V 为起动机的起动控制信号 50 端子。

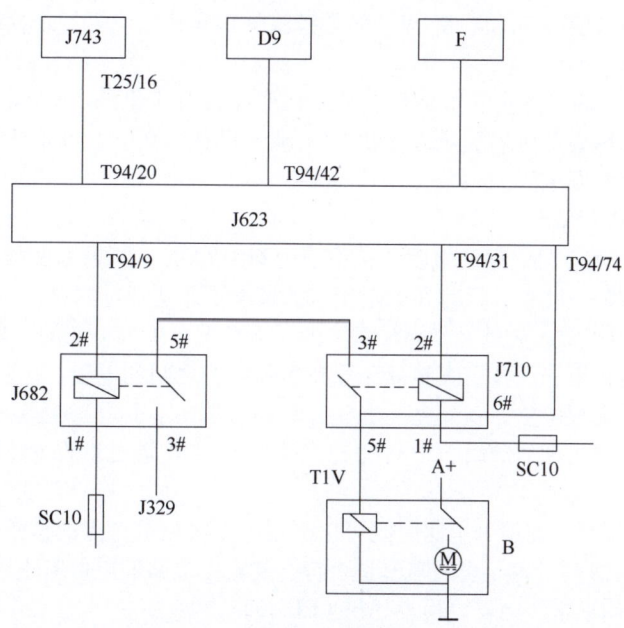

图 6-25　迈腾 B7L 1.8TSI 发动机起动系统的控制电路图

当变速杆置于 P/N 位，踩下制动踏板，点火开关置于起动位置时，授权启动条件才能满足。在此基础上，发动机 ECU J623 才会控制起动继电器 J682 和 J710 的 2 号端子搭铁，让继电器电磁线圈形成回路，在磁力作用下使继电器触点被吸合，使继电器的 3 号和 5 号端子接通，为起动机 T1V 端子提供起动电压信号，此时起动机才可以正常运转。

由电路图 6-25 可知，起动机是否能够正常工作取决于起动机本身的工作状态、蓄电池 A 的供电电压、蓄电池的搭铁状态和起动机的控制信号 T1V 四个因素，否则将导致起动机无法正常运转。

三、故障诊断过程

1. 分析故障原因

以起动机为中心，分析起动系统控制电路，影响起动机不能运转的原因有：

1）起动机控制电路故障，即起动机的 T1V 端子未接收到正常的起动电压，具体包括电路故障、J682 自身故障、J710 自身故障、继电器供电电路故障、发动机 ECU J623 自身故障等。

2）起动机自身故障，即起动机内部电磁开关或三相直流串励电动机存在机械故障。

3）起动机供电故障，即蓄电池为起动机提供的起动电压不能满足起动机的正常运转，具体包括蓄电池电压过低、供电电路或接线端子存在断路或虚接故障。

4）起动机搭铁故障，即搭铁端子连接不正常，存在虚接或绝缘；搭铁电路断路或虚接故障。

如果发现诊断仪与发动机 ECU J623 无法通信，且与其他动力 CAN 连接的模块也无法通信，或有动力 CAN 相关故障码出现，则故障原因为动力 CAN 故障。

2. 诊断检修步骤

1）连接诊断仪，读取故障码和数据流。连接诊断仪，进入发动机 ECU，读取与起动系统相关的故障码，并读取空档起动开关 P/N 信号、制动踏板开关 F 信号、点火开关 D9 的起动信号。如果有与起动系统相关的故障码可以依据代码的指向进行诊断。通过读取数据流可以知道授权起动信号是否正常。如果授权信号异常，则应先排除授权信号故障。如果没有故障码，则应根据起动系统的控制原理分别对起动机的供电、搭铁和 T1V 进行诊断测试。

2）测量起动机供电和搭铁电压是否正常。用万用表电压档，分别测量起动机的供电和搭铁的两个端子搭铁电压，标准值应为 12V 和 0V。如果搭铁电压异常，应进一步检查各端子上游或下游电路是否正常。

3）测量起动机 T1V 端子搭铁电压是否正常。将变速杆置于 P/N 位，踩下制动踏板，将点火开关置于起动档，用万用表电压档测量起动机 T1V 端子搭铁电压，标准值为 12V。如果电压异常则应进一步检查其上游控制电路。

4）测量继电器是否正常。

① 测量继电器 1 号和 2 号之间的电阻，正常值为 60~200Ω，如果测试结果不在该范围内，则说明继电器线圈存在故障，注意：只有在电阻正常的情况下才能通电测试。

② 如果继电器线圈正常，应进一步测量触点的工作情况。把继电器的 2 号端子接蓄电池负极，然后 1 号端子接蓄电池正极，用万用表测量 3 号和 5 号端子之间的电阻，应从无穷大切换到导通。否则说明继电器触点存在故障。

当继电器或相关电路出现故障时，发动机 ECU 会报与继电器相关的故障码，可以作为诊断的依据。

5）测量电路是否正常。在检测电路时既可以采用电压法测量各点的搭铁电位，电位差应小于 0.5V；也可以采用电阻法测量各导线的阻值是否符合规定，电路的阻值应小于 0.5Ω。

6）如果以上测量均正常，则需更换发动机 ECU J623。

第六课　发动机无法起动故障

一、故障现象及初步分析

一辆迈腾 B7L 轿车，搭载 1.8TSI 电控发动机，客户反映正常起动发动机时，起动机正常运转但无法起动，请按专业要求排除故障。

根据故障现象对其进行常规检查，踩下制动踏板，挂入P位，按下点火开关至"ON"位，转向盘正常解锁，仪表显示正常。按下点火开关至起动档时，起动机运转正常，但发动机无着火迹象。打开点火开关时可以听到燃油泵运转的声音。

除了以上故障现象分析，还要综合考虑转向盘是否可以正常解锁，如果可以正常解锁就可以排除防盗系统故障。连接诊断仪读取故障码，如果有故障码生成，则应按照故障码的指向进行故障排除。也可以通过数据流读取进气量、油压值、失火率、曲轴和凸轮轴转速信号等关键数据。还可以利用动作测试功能测试喷油器是否能够正常工作。如果还不能找到切入点可以使用尾气分析仪测量发动机在起动时的尾气（CO、CO_2、HC）数据。通过以上的测试明确故障诊断的方向。

二、控制策略

1. 影响发动机无法起动（起动机正常运转）的因素

如果起动机可以正常运转，但发动机无着火迹象，可以从以下几个方面入手分析：

（1）**点火系统故障** 可靠点火是发动机正常起动的条件之一，如果点火系统未正常工作，将会导致发动机无着火迹象。对于该系统的检查，可以先对火花塞跳火检查，如果跳火正常，则说明点火系统工作正常。如果无跳火则应对点火线圈的供电、搭铁和控制电路进行检查。点火系统的故障诊断方法详见项目四。

（2）**燃油供给系统故障** 准确的燃油压力和燃油喷射是发动机正常起动的重要条件之一，当燃油泵建立油压以后，喷油器需要根据工况的需求将燃油喷入燃烧室。如果未建立油压或油压正常喷油器未工作也将导致发动机无法起动，毫无着火迹象。燃油供给系统故障的具体内容详见项目三。

（3）**控制系统故障** 控制系统也是发动机正常起动的重要条件之一，即使点火系统和燃油供给系统本身不存在故障，控制系统故障也将导致不跳火或跳火异常，不喷油或喷油异常，从而导致发动机无法起动，如曲轴位置传感器是否正常工作、凸轮轴位置传感器是否正常工作等。具体内容详见项目四。

（4）**机械系统故障** 机械系统故障包括进气系统有严重堵塞或泄漏，导致发动机混合气过浓或过稀；排气系统严重堵塞；发动机配气机构或气缸内部严重漏气等也会导致发动机无法起动。一般情况下，机械系统故障出现的概率较低。

2. 故障诊断思路

根据故障现象说明气缸内没有任何混合气燃烧的迹象，可能的原因有点火系统故障、燃油供给系统故障、控制系统故障、（严重的）机械系统故障。可以从以下两个角度进行构建诊断思路：

1）根据低压油泵控制原理，可以结合在打开点火开关和起动发动机的过程中油泵是否可以运转，排除油泵控制系统是否正常工作，但不能代表燃油供给系统压力正常及喷油正常，还是需要结合自诊断功能进行诊断，如果有故障码，则按照故障码的含义进行诊断；如果没有故障码，则可以直接测试尾气，确定故障可能原因。这种诊断思路利用了原车的某些控制理论，有助于考查学生对车辆的熟知程度。

2）利用尾气分析仪测量起动时的尾气成分及含量，在发现排气管HC含量过低时，说明喷油器没有或有很少量的燃油喷出，故障可能在喷油器没有打开或燃油供给系统没有油（压），不过由于汽油泵已经运转，系统没有压力的故障概率很低，因此可以直接进行喷油器工作测试（脉冲信号），进而发现喷油器是否可以持续喷油。在分析喷油器没有持续喷油的故障可能原因后，继续检查点火系统存在的故障。

三、故障诊断过程

1. 分析故障原因

在没有严重的机械系统故障的前提下，通常造成混合气不燃烧的主要原因有：
1）点火系统不点火。
2）燃油供给系统不喷油或无供油。
3）电控系统故障。

分析到底是什么原因造成混合气不燃烧的时候，建议最好使用尾气分析仪测量排气歧管的尾气，因为CO、CO_2可以反映混合气是否有燃烧，HC可以反映喷油器是否有燃油喷出。如果排气歧管处无法获取尾气，而是从排气管口处进行测量，就要充分考虑排气管容积变化以及残留尾气对测试结果的影响。

2. 诊断检修步骤

（1）连接诊断仪读取故障码　连接诊断仪，进入发动机ECU，读取故障码。如果有与发动机无法起动相关的故障码生成，则按照故障码的指向进行诊断和排除。如果没有故障码，则需要进一步对燃油供给系统和点火系统进行诊断，也可以通过尾气测试数据来分析气缸内是没有燃油还是没有点火。

（2）连接诊断仪读取数据流

1）读取油压值。对于迈腾燃油喷射系统而言，要想测试燃油供给系统压力，有两种方法：一种是利用感应式的燃油压力表测试燃油导轨压力（高压），另一种是利用故障诊断仪的数据流功能来读取。两种方法各有利弊，前者相对真实；后者需要借助原车的油轨压力传感器及发动机控制模块的编译，如果燃油导轨压力传感器及相关电路存在故障，则会影响测试结果，因此，在有条件的情况下建议使用外接的燃油压力测试仪进行油压测试。

在起动过程中，用故障诊断仪读取燃油导轨压力（106/2）测量值（起动档）：01区显示40bar左右；标准油压：40bar左右，说明燃油供给系统压力正常。

2）利用诊断仪读取控制信号。在起动过程中，读取进气量、转速信号等主要数据。如果信号不正常，则应对相关信号对应的传感器及电路进行检修。

（3）检查喷油器工作　检查喷油器是否正常工作可以通过两个方法进行测试，一是起动发动机时，用示波器测量喷油器两个端子之间的波形，可以检测到喷油的脉冲信号，并且要观察检测到脉冲信号是否连续，如果没有连续说明发动机ECU未检测到点火而切断喷油，则应将诊断思路转向点火系统。如果没有显示正确的控制波形，则应考虑喷油器、线束和发动机ECU是否存在故障，如图6-26所示。二是可以利用故障诊断仪的动作测试功能，对喷油器进行动作测试，如果能听到喷油器的动作声，则说明喷油器至发动机ECU之间正常。如果没有动作声，则应对喷油器、线束和发动机ECU进行检修。

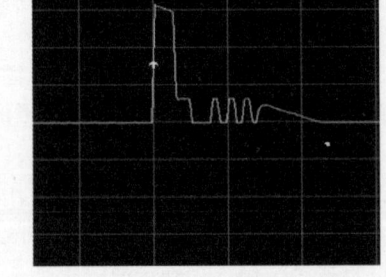

图6-26　喷油器波形

如果以上检测均正常，则应对点火系统进行诊断。

（4）检查点火系统　根据故障现象，说明所有火花塞均未点火，根据故障概率，说明故障可能在公共电源或搭铁，加之SB10给所有点火模块供电，方便检测，因此可以从熔丝性能开始检测，如图6-27所示。

打开点火开关，用万用表电压档分别测量SB10熔丝两端搭铁电压，正常值应为蓄电池电压。如果两端电压不同，则说明SB10熔丝存在故障。如果两端电压均正常，则应检查SB10至点火模

项目六 发动机电控系统故障诊断与排除

块之间的公共电路。如果无电压,则应检查其上游电路。利用同样方法检测搭铁电路搭铁电压,标准值为0V,如果不正常,则应检测搭铁点或与搭铁点之间的电路。电路的阻值应小于0.5Ω。

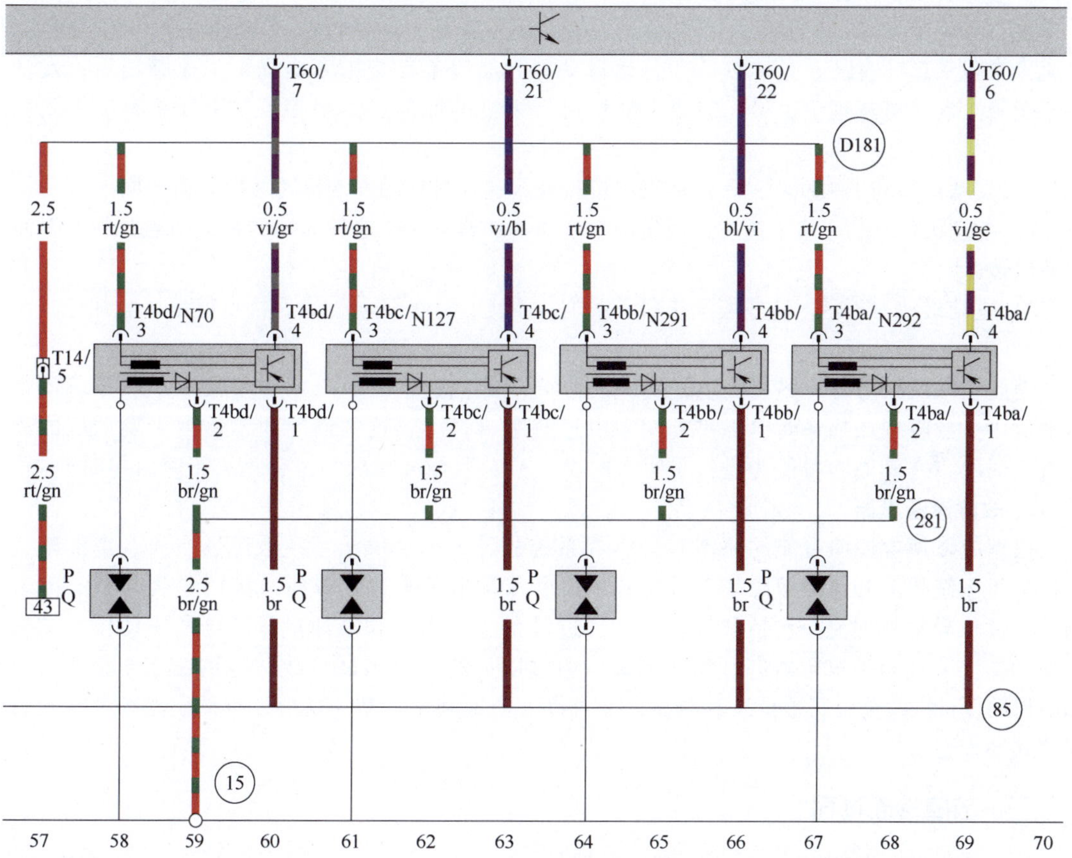

图 6-27 点火模块控制电路图

第七课 发动机运行不良故障

一、故障现象及初步分析

一辆迈腾 B7L 轿车搭载 1.8TSI 电控汽油发动机,客户反映发动机可以正常起动,但是起动后怠速抖动加速不良,请按专业要求排除故障。

根据故障现象对其进行常规检查,踩下制动踏板,挂入 P 位,按下点火开关至 ON 档,转向盘正常解锁,仪表显示正常。按下点火开关至起动档时,发动机可以正常起动,怠速明显抖动,仪表上故障灯常亮。

除了以上故障现象分析,连接诊断仪读取故障码,如果有故障码生成,则应按照故障码的指向进行故障排除,也可以通过数据流读取进气量、油压值、失火率、曲轴和凸轮轴转速信号等关键数据,还可以利用动作测试功能测试喷油器是否能够正常工作。如果还不能找到切入点,可以使用尾气分析仪测量发动机在起动时的尾气(CO、CO_2、HC)数据。通过以上的测试明确故障诊断的方向。

二、控制策略及故障诊断思路

1. 影响发动机运行不良的因素

发动机运行不良，一般情况下发动机的故障现象包括发动机怠速异常和加速不良两种情况，怠速异常包括怠速过高、怠速过低和怠速抖动等。加速不良是指完全踩下加速踏板后，发动机转速受限。发动机从理论上讲，造成发动机运行不良的原因虽然很多，但不外乎有以下几种可能性：

1）发动机的动平衡性较差，造成发动机抖动，这种抖动随发动机转速提高而加剧。

2）发动机各缸功率不平衡，造成发动机抖动或加速不良，这种抖动的最大特点是抖动频率与发动机转速同步。

3）发动机动力不足，造成发动机抖动或加速不良，这种抖动的最大特点就是一旦加速抖动就消失。

因此在确认故障时，尽可能地把相关的故障现象描述清楚，以便于尽快缩小故障范围。像本案例中，故障现象描述时已经讲到发动机怠速明显抖动，这种情况通常是由于发动机的动力性时大时小，究其原因可能为进气量时大时小，或者混合气时稀时浓、点火正时时早时晚等。

2. 故障诊断思路

根据故障现象说明可能的原因有进排气系统故障、燃油供给系统故障、点火系统故障、发动机电控系统故障和机械故障等。首先利用诊断仪读取故障码，分析故障码是否与该故障现象相关。读取异常数据流，包括节气门开度、进气量、失火率和喷油量等，再利用动作测试功能对喷油器、节气门等执行器进行动作测试，通过以上的初步测试将故障范围缩小至最小。这种诊断思路既可以避免盲目地拆装和测试，又可以方便地利用诊断仪功能，有助于考查学生对诊断仪的熟知程度。

三、故障诊断过程

诊断检修步骤如下：

1）连接诊断仪，读取故障码。连接诊断仪，进入发动机 ECU，读取故障码。如果有相关故障码提示，就按照故障码的提示进行诊断，如果没有相关故障码提示，则需要分析故障现象，读取相关的数据流和尾气排放数值，发现异常数据，实施诊断。

打开点火开关，用故障诊断仪扫描网关，读取故障码，发现有以下故障码：

00291：节气门/踏板位置传感器/开关 A 高电平输入，静态。

00547：节气门/踏板位置传感器/开关 B 高电平输入，静态。

结合节气门位置传感器电路图以及故障码的含义，说明发动机控制模块同时接收到两个传感器的最高电压，而且维持不变，在正常情况下，两个传感器的信号为互补电压，即在怠速状态时，一个传感器的信号电压为最高电压，另一个为最低电压，这与实际情况是相违背的，可能原因为 J623 控制故障、节气门位置传感器故障、J623 到节气门位置传感器之间电路故障。

2）读取节气门位置传感器的数据值，验证故障码的真实性。打开点火开关，慢慢踩下加速踏板和松开加速踏板，可以多次反复，用故障诊断仪测量节气门位置传感器两个信号的输出，看是否能随加速踏板的动作而正常变化。

62/1 节气门角度（电位计 1）：87.10%→87.10%（异常），正常值：15.62%→87.10% 62/2 节气门角度（电位计 2）：83.98%→83.98%（异常），正常值：83.98%→12.10% 62/3 踏板值传感器角度（电位计 1）：14.84%→89.06%（正常）62/4 踏板值传感器角度（电位计 2）：7.42%→44.92%（正常），通过以上数据流可以看出，加速踏板输出了正常的信号，而节气门位置传感器的信号异常，表现在以下两个方面：

① 节气门角度（电位计1）的电压始终维持在87.10%，而该数值相等于节气门角度（电位计1）在节气门最大开度时的最高标准电压。

② 节气门角度（电位计2）的电压始终维持在83.98%，而该数值相等于节气门角度（电位计1）在节气门最小开度时的最低标准电压。

这说明极有可能是节气门角度电位计的搭铁电路断路导致，可能故障原因为发动机ECU J623与节气门体之间的电路故障。

由于故障诊断仪显示的数据流是通过换算以后显示的，因此显示的结果可能还与控制模块的换算是否正确有关，因此最好还是通过测量控制模块相应端子的输入电压来进一步确认故障范围。

3）测量节气门位置传感器的信号电压，验证故障码的真实性。打开点火开关，慢慢踩下加速踏板和松开加速踏板，可以多次反复，用故障诊断仪测量节气门位置传感器两个信号的输出，看是否能随加速踏板的动作而正常变化。

因为故障码已经说明传感器信号处于高位静态，因此利用万用表进行测量就可以了，而无须使用示波器测量传感器的信号电压。

打开点火开关，反复踩加速踏板，用万用表分别测量发动机控制模块T60/41、T60/24端搭铁电压，标准值为0~5V的反相互补线性变化，实际测量值为4.96V固定不变。测试结果异常，可能原因为发动机ECU J623与传感器之间电路故障、传感器自身故障、传感器负极电源电路故障，如图6-28所示。

4）检查G187、G188传感器信号端子电压，确定故障所在。打开点火开关，反复踩加速踏板，用万用表分别测量节气门位置传感器T6as/1和T6as/4端子搭铁电压，标准值为0~5V的反相互补线性变化，实际测量值为4.96V固定不变。测试结果异常，可能原因为传感器自身故障、传感器负极电源电路故障，如图6-28所示。

5）检查传感器负极电源端子电压，确定故障所在。打开点火开关，用万用表测量传感器T6as/6端子搭铁电压，正常情况下，该端子搭铁电压应为0V，实测结果为5V参考电压，说明传感器T6as/6端子电压异常，可能原因为发动机ECU J623与传感器之间电路故障、发动机ECU J623局部故障，如图6-28所示。

6）检查发动机ECU J623端的节气门位置传感器搭铁端子搭铁电压，确定故障所在。打开点火开关，用万用表测量发动机控制模块T60/44的端子电压，标准值为搭铁电压，测试值为0V，测试结果正常。传感器T6as/6端子搭铁电压为5V参考电压，发动机ECU J623端的节气门位置传感器搭铁端子搭铁电压为0V，说明发动机ECU J623的T60/44端子到节气门位置传感器T6as/6之间的电路断路。简易修复故障后，故障码可以清除，发动机起动后，怠速运转平稳正常，故障排除，如图6-28所示。

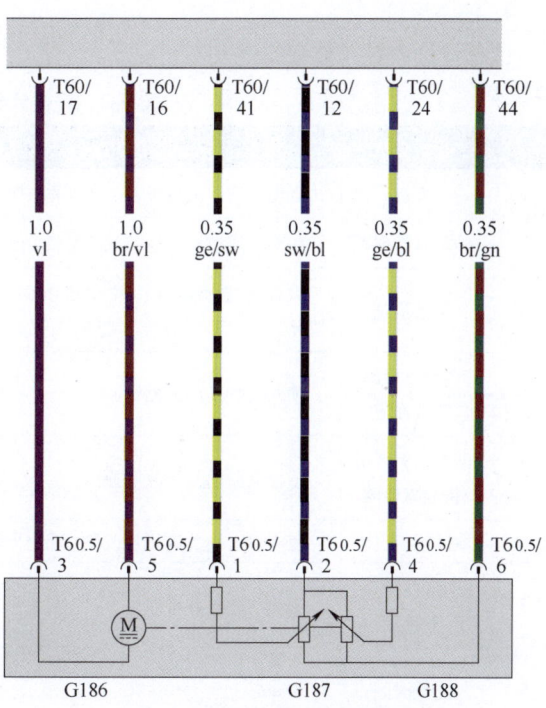

图6-28　节气门控制电路图

任务实施

 发动机 ECU 无法通信故障诊断与排除

1. 目的描述

1)知道发动机 ECU 控制电路的组成和工作原理。
2)能识别信号的类型。
3)能熟练使用设备和工具,按流程规范测量。
4)能积极主动参与任务,能与小组成员团结协作,能执行实训室"6S"规定。

2. 任务准备

1)知识准备。
完成发动机 ECU 无法通信故障相关知识的学习。
2)设备准备。
汽车或发动机台架、万用表、故障诊断仪、示波器、演示课件(或操作视频)。

3. 任务步骤

1)老师演示或播放视频:发动机 ECU 无法通信故障诊断与排除。
2)学生进行发动机 ECU 无法通信故障诊断与排除。

4. 任务评价

任务评价内容及标准见表 6-2。

表 6-2 任务评价内容及标准

序号	项 目	操作内容	分值	评分标准
1	准备	清理工位、工具设备、车辆防护等	5分	酌情扣分
2	确认故障现象	在整车或台架上进行确认故障现象并记录	10分	操作不当扣1~10分
3	初步检查	检查蓄电池电压、发动机线束插头连接情况	10分	操作不当扣1~10分
4	读取故障码或数据流	读取故障码或数据流	10分	操作不当扣1~10分
5	结合电路图分析故障原因	结合电路图分析故障原因	10分	操作不当扣1~10分
6	故障诊断过程	使用诊断设备进行规范测试和检测	20分	操作不当扣1~20分
7	确认故障点并排除	明确故障点并排除	10分	操作不当扣1~10分
8	完成时间	30min	10分	超时1~5min 扣1~5分 超时5min 以上扣10分
9	安全文明	无安全隐患,无不文明操作	5分	未达标扣1~5分
10	6S 作业	工量具清洁归位	5分	漏一项扣1分,未做扣5分
		工作场地清洁	5分	清洁不彻底扣1~5分,未做扣5分
	总分		100分	

项目六 发动机电控系统故障诊断与排除

 **任务二　起动机不转故障诊断与排除**

1. 目的描述

1) 知道起动系统的作用和组成。
2) 能判别起动系统的控制类型和结构。
3) 能读取起动系统的电路图。
4) 能进行故障原因分析。
5) 能使用诊断设备进行故障诊断。
6) 能积极主动参与任务，能与小组成员团结协作，能执行实训室"6S"规定。

2. 任务准备

1) 知识准备。
完成起动机不转故障相关知识的学习。
2) 设备准备。
汽车或发动机台架、常用工具、故障诊断仪、示波器、万用表、演示课件（或操作视频）。

3. 任务步骤

1) 老师演示或播放视频：起动机不转故障诊断与排除。
2) 学生进行起动机不转故障诊断与排除，并完成工作页。

4. 任务评价

任务评价内容及标准见表 6-3。

表 6-3　任务评价内容及标准

序号	项目	操作内容	分值	评分标准
1	准备	清理工位、工具设备、车辆防护等	5分	酌情扣分
2	确认故障现象	在整车或台架上进行确认故障现象并记录	10分	操作不当扣1~10分
3	初步检查	检查蓄电池电压，发动机线束插头连接情况	10分	操作不当扣1~10分
4	读取故障码或数据流	读取故障码或数据流	10分	操作不当扣1~10分
5	结合电路图分析故障原因	结合电路图分析故障原因	10分	操作不当扣1~10分
6	故障诊断过程	使用诊断设备进行规范测试和检测	20分	操作不当扣1~20分
7	确认故障点并排除	明确故障点并排除	10分	操作不当扣1~10分
8	完成时间	30min	10分	超时1~5min扣1~5分 超时5min以上扣10分
9	安全文明	无安全隐患，无不文明操作	5分	未达标扣1~5分
10	6S作业	工量具清洁归位	5分	漏一项扣1分，未做扣5分
		工作场地清洁	5分	清洁不彻底扣1~5分，未做扣5分
		总分	100分	

 **任务三　发动机无法起动故障诊断与排除**

1. 目的描述

1) 知道引起发动机无法起动的因素。
2) 能确认发动机无法起动的故障现象。
3) 能读取相关系统的电路图。
4) 能进行故障原因分析。
5) 能使用诊断设备进行故障诊断。
6) 能积极主动参与任务，能与小组成员团结协作，能执行实训室"6S"规定。

2. 任务准备

1) 知识准备。

完成发动机无法起动故障相关知识的学习。

2) 设备准备。

汽车或发动机台架、常用工具、故障诊断仪、示波器、万用表、尾气分析仪、演示课件（或操作视频）。

3. 任务步骤

1) 老师演示或播放视频：发动机无法起动故障诊断与排除。
2) 学生进行发动机无法起动故障诊断与排除，并完成工作页。

4. 任务评价

任务评价内容及标准见表6-4。

表6-4　任务评价内容及标准

序号	项目	操作内容	分值	评分标准
1	准备	清理工位、工具设备、车辆防护等	5分	酌情扣分
2	确认故障现象	在整车或台架上进行确认故障现象并记录	10分	操作不当扣1~10分
3	初步检查	检查蓄电池电压、发动机线束插头连接情况	10分	操作不当扣1~10分
4	读取故障码或数据流	读取故障码或数据流	10分	操作不当扣1~10分
5	结合电路图分析故障原因	结合电路图分析故障原因	10分	操作不当扣1~10分
6	故障诊断过程	使用诊断设备进行规范测试和检测	20分	操作不当扣1~20分
7	确认故障点并排除	明确故障点并排除，清码	10分	操作不当扣1~10分
8	完成时间	30min	10分	超时1~5min 扣1~5分 超时5min 以上扣10分
9	安全文明	无安全隐患，无不文明操作	5分	未达标扣1~5分
10	6S作业	工量具清洁归位	5分	漏一项扣1分，未做扣5分
		工作场地清洁	5分	清洁不彻底扣1~5分，未做扣5分
		总分	100分	

 **任务四** 发动机运行不良故障诊断与排除

1. 目的描述

1）知道引起发动机运行不良的影响因素。
2）能确认发动机运行不良的故障现象。
3）能读取相关系统的电路图。
4）能进行故障原因分析。
5）能使用诊断设备进行故障诊断。
6）能积极主动参与任务，能与小组成员团结协作，能执行实训室"6S"规定。

2. 任务准备

1）知识准备。
完成发动机运行不良故障相关的学习。
2）设备准备。
汽车或发动机台架、常用工具、故障诊断仪、示波器、万用表、尾气分析仪、演示课件（或操作视频）。

3. 任务步骤

1）老师演示或播放视频：发动机运行不良故障诊断与排除。
2）学生进行发动机运行不良故障诊断与排除，并完成工作页。

4. 任务评价

任务评价内容及标准见表6-5。

表 6-5 任务评价内容及标准

序号	项目	操作内容	分值	评分标准
1	准备	清理工位、工具设备、车辆防护等	5 分	酌情扣分
2	确认故障现象	在整车或台架上进行确认故障现象并记录	10 分	操作不当扣 1~10 分
3	初步检查	检查蓄电池电压、发动机线束插头连接情况	10 分	操作不当扣 1~10 分
4	读取故障码或数据流	读取故障码或数据流	10 分	操作不当扣 1~10 分
5	结合电路图分析故障原因	结合电路图分析故障原因	10 分	操作不当扣 1~10 分
6	故障诊断过程	使用诊断设备进行规范测试和检测	20 分	操作不当扣 1~20 分
7	确认故障点并排除	明确故障点并排除，清码	10 分	操作不当扣 1~10 分
8	完成时间	30min	10 分	超时 1~5min 扣 1~5 分 超时 5min 以上扣 10 分
9	安全文明	无安全隐患，无不文明操作	5 分	未达标扣 1~5 分
10	6S 作业	工量具清洁归位	5 分	漏一项扣 1 分，未做扣 5 分
		工作场地清洁	5 分	清洁不彻底扣 1~5 分，未做扣 5 分
		总分	100 分	

一、选择题

1. 【单项选择】关于车载 OBD-Ⅱ诊断接口说法错误的是（　　）。
   A. 6 端子为电源正极
   B. 14 端子为 CAN-L
   C. 6 端子为 CAN-H
   D. 4 端子为搭铁

2. 【单项选择】OBD-Ⅱ故障码由 1 位字母和 4 位数字组成，包含四部分信息，说法错误的是（　　）。
   A. B 代表车身 ECU（BODY）
   B. C 代表底盘 ECU（CHASSIS）
   C. P 代表发动机变速器 ECU，即动力控制总成（POWER TRAIN）
   D. U 代表电气系统

3. 【单项选择】下列选项中，可以产生模拟信号的是（　　）。
   A. 喷油器
   B. 冷却液温度传感器
   C. 霍尔式传感器
   D. 曲轴位置传感器

4. 【单项选择】下列选项中，可以导致发动机无法起动的是（　　）。
   A. 空气流量传感器损坏
   B. 一缸喷油器堵塞
   C. 发动机 ECU 损坏
   D. 凸轮轴位置传感器损坏

5. 【单项选择】下列选项中，可以实现对霍尔式传感器信号精确检测的设备是（　　）。
   A. 示波器
   B. 万用表
   C. 诊断仪
   D. 试灯

6. 【单项选择】下列选项中，关于发动机无法起动的原因说法正确的是（　　）。
   A. 燃油压力传感器损坏
   B. 某个气缸失火
   C. 进气系统堵塞或泄漏
   D. 某个喷油器存在堵塞

7. 【多项选择】下列选项中，可以导致发动机无法通信的故障原因有（　　）。
   A. 发动机 ECU 自身损坏
   B. 发动机 ECU 电源故障
   C. 发动机通信线路故障
   D. 发动机曲轴位置传感器损坏

8. 【多项选择】带有 OBD-Ⅱ系统的车辆，其发动机 ECU 必须具有以下功能：（　　）。
   A. 检测排放系统部件运行是否正常
   B. 能够对与排放相关的部件进行主动测试
   C. 检查发动机燃油箱是否泄漏
   D. 如果系统或电路出现故障，ECU 点亮故障指示灯

9. 【多项选择】OBD-Ⅱ具有以下特点：（　　）。
   A. 统一各车型诊断座形状为 16 针
   B. 具有数据分析资料传输功能
   C. 统一各车型相同故障码及含义，具有行车记录器功能
   D. 具有重新显示记忆故障码功能

10. 【多项选择】在电控发动机中有许多输入信号，在测量过程中需要根据输入信号的特点来确定其测量方法。在电控发动机中的输入信号一般包括（　　）。
    A. 开关类信号、滑动变阻器型的信号
    B. NTC 温度信号
    C. 电磁感应类信号、霍尔式传感器类信号

D. 频率信号

11.【多项选择】关于发动机尾气排放超标，说法正确的是（　　）。

A. 发动机尾气排放灯会点亮

B. 油品质量差，可能导致尾气排放不合格

C. 不影响发动机正常工作

D. CO 排放会增加

12.【多项选择】在对 CAN 总线系统进行诊断时，可能用到的诊断设备有（　　）。

A. 万用表　　　　　　　　　　　B. 诊断仪

C. 示波器　　　　　　　　　　　D. 试灯

二、简答题

1. 简述起动机无法运转的故障原因及故障诊断过程。

2. 简述起动机运转正常，但发动机无法起动的原因。

参 考 文 献

[1] 曹红兵. 汽车维修技术［M］. 北京：机械工业出版社，2013.
[2] 黎亚洲. 电控发动机原理与维修［M］. 北京：机械工业出版社，2012.
[3] 赵宏. 汽车发动机故障诊断与修复［M］. 北京：人民交通出版社股份有限公司，2018.

汽车发动机电控系统检修

第 2 版

工作页

班级_____

姓名_____

学号_____

目　　录

工作页 1-1　发动机电控系统的认知 ··· 1
工作页 1-2　发动机电控系统的组成和控制方式的认知 ···························· 3
工作页 2-1　进气系统的认知 ··· 6
工作页 2-2　空气流量传感器的检修 ··· 8
工作页 2-3　进气歧管压力传感器的检修 ··· 11
工作页 2-4　进气温度传感器的检修 ··· 14
工作页 2-5　电子节气门的检修 ·· 17
工作页 2-6　可变进气增压控制系统的检修 ·· 20
工作页 2-7　废气涡轮增压控制系统的检修 ·· 22
工作页 2-8　可变进气系统的检修 ··· 24
工作页 3-1　燃油供给系统的认知 ··· 28
工作页 3-2　燃油泵及控制电路的检修 ··· 30
工作页 3-3　燃油压力调节器的检修 ··· 33
工作页 3-4　缸外喷射喷油器的检修 ··· 36
工作页 3-5　高压油泵和燃油压力调节阀的检修 ································· 39
工作页 3-6　燃油压力传感器的检修 ··· 42
工作页 3-7　缸内直喷喷油器的检修 ··· 45
工作页 3-8　冷却液温度传感器的检修 ··· 48
工作页 4-1　电控点火系统的认知 ··· 51
工作页 4-2　曲轴位置传感器的检修 ··· 54
工作页 4-3　凸轮轴位置传感器的检修 ··· 57
工作页 4-4　爆燃传感器的检修 ·· 60
工作页 4-5　电控点火系统的检修 ··· 63
工作页 5-1　燃油蒸发控制系统的检修 ··· 66
工作页 5-2　二次空气喷射系统的检修 ··· 68
工作页 5-3　废气再循环系统的检修 ··· 71
工作页 5-4　氧传感器故障的检修 ··· 74
工作页 5-5　汽油机颗粒捕集器的检修 ··· 77
工作页 6-1　车载诊断系统的认知 ··· 80
工作页 6-2　信号技术与测量及故障诊断流程的认知 ···························· 83
工作页 6-3　发动机 ECU 无法通信故障诊断与排除 ···························· 86
工作页 6-4　起动机不转故障诊断与排除 ··· 89
工作页 6-5　发动机无法起动故障诊断与排除 ······································· 92
工作页 6-6　发动机运行不良故障诊断与排除 ······································· 94

工作页 1-1　发动机电控系统的认知

班　级		姓　名	
地　点		日　期	

一、补充信息
请根据汽车的电控系统发展完善下列时间轴。

第一阶段　　　　　　　　第二阶段　　　　　　　　第三阶段

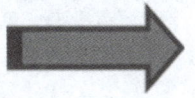

_____　　　　_____　　　　_____
_____　　　　_____　　　　_____

二、要点概括
请以关键词的形式概括出汽车及发动机电控系统的发展趋势。

汽车的发展趋势	发动机电控系统的发展趋势

三、绘制以"发动机电控系统的功能及特点"为主题的思维导图

四、专家法及互评

分成小组,请分别以专家的身份为同组成员讲解发动机电控系统的特点,并完成互评,见表 1-1。

表 1-1 专家法互评评分标准

序号	项 目	操作内容	分值	得分	评 分 标 准
1	准备	手卡及资料等	15 分		酌情扣分
2	语言	语言组织及术语使用	15 分		酌情扣 1~15 分
3	内容记录		40 分		完整度 准确度 机理描述各占 10 分
4	思路	思路条理,逻辑清晰	15 分		酌情扣 1~15 分
5	完成时间		15 分		超时 1~5min 扣 1~15 分
6	备注				
		总分	100 分		

工作页 1-2 发动机电控系统的组成和控制方式的认知

班　级		姓　名	
地　点		日　期	

一、收集信息

1. 完善下图中各子系统的名称及结构，并写出燃油供给系统的工作过程。

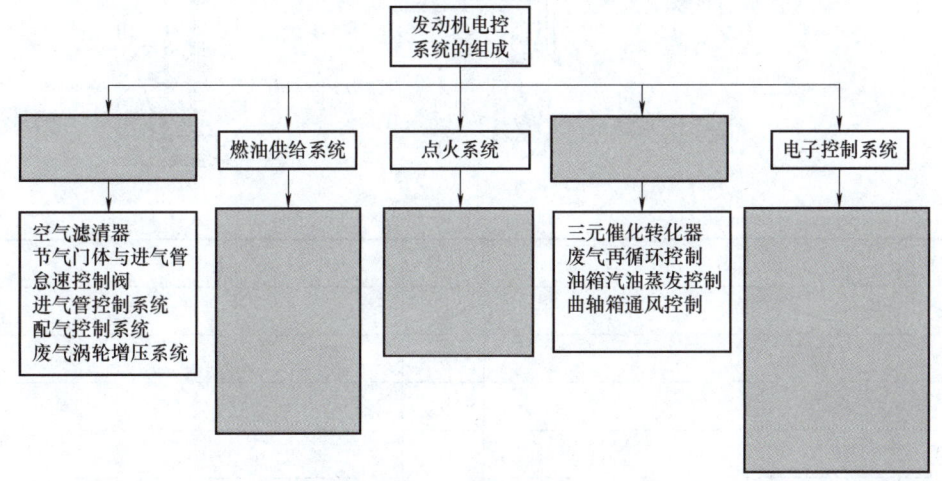

2. 燃油供给系统各部分的作用是：汽油箱内汽油由_____泵出，经_____过滤后，油压调节器将_____。当油路压力超过规定值时，_____和冷起动喷油器。当 ECU 发出信号给喷油器通电时，与进气量相适应的汽油被喷射到进气歧管中。

3. 完善下面不同类型发动机电控系统的名称。

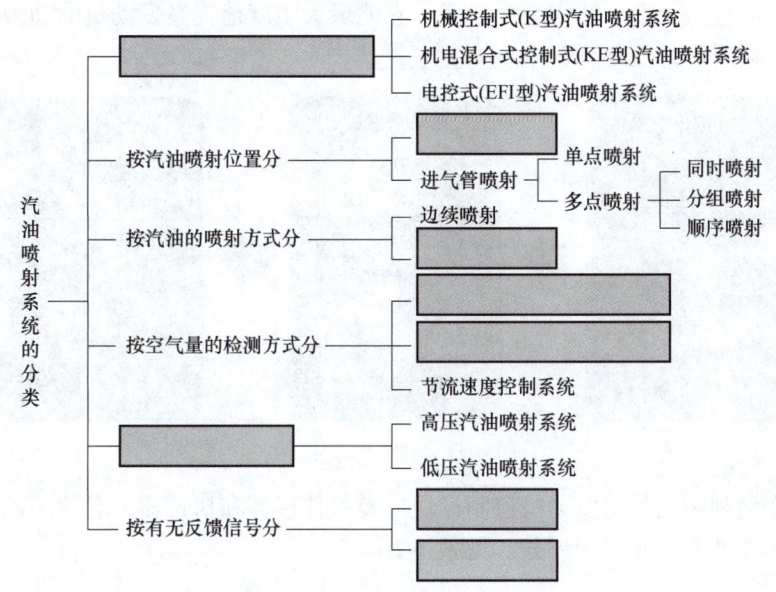

二、看图识物

试指出图中各编号对应部件的名称。

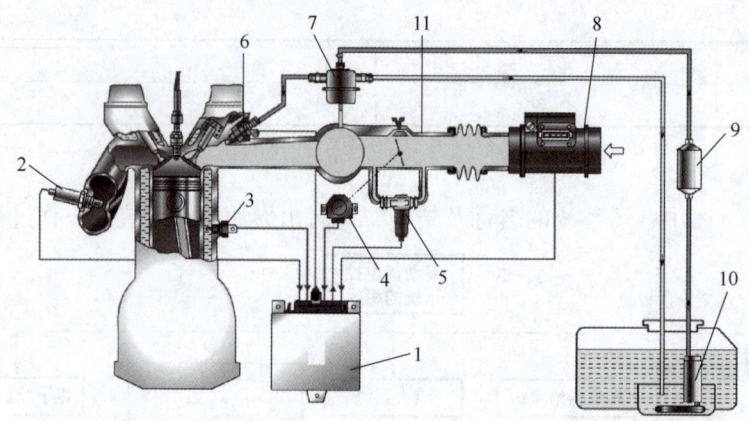

序号	名　称	序号	名　称
1		7	
2		8	
3		9	
4		10	
5		11	
6			

三、补充关键词

发动机控制系统又称为发动机管理系统（英文缩写是_____），由传感器、_____和_____三大部分组成。它能最大限度地提高发动机的动力性，改善经济性能，同时降低汽车尾气中_____。

四、贴标签

分组在便利贴上写出发动机控制模块以及各传感器和执行器的名称，依次撕下将其贴在实车部件上，并互相评分，见表1-2。

表 1-2　贴标签互评标准及评分表

序号	项目	操作内容	分值	得分	评分标准
1	准备	工位布置，车辆防护，便利贴，笔	10 分		酌情扣分
2	写名称	正确写出各部件的名称	30 分		每项 3 分
3	贴标签	准确找到各部件的安装位置，并贴上正确的标签	30 分		每项 3 分
4	正确率	互相检查标签贴的正确率	10 分		根据准确程度酌情扣分
5	完成时间	10min	10 分		超时 1~5min 扣 1~10 分
6	结束	工具清洁归位、工作场地清洁	10 分		漏 1 项扣 2 分，未做扣 8 分 清洁不彻底扣 2~8 分，未做扣 10 分
7	备注				
		总分	100 分		

工作页 2-1 进气系统的认知

班　级		姓　名	
地　点		日　期	

一、收集信息
请写出下列部件名称。

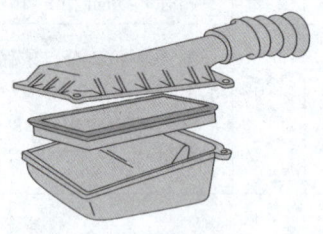

二、计划组织

小组组别	
设备工具	☐ 发动机台架型号：_____ ☐ 整车型号：_____
组员分工	
准备工作	检查安全环保措施、熟悉布置工作场景

三、任务实施记录
请根据实训所用的发动机画出进气路径。

四、任务评价

进气系统部件认知评分标准见表 2-1。

表 2-1 进气系统部件认知评分标准

序号	项目	部件名称	分值	得分	评分标准
1	部件认知	空气滤清器	7分		一次性找到该部件得分，如果该车型未装该部件回答正确得分，否则不得分
2	部件认知	进气温度传感器	7分		
3	部件认知	进气歧管压力传感器	7分		
4	部件认知	节气门体	7分		
5	部件认知	节气门位置传感器	7分		
6	部件认知	节气门电机	7分		
7	部件认知	空气流量传感器	7分		
8	部件认知	废气涡轮增压器	7分		
9	部件认知	增压空气冷却器	7分		
10	部件认知	进气歧管	7分		
11	口试	进气系统常见的类型有哪些？	10分		酌情扣分
12	口试	进气系统采用什么装置测量进气量？本设备采用哪种类型？	10分		酌情扣分
13	口试	采用涡轮增压器对发动机动力性有什么影响？	10分		酌情扣分
		总分	100分		

工作页 2-2 空气流量传感器的检修

班　级		姓　名	
地　点		日　期	

一、收集信息

1. 空气流量传感器是测量发动机_____的装置。将吸入的_____转换成_____送至ECU，作为_____的基本信号。

2. 请写出图中部件的名称。

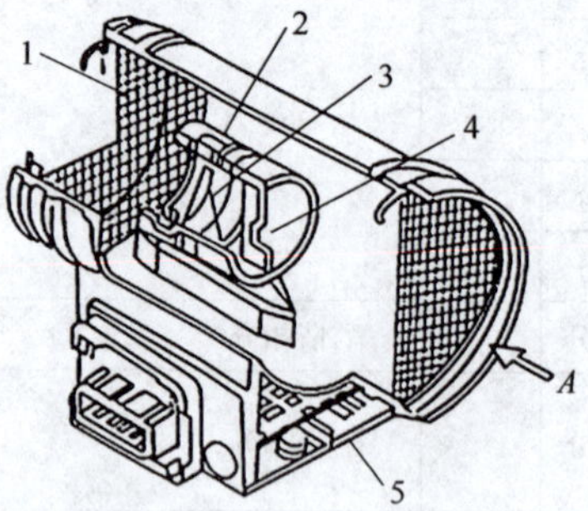

   1-_____

   2-_____

   3-_____

   4-_____

   5-_____

3. 简述热线式和热膜式空气流量传感器的工作原理。

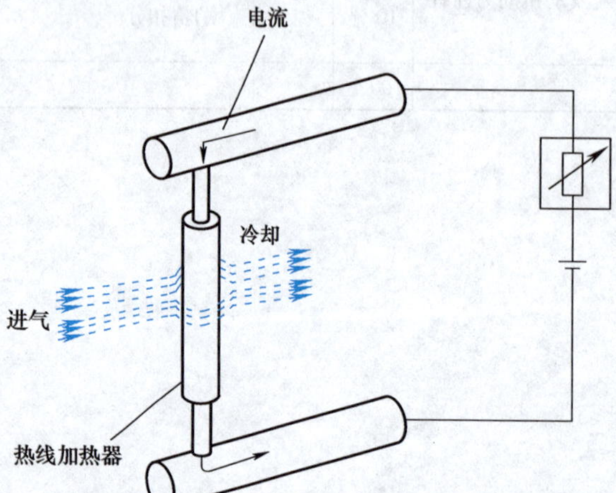

　　流过发热元件的空气流量越大，气流带走的热量越多，发热元件为维持恒温所需要的加入电路_____也就越大，反之，加热电流也越小，因此该加热_____的大小就反映了气流量的大小。传感器的内部电路只要将该加热_____转变为_____，即可作为传感器的信号。

二、计划组织

小组组别	
设备工具	☐ 发动机台架型号：_____ ☐ 整车型号：_____
组员分工	
准备工作	检查安全环保措施、熟悉布置工作场景

三、任务实施记录

1. 故障现象/故障码记录：_____

2. 查阅维修手册，完成图中标号名称的填写。

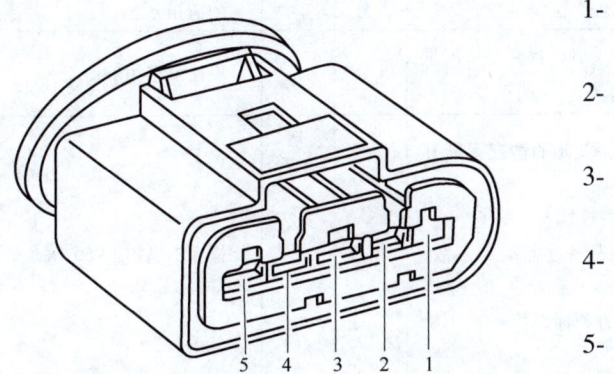

1-

2-

3-

4-

5-

3. 使用T形线将空气流量传感器5个端子连接起来，打开点火开关，着车，记录测量结果，填写在表2-2中。

表2-2 空气流量传感器检测记录单

端　子	测量参数 （电压、电流、电阻）	测 量 结 果	标 准 值	结　　论
端子1				
端子2				
端子3				
端子4				
端子5				

4. 从怠速、小负荷、中等负荷、大负荷和全负荷工况下的空气流量传感器数据流，描绘出空气流量传感器信号电压与发动机转速直接特性曲线。

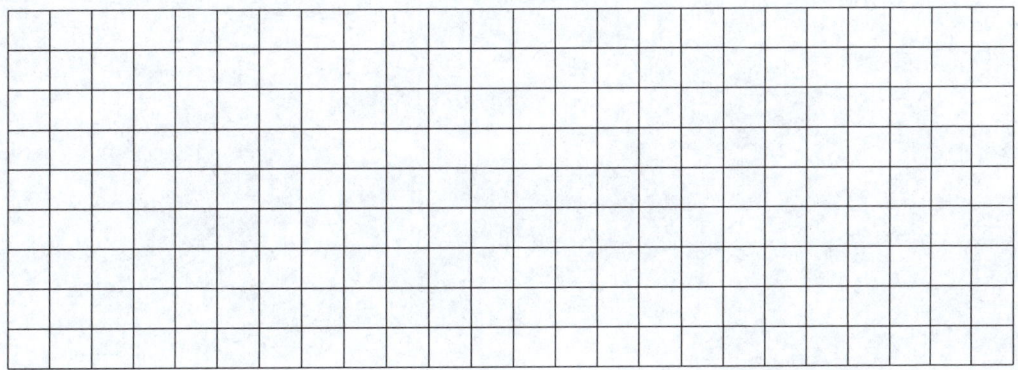

四、任务评价

空气流量传感器检修评分标准见表2-3。

表2-3 空气流量传感器检修评分标准

序号	项 目	操 作 内 容	分值	得分	评 分 标 准
1	准备	清点工具、清理工位	5分		酌情扣分
2	查阅维修手册	正确查阅维修手册,找到空气流量传感器的安装位置	5分		操作不当扣1~5分
3	测量空气流量传感器各端子电压	1)在点火开关关闭的情况下断开空气流量传感器插头 2)使用T形线连接5个端子 3)使用万用表测量各端子参数,并正确记录 4)根据测量值和标准值得出正确结论	50分		操作不当扣1~50分
4	根据数据流画数据曲线	1)急速、小负荷、中等负荷、大负荷、全负荷工况转速下对应的空气流量传感器信号电压 2)将测量值绘制在表格中	30分		操作不当扣1~30分
5	完成时间	40min	5分		超时1~5min扣1~5分
6	结束	工具清洁归位、工作场地清洁	5分		漏1项扣1分,未做扣5分 清洁不彻底扣1~5分,未做扣5分
	总分		100分		

工作页 2-3 进气歧管压力传感器的检修

班　级		姓　名	
地　点		日　期	

一、收集信息

1. 进气歧管压力传感器属于_____测量式空气流量传感器，ECU 通过进气歧管压力传感器测量发动机进气歧管内的_____，结合发动机的转速来计算发动机的进气量。

2. 请写出图中部件的名称。

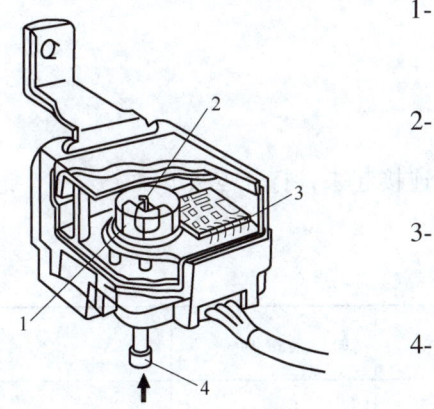

1-

2-

3-

4-

3. 进气歧管压力传感器原理。

进气歧管压力会随着进气量的增大而_____，气体压力作用在硅片上，硅片发生变形，进气压力越大，硅片变形_____；进气压力越小，硅片变形_____。

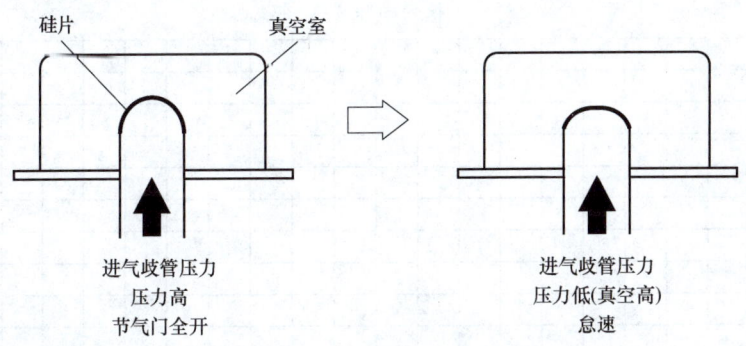

二、计划组织

小组组别	
设备工具	□ 发动机台架型号：_____ □ 整车型号：_____

(续)

组员分工	
准备工作	检查安全环保措施、熟悉布置工作场景

三、任务实施记录

1. 故障现象/故障码记录：_____

2. 通过查阅维修手册，请在下图中标出 1、2、3 端子，并将端子对应的功能写在右侧。

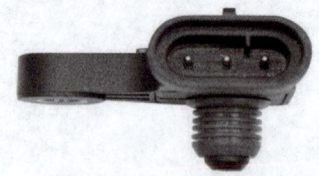

电源：

信号：

搭铁：

3. 使用 T 形线将空气流量传感器 5 个端子连接起来，打开点火开关，着车，记录测量结果，填写在表 2-4 中。

表 2-4　进气歧管压力传感器检测记录单

端　子	测量参数 （电压、电流、电阻）	测 量 结 果	标准值	结　　论
端子 1				
端子 2				
端子 3				

4. 从怠速、小负荷、中等负荷、大负荷和全负荷工况下的空气流量传感器数据流，描绘出进气歧管压力传感器信号电压与发动机转速直接特性曲线。

信号电压 u/V

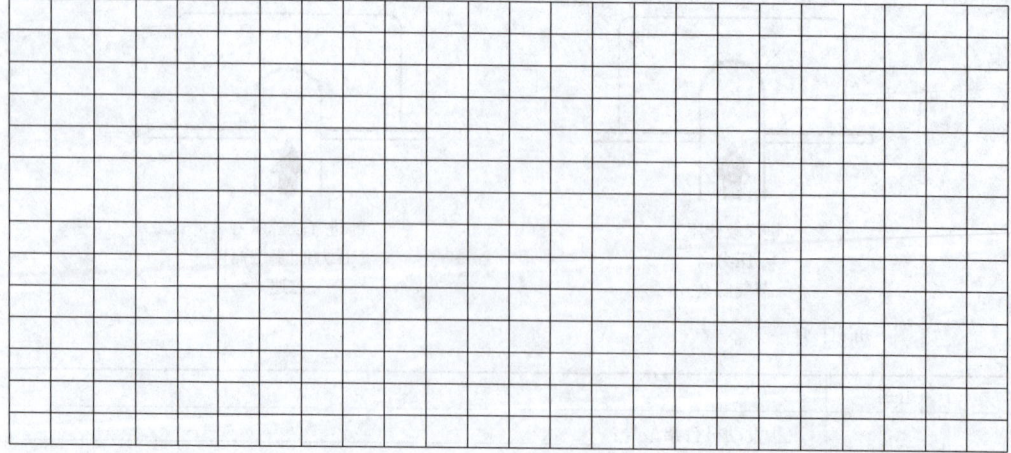

转速 n/(r/min)

四、任务评价

进气歧管压力传感器检修评分标准见表 2-5。

表 2-5 进气歧管压力传感器检修评分标准

序号	项目	操作内容	分值	得分	评分标准
1	准备	清点工具、清理工位	5 分		酌情扣分
2	查阅维修手册	正确查阅维修手册，找到进气压力传感器的安装位置	5 分		操作不当扣 1~5 分
3	测量进气歧管压力传感器各针脚电压	1）在点火开关关闭的情况下断开进气压力传感器插头 2）使用 T 形线连接 5 个端子 3）使用万用表测量各端子参数，并正确记录 4）根据测量值和标准值得出正确结论	50 分		操作不当扣 1~50 分
4	根据数据流画数据曲线	1）怠速、小负荷、中等负荷、大负荷、全负荷工况转速下对应的进气压力传感器信号电压 2）根据测量值绘制曲线	30 分		操作不当扣 1~30 分
5	完成时间	40min	5 分		超时 1~5min 扣 1~5 分
6	结束	工具清洁归位、工作场地清洁	5 分		漏 1 项扣 1 分，未做扣 5 分 清洁不彻底扣 1~5 分，未做扣 5 分
	总分		100 分		

工作页 2-4 进气温度传感器的检修

班　级		姓　名	
地　点		日　期	

一、收集信息

1. 冷却液温度传感器和进气温度传感器采用的是_____系数的_____电阻，将_____转换为电压信号传感器 ECU。

2. 完成下表。

传感器	安装位置	功用
冷却液温度传感器		
进气温度传感器		

3. 请将温度传感器的电路图转化为简单电路，并用万用表标出信号电压。

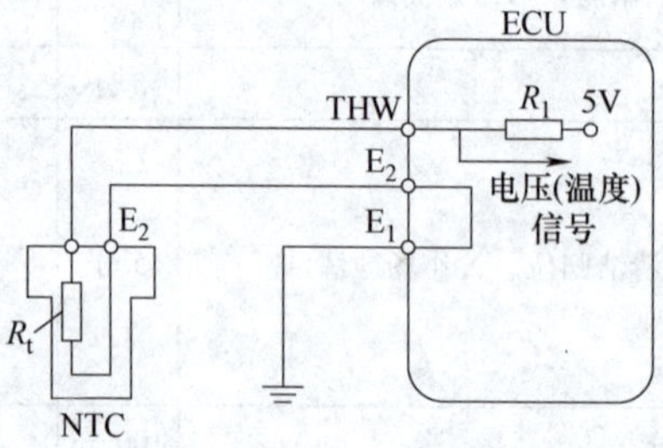

当温度升高时，温度传感器的电阻将_____，信号电压降_____。

二、计划组织

小组组别	
设备工具	□ 发动机台架型号： □ 整车型号：
组员分工	
准备工作	检查安全环保措施、熟悉布置工作场景

三、任务实施记录

1. 故障现象/故障码记录：_____

2. 通过查阅维修手册，请在下图中标出信号和搭铁对应的针脚标号。

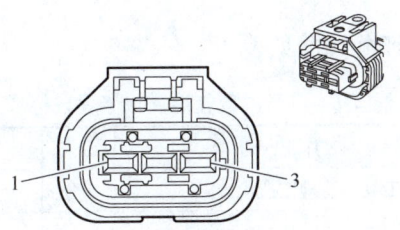

信号:

搭铁:

3. 使用T形线将进气温度传感器两个端子连接起来,打开点火开关,着车,记录测量结果,填写在表2-6中。

表2-6 进气温度传感器检测记录单

端子	测量参数 (电压、电流、电阻)	测量结果	标准值	结论
端子1				
端子3				

4. 通过实验,使用烧杯、温度计、电磁炉、进气温度传感器,描绘出进气温度传感器信号电压与进气温度之间的特性曲线。

15

四、任务评价

进气温度传感器检修评分标准见表2-7。

表2-7 进气温度传感器检修评分标准

序号	项目	操作内容	分值	得分	评分标准
1	准备	清点工具、清理工位	5分		酌情扣分
2	查阅维修手册	正确查阅维修手册,找到进气温度传感器的安装位置	5分		操作不当扣1~5分
3	测量进气温度传感器各针脚电压	1)在点火开关关闭的情况下断开进气温度传感器插头 2)使用T形线连接两个针脚 3)使用万用表测量各针脚参数,并正确记录 4)根据测量值和标准值得出正确结论	50分		操作不当扣1~50分
4	根据数据流画数据曲线	1)怠速、小负荷、中等负荷、大负荷、全负荷工况转速下对应的进气温度传感器信号电压 2)根据测量值绘制数据曲线	30分		操作不当扣1~30分
5	完成时间	40min	5分		超时1~5min扣1~5分
6	结束	工具清洁归位、工作场地清洁	5分		漏1项扣1分,未做扣5分 清洁不彻底扣1~5分,未做扣5分
	总分		100分		

工作页 2-5 电子节气门的检修

班　级		姓　名	
地　点		日　期	

一、收集信息

1. 请写出图中部件的名称。

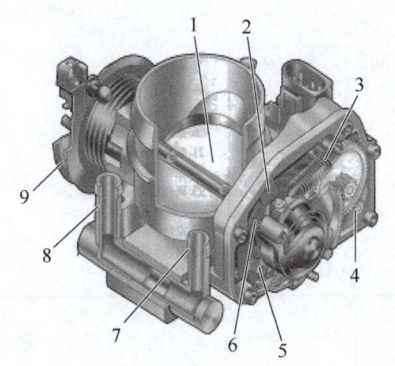

1-　　　　　　　　6-

2-　　　　　　　　7-

3-　　　　　　　　8-

4-　　　　　　　　9-

5-

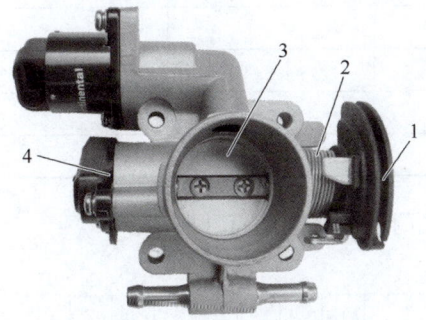

1-

2-

3-

4-

2. 节气门位置传感器常见的类型有：＿＿＿＿＿、＿＿＿＿＿。

3. 节气门驱动电机一般有＿＿＿＿＿电机或＿＿＿＿＿电机两种类型。

二、计划组织

小组组别	
设备工具	□ 发动机台架型号：＿＿＿＿＿ □ 整车型号：＿＿＿＿＿
组员分工	
准备工作	检查安全环保措施、熟悉布置工作场景

三、任务实施记录

1. 故障现象/故障码记录：_____

2. 通过查阅维修手册，请在下图中标出 1~6 个端子标号的含义。

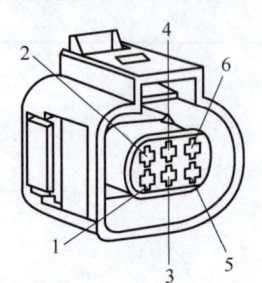

1：
2：
3：
4：
5：
6：

3. 使用 T 形线将节气门位置传感器 6 个端子连接起来，打开点火开关，着车，记录测量结果，填写在表 2-8 中。

表 2-8 节气门位置传感器检测记录单

端　子	测量参数 （电压、电流、电阻）	测 量 结 果	标 准 值	结　　论
端子 1				
端子 2				
端子 3				
端子 4				
端子 5				
端子 6				

4. 描绘出节气门位置传感器信号电压与节气门开度之间的特性曲线。

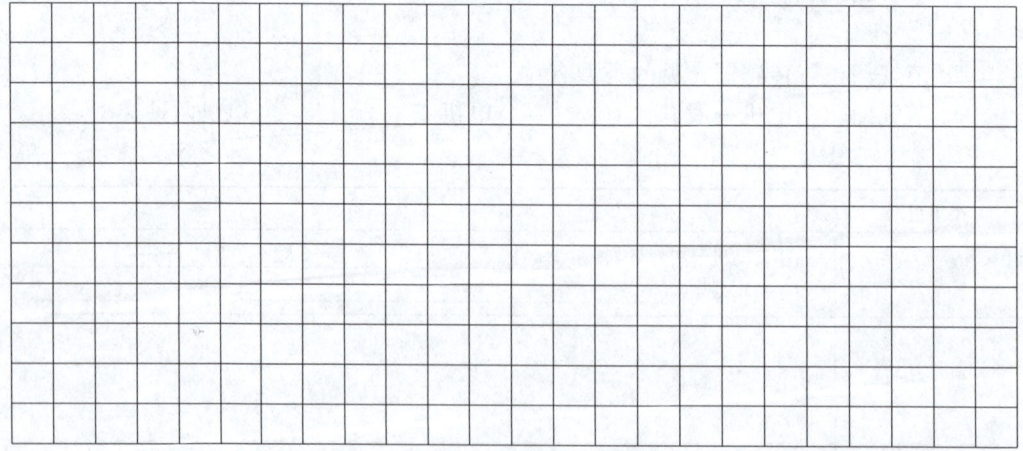

四、任务评价

电子节气门检修评分标准见表 2-9。

表 2-9 电子节气门检修评分标准

序号	项　目	操 作 内 容	分值	得分	评 分 标 准
1	准备	清点工具、清理工位	5 分		酌情扣分
2	查阅维修手册	正确查阅维修手册,找到节气门位置传感器的安装位置	5 分		操作不当扣 1~5 分
3	测量节气门位置传感器各针脚电压	1）在点火开关关闭的情况下断开进气温度传感器插头 2）使用 T 形线连接 5 个端子 3）使用万用表测量各端子参数,并正确记录 4）根据测量值和标准值得出正确结论	50 分		操作不当扣 1~50 分
4	根据数据流画数据曲线	1）怠速、小负荷、中等负荷、大负荷、全负荷工况转速下对应的节气门位置传感器信号电压 2）根据数据绘制数据曲线	30 分		操作不当扣 1~30 分
5	完成时间	40min	5 分		超时 1~5min 扣 1~5 分
6	结束	工具清洁归位、工作场地清洁	5 分		漏 1 项扣 1 分,未做扣 5 分 清洁不彻底扣 1~5 分,未做扣 5 分
		总分	100 分		

工作页 2-6 可变进气增压控制系统的检修

班　级		姓　名	
地　点		日　期	

一、收集信息

1. 可变进气增压控制系统能够实现发动机在高速运转和低速运转时对_____变化的要求，可变进气增压控制系统可分为_____增压控制系统和_____增压控制系统两种。

2. 请描述谐波增压控制系统的工作原理。

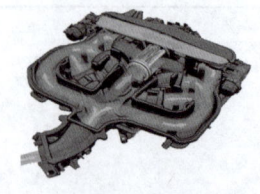

当发动机负荷_____，发动机转速低于3200r/min情况下，控制筒_____，空气通过左右两侧长进气道进入气缸。当发动机负荷高于50%，发动机转速在_____情况下，控制筒_____，控制单元根据发动机负荷和发动机转速，通过搭铁信号给谐振风门转换阀通电，谐振风门_____，部分气体进入谐振腔。当发动机负荷高于50%，发动机转速高于_____，控制筒_____，谐振风门_____，气体通过左右两侧长进气道，控制筒控制短进气道和谐振腔进气，实现增压。

3. 可变进气增压控制系统是利用改变进气管的_____或者_____来改变高低速时发动机进气量的大小，可分为_____系统和_____控制系统两种。

二、计划组织

小组组别	
设备工具	□ 发动机台架型号：_____ □ 整车型号：_____

（续）

组员分工	
准备工作	检查安全环保措施、熟悉布置工作场景

三、任务实施记录

1. 请记录实训设备可变进气增压控制系统类型。

2. 请根据实训设备写出进气路径。

四、任务评价

可变进气增压控制系统检修评分标准见表2-10。

表2-10 可变进气增压控制系统检修评分标准

序号	项 目	部 件 名 称	分值	得分	评分标准
1	部件认知	真空电磁阀	5分		满分为40分，一次性找到该部件得分，如果该车型未装该部件回答正确得分，否则不得分
		真空膜盒	5分		
		执行器总成	5分		
		谐振腔	5分		
		谐振风门	5分		
		控制筒	5分		
		转换阀	5分		
		进气道	5分		
2	进气气流路径		40分		根据该车型具体情况，写出空气进入气缸所经过的所有部件名称，并用"→"标注气流流向，填写错误1处扣5分，扣完为止
3	口试提问	1) 请描述本实训设备采用的是哪种可变进气增压控制系统 2) 请描述本实训设备可变进气增压控制系统的原理	20分		
		总分	100分		

工作页 2-7　废气涡轮增压控制系统的检修

班　级		姓　名	
地　点		日　期	

一、收集信息

1. 废气涡轮增压控制系统是利用发动机_____来驱动增压装置进行工作的，废气涡轮增压控制系统主要由_____、_____和_____组成。

2. 废气涡轮增压控制系统工作原理。

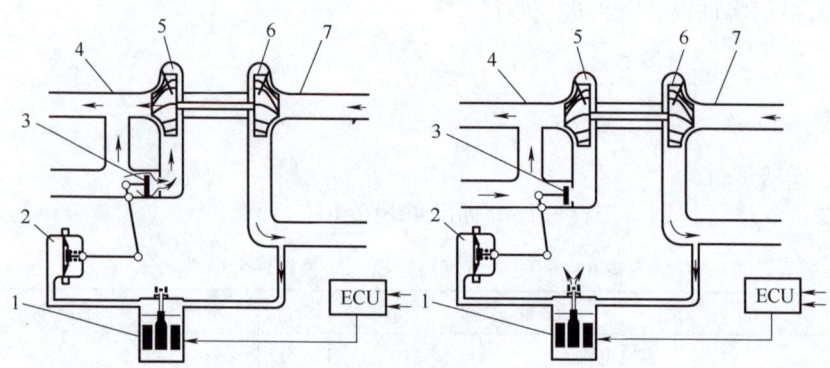

当需要涡轮增压器工作时，ECU 控制增压压力_____关闭，此时由涡轮增压器出口引入的压力空气，经增压压力_____进入驱动气室，克服气室弹簧的压力推动旁通阀关闭_____，此时废气流经涡轮室使_____工作。当增压压力高于设定压力时，ECU 控制增压压力控制_____打开，通往驱动气室的压力空气被切断，在气室弹簧力的作用下，打开_____通口，废气不经涡轮室直接排出，增压器停止工作，进气压力下降，直到进气压力降至规定的压力时，ECU 又将增压压力控制电磁阀关闭，排气旁通口打开，废气涡轮增压器又开始工作。

3. 写出下面部件的名称，并说出其主要功用。

外　形	名　称	功　用

二、计划组织

小组组别	
设备工具	□ 发动机台架型号：_____ □ 整车型号：_____
组员分工	
准备工作	检查安全环保措施、熟悉布置工作场景

三、任务实施记录

1. 请记录实训设备采用的废气涡轮增压控制系统类型。

2. 请根据实训设备写出进气路径。

四、任务评价

废气涡轮增压控制系统检修评分标准见表2-11。

表2-11 废气涡轮增压控制系统检修评分标准

序号	项 目	部 件 名 称	分值	得分	评分标准
1	部件认知	空气滤清器	5分		一次性找到该部件得分，如果该车型未装该部件回答正确得分，否则不得分
		进气温度传感器	5分		
		进气歧管压力传感器	5分		
		节气门体	5分		
		节气门位置传感器	5分		
		节气门电机	5分		
		空气流量传感器	5分		
		废气涡轮增压器	5分		
		增压空气冷却器	5分		
		进气歧管	5分		
2	进气气流路径		50分		根据该车型具体情况，写出空气进入气缸所经过的所有部件名称，并用"→"标注气流流向，填写错误1处扣5分，共计50分，扣完为止
	总分		100分		

工作页 2-8　可变进气系统的检修

班　级		姓　名	
地　点		日　期	

一、收集信息

1. _____只能改变气门开闭的时刻，不能改变气门开启持续的时间，气门重叠角可变。_____对气门开启的大小进行调节，进而改变单位时间内的进气量。

2. 请写出下列数字所代表的部件名称。

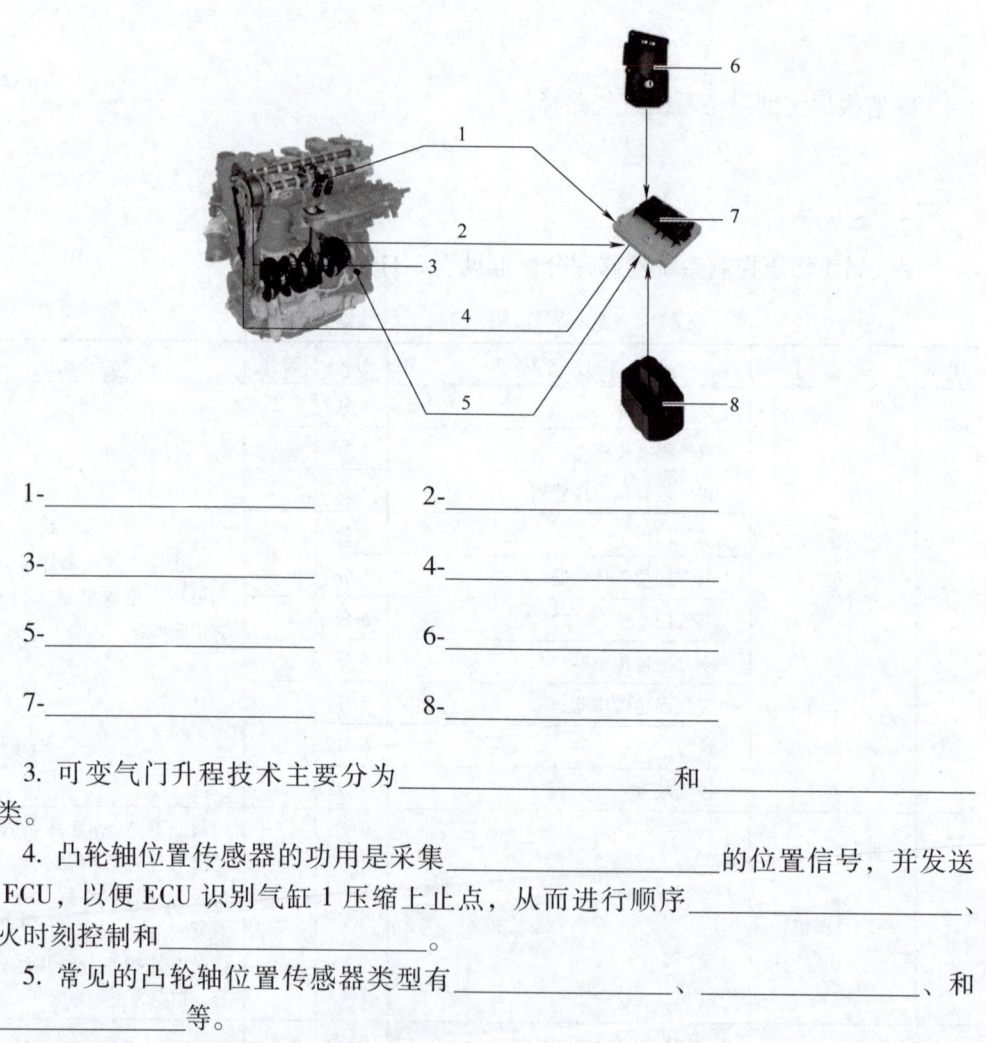

1-_____　　　　　　2-_____

3-_____　　　　　　4-_____

5-_____　　　　　　6-_____

7-_____　　　　　　8-_____

3. 可变气门升程技术主要分为_____和_____两类。

4. 凸轮轴位置传感器的功用是采集_____的位置信号，并发送到 ECU，以便 ECU 识别气缸 1 压缩上止点，从而进行顺序_____、点火时刻控制和_____。

5. 常见的凸轮轴位置传感器类型有_____、_____和_____等。

6. 请根据下图简述可变进气升程系统的工作原理。

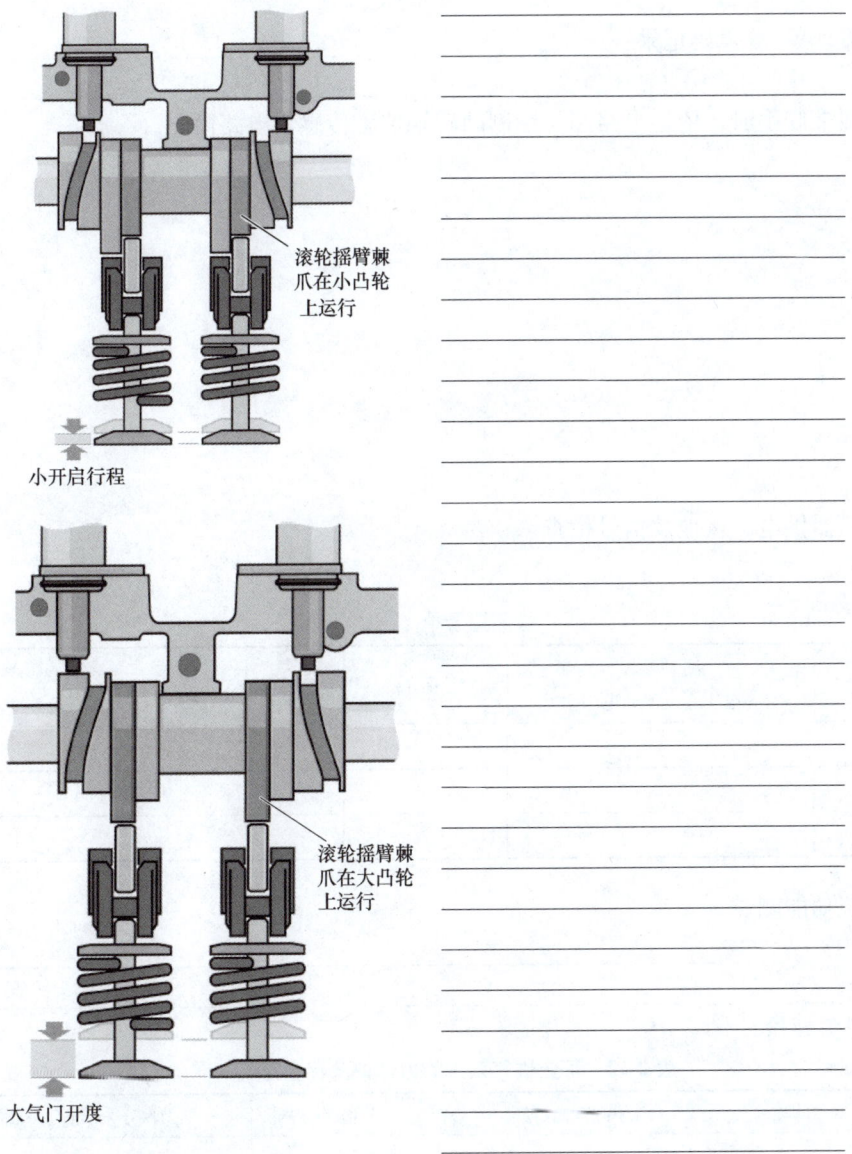

二、计划组织

小组组别	
设备工具	☐ 发动机台架型号：_____ ☐ 整车型号：_____
组员分工	
准备工作	检查安全环保措施、熟悉布置工作场景

三、任务实施记录

1. 故障现象/故障码记录：_____

_____

2. 查阅维修手册，依据电路图，绘制凸轮轴位置传感器电路简图。

3. 传感器供电、接地及信号检查。

检测记录单

测试端子号	测量参数 （电压、电流、电阻）	测量结果	标准值（V）	结论

4. 系统功能测试。

测试记录：_____

_____

四、任务评价

表 2-12 可变进气系统的检修评分标准

序号	项目	操作内容	分值	得分	评分标准
1	职业素养	基本礼仪	5 分		酌情扣分
		工位准备（工具、设备、仪器）	5 分		
		维修手册及资料准备	5 分		
		工装及安全防护准备	5 分		
2	工作任务单 理解及填写	明确任务内容、操作要求	5 分		理解及填写不当扣 1~ 10 分
		根据任务要求，确认故障现象	5 分		
3	查阅维修手册	正确查阅维修手册，找到凸轮轴位置传感器安装位置	5 分		酌情扣分
		查阅电路图，绘制电路简图	5 分		酌情扣分

(续)

序号	项 目	操作内容	分值	得分	评分标准
4	诊断作业	正确连接故障诊断仪	5分		操作不当扣1~5分
		正确读取故障码、数据流并记录	5分		不会读取不得分；记录错误、未记录扣5分
		正确测试凸轮轴位置传感器波形图并分析结论	5分		不会读取不得分；分析错误、记录错误、未记录扣5分
5	检查作业	对凸轮轴位置传感器部件外观进行检查	5分		漏检1处或检查不当，扣2~5分
6	检修作业	凸轮轴位置传感器供电电压检测	5分		满分25分，检测不当或错误扣5分
		凸轮轴位置传感器信号电电压测量	5分		
		凸轮轴位置传感器搭铁测量	5分		
		记录检测结果，并判断故障部位	5分		
		更换、修理故障部件	5分		
7	质检作业	检查操作完成情况及维修质量	10分		漏检、检查方法不当，扣2~5分，未检查不得分
8	6S作业	工作场地清洁 工具、设备及仪器整理清洁 检修车辆复位	5分		清洁复位不到位，扣2~5分，未操作扣5分
		总分	100分		

工作页 3-1　燃油供给系统的认知

班　级		姓　名	
地　点		日　期	

一、收集信息

1. 请写出燃油供给系统的类型。

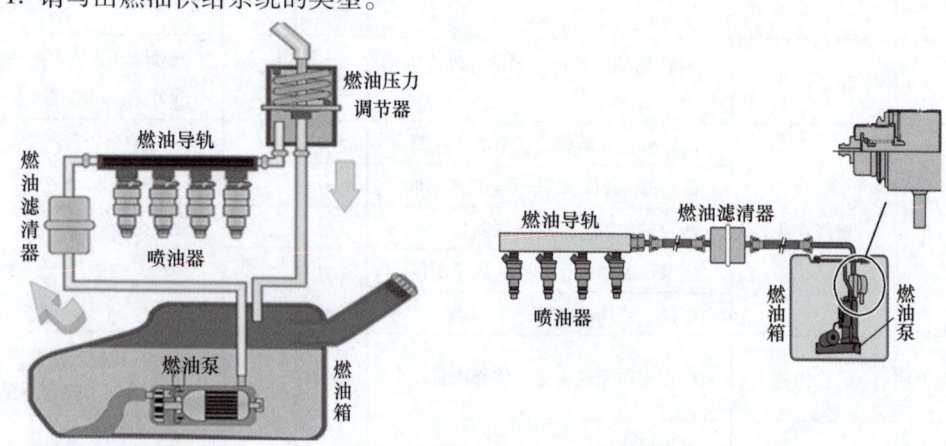

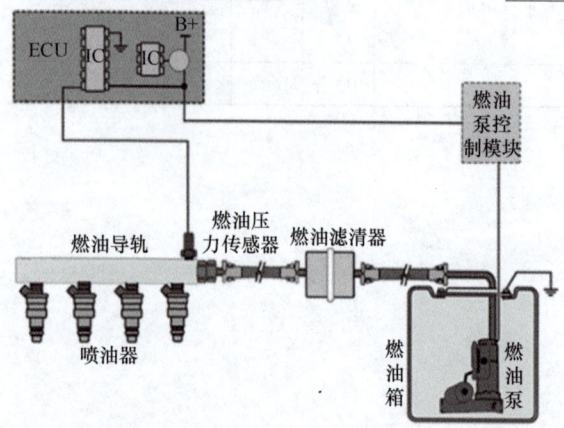

_____

2. 写出燃油供给系统的作用和组成。

_____

_____

_____

二、计划组织

小组组别	
设备工具	□ 发动机台架型号： □ 整车型号：

28

(续)

组员分工	
准备工作	检查安全环保措施、熟悉布置工作场景

三、任务实施记录

请根据实训所用的发动机画出燃油供给系统的结构图。

四、任务评价

燃油供给系统部件认知评分标准见表3-1。

表3-1 燃油供给系统部件认知评分标准

序号	项 目	部 件 名 称	分值	得分	评 分 标 准
1	部件认知	燃油箱	7分		
2	部件认知	汽油泵（低压）	7分		
3	部件认知	燃油滤清器	7分		
4	部件认知	高压油泵	7分		
5	部件认知	燃油压力传感器	7分		一次性找到该部件得分，如果该车型未装该部件回答正确得分，否则不得分
6	部件认知	燃油压力调节阀	7分		
7	部件认知	燃油压力调节器	7分		
8	部件认知	喷油器	7分		
9	部件认知	油泵继电器	7分		
10	部件认知	回油管	7分		
11	口试	燃油系统常见的类型有哪些？	10分		酌情扣分
12	口试	直喷发动机燃油供给系统有何特点？	10分		酌情扣分
13	口试	不同的回油方式有何特点？	10分		酌情扣分
		总分	100分		

工作页 3-2　燃油泵及控制电路的检修

班　级		姓　名	
地　点		日　期	

一、收集信息

1. 电动燃油泵的作用是从油箱中_____，并为燃油供给系统建立_____。电动燃油泵是由一种小型直流电动机驱动的油泵。电动机和燃油泵做成一体，密封在一个泵壳内。

2. 燃油泵主要由_____、_____和_____三部分组成。

3. 写出以下燃油泵的类型。

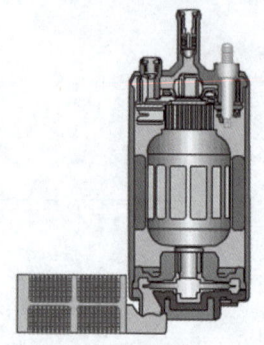 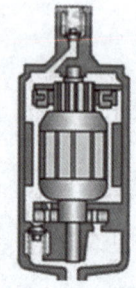 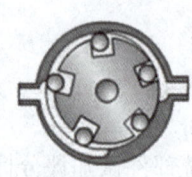

_____　　　　　_____　　　　　_____

4. 电控燃油喷射发动机喷油器的燃油是由电动燃油泵提供的，电动燃油泵的工作也是受控制的。电动燃油泵的控制方式常用的有以下几种：

序　号	名　称	特　点
1		
2		
3		
4		
5		

5. 写出下列部件名称。

 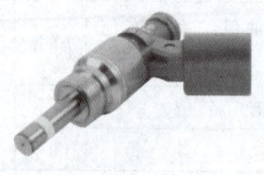 

_____　　　　　_____　　　　　_____

二、计划组织

小组组别	
设备工具	□ 发动机台架型号：_____ □ 整车型号：_____
组员分工	
准备工作	检查安全环保措施、熟悉布置工作场景

三、任务实施记录

1. 故障现象：_____

2. 相关故障码/数据流记录：_____

3. 查阅电路图绘制油泵控制电路。

4. 燃油泵不能正常工作，将不能为燃油供给系统提供低压燃油，发动机将不能起动或起动后熄火，造成燃油泵不工作的原因有：

_____

_____

5. 使用万用表，打开点火开关，记录测量结果，填写在表3-2中。

表3-2 燃油泵检测记录单

端　子	测量参数 （电压、波形）	测量结果	标准值	结　论
端子1				
端子2				

（续）

端　子	测量参数 （电压、波形）	测 量 结 果	标准值	结　论
端子3				
端子4				
端子5				
端子6				
端子7				

6. 依据以上测量，进行下一步诊断测试，并明确故障点。

7. 故障机理。

四、任务评价

燃油泵检修评分标准见表3-3。

表3-3　燃油泵检修评分标准

序号	项　目	操 作 内 容	分值	得分	评 分 标 准
1	准备	清点工具、清理工位	5分		酌情扣分
2	查阅维修手册	正确查阅维修手册，找到燃油泵、控制模块的安装位置	5分		操作不当扣1~5分
3	测量	1) 在点火开关关闭的情况下断开插头 2) 使用T形线连接端子 3) 使用万用表测量各端子参数，并正确记录 4) 根据测量值和标准值得出正确结论	50分		操作不当扣1~50分
4	得出故障点，写出故障机理	1) 故障点位置和性质准确 2) 故障机理准确	30分		操作不当扣1~30分
5	完成时间	40min	5分		超时1~5min扣1~5分
6	结束	工具清洁归位、工作场地清洁	5分		漏1项扣1分，未做扣5分 清洁不彻底扣1~5分，未做扣5分
		总分	100分		

工作页 3-3　燃油压力调节器的检修

班　级		姓　名	
地　点		日　期	

一、收集信息

1. 燃油供给系统通过_____稳定喷油压力（即燃油导轨内部油压与进气歧管真空度的压力差），使电子燃油喷射系统只通过控制喷油器的_____就可精确控制喷油量。

2. 真空式燃油压力调节器一般应用在_____的燃油系统中。其结构一般由金属壳体、膜片（膜片将壳体内腔分成一个燃油室和一个真空室）、预紧弹簧和球阀等组成。

3. 燃油压力传感器原理。

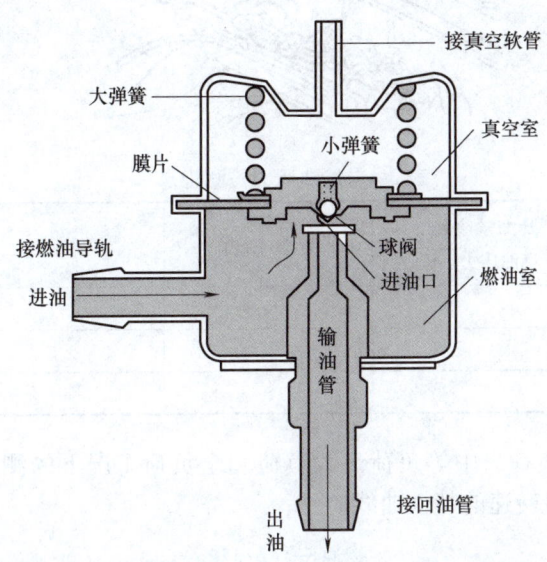

真空式燃油压力调节器通过进气歧管_____的变化来改变回油量，从而改变_____。当发动机节气门开度较小时，进气歧管内真空度较大，膜片克服弹簧的弹力向上运动，球阀打开，开始_____。反之，停止回油。这样可以使燃油导轨内部油压随着进气歧管的压力变化而变化，以保证喷油器的_____恒定。

二、计划组织

小组组别	
设备工具	□ 发动机台架型号：_____ □ 整车型号：_____
组员分工	
准备工作	检查安全环保措施、熟悉布置工作场景

三、任务实施记录

1. 故障现象/故障码/数据流记录：_____
_____

2. 通过查阅维修手册，请写出燃油压力卸除的方法。
1）松开油箱上的加油盖，释放油箱中的蒸气压力。
2）_____。
3）_____。
4）关闭点火开关，装上油泵继电器或熔断丝或电动油泵导线插头。

3. 测量燃油压力，记录测量结果，填写在表3-4中。

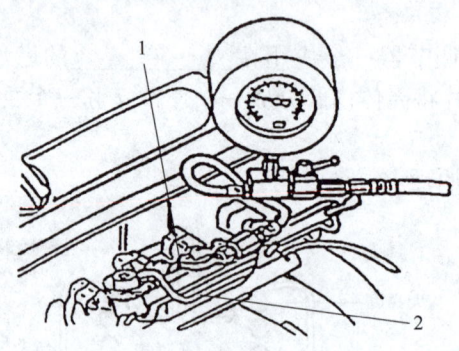

表3-4　燃油压力检测记录单

条　件	测量参数 （燃油压力/MPa）	测　量　结　果	标准值	结　　论
怠速				
加速至2000r/min				
加速至3000r/min				

4. 从怠速、小负荷、中等负荷、大负荷和全负荷工况下的测量燃油压力，描绘出燃油压力与发动机转速的特性曲线。

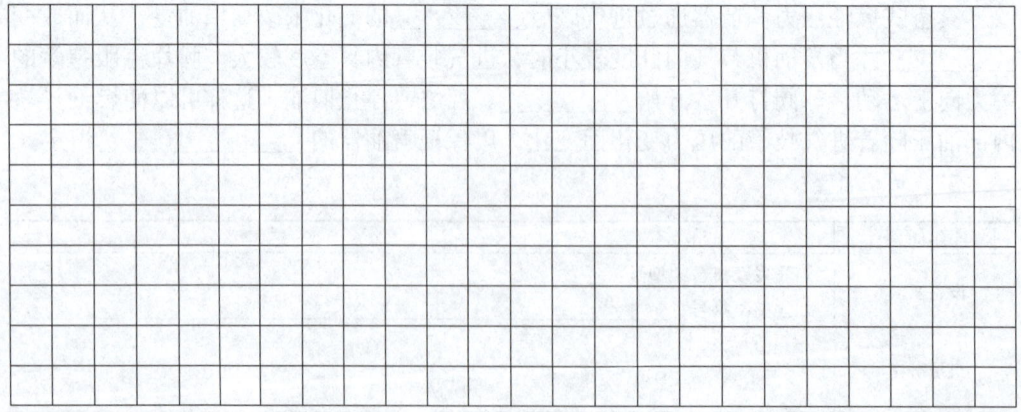

四、任务评价

燃油压力调节器检修评分标准见表3-5。

表3-5 燃油压力调节器检修评分标准

序号	项目	操作内容	分值	得分	评分标准
1	准备	清点工具、清理工位	5分		酌情扣分
2	查阅维修手册	正确查阅维修手册,找到测试方法	5分		操作不当扣1~5分
3	测量各端子电压	1）泄压方法正确 2）连接燃油压力表 3）测量各个工况燃油压力,并正确记录 4）根据测量值和标准值得出正确结论	50分		操作不当扣1~50分
4	根据测量结果画数据曲线	1）怠速、小负荷、中等负荷、大负荷、全负荷工况转速下对应的燃油压力 2）将测量值绘制在表格中	30分		操作不当扣1~30分
5	完成时间	40min	5分		超时1~5min扣1~5分
6	结束	工具清洁归位、工作场地清洁	5分		漏1项扣1分,未做扣5分 清洁不彻底扣1~5分,未做扣5分
		总分	100分		

工作页 3-4　缸外喷射喷油器的检修

班　级		姓　名	
地　点		日　期	

一、收集信息

1. 电磁式喷油器的功用是按照_____的指令将一定数量的燃油以雾状的形式适时地喷入_____，并与其中的空气混合形成可燃混合气。

2. 完成下表，根据喷油器线圈电阻阻值的不同分为低阻型和高阻型喷油器。

类　型	阻　值	使用要求
低阻型喷油器		
高阻型喷油器		

3. 结合下图，写出喷油器的工作原理。

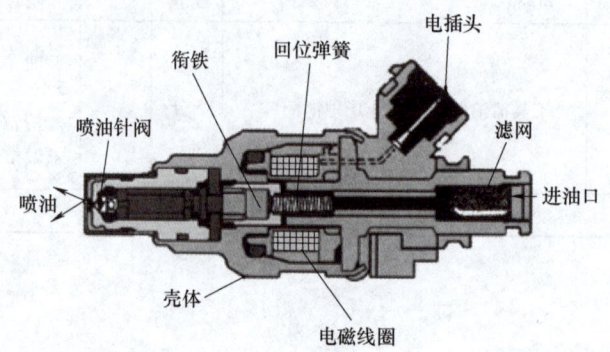

工作原理：_____
_____
_____

二、计划组织

小组组别	
设备工具	□ 发动机台架型号： □ 整车型号：
组员分工	
准备工作	检查安全环保措施、熟悉布置工作场景

三、任务实施记录

1. 故障现象/故障码/数据流记录：_____

2. 通过查阅电路图，绘制喷油器控制电路。

3. 使用万用表对喷油器及控制电路进行测量，记录测量结果，填写在表 3-6 中。

表 3-6　喷油器检测记录单

针　　脚	测量参数 （电压、电流、电阻）	测 量 结 果	标 准 值	结　论
喷油器				
供电				
电路				

4. 使用示波器测量喷油器波形。

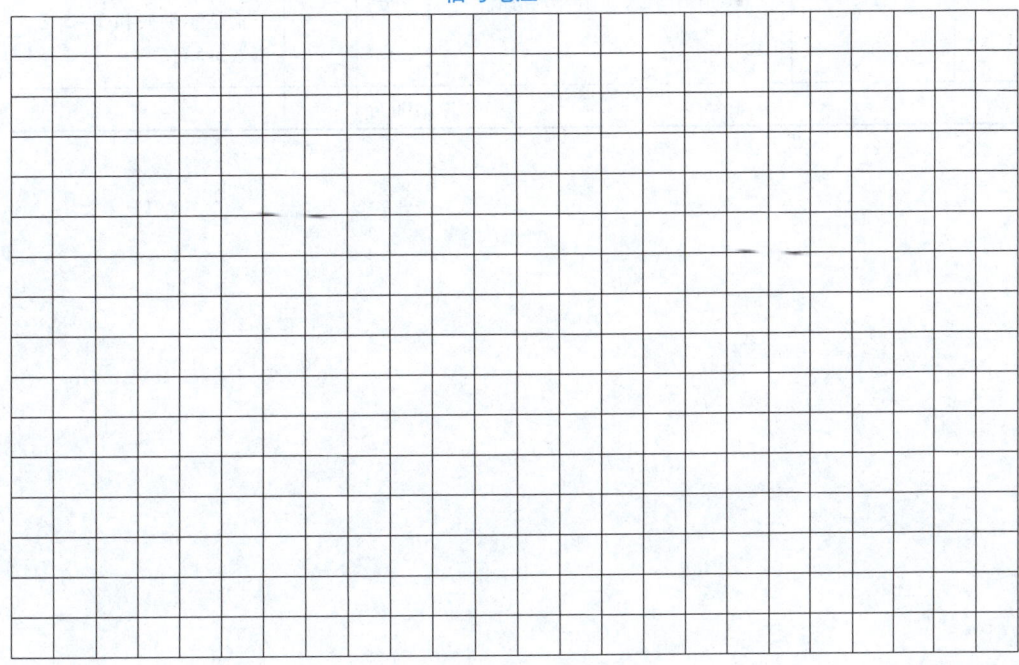

信号电压 u/V

时间 t/s

四、任务评价

喷油器检修评分标准见表 3-7。

表 3-7 喷油器检修评分标准

序号	项 目	操 作 内 容	分值	得分	评 分 标 准
1	准备	清点工具、清理工位	5 分		酌情扣分
2	查阅维修手册	正确查阅维修手册，找到喷油器的安装位置	5 分		操作不当扣 1~5 分
3	测量各端子电压	1）在点火开关关闭的情况下断开插头 2）使用 T 形线连接两个端子 3）使用万用表测量各端子参数，并正确记录 4）根据测量值和标准值得出正确结论	50 分		操作不当扣 1~50 分
4	绘制波形	1）怠速、小负荷、中等负荷、大负荷、全负荷工况转速下测量喷油器波形 2）将波形绘制在表格中	30 分		操作不当扣 1~30 分
5	完成时间	40min	5 分		超时 1~5min 扣 1~5 分
6	结束	工具清洁归位、工作场地清洁	5 分		漏 1 项扣 1 分，未做扣 5 分 清洁不彻底扣 1~5 分，未做扣 5 分
	总分		100 分		

工作页 3-5　高压油泵和燃油压力调节阀的检修

班　级		姓　名	
地　点		日　期	

一、收集信息

1. 高压喷油系统是直喷发动机最关键的系统，与以前油气在进气歧管内混合，然后被负压吸入的发动机不同，直喷发动机是用_____将燃油喷入气缸，由于气缸内压力已经很大，因此需要喷油系统具备更大的压力。高压喷油系统主要可以分为 ECM、_____、_____和喷油器四部分。

2. 高压油泵在缸内直喷发动机燃油系统中，可以将低压燃油进行_____，并且燃油压力调节阀与高压油泵制成一体，燃油压力调节阀根据发动机的各工况需求调节_____，最终将燃油压力升为_____，高压油泵一般安装在凸轮轴的一端或侧面。

3. 缸内直喷汽油发动机所用的高压油泵一般由两部分组成，一是_____，一般受凸轮轴驱动。二是_____，受发动机 ECU 控制。

4. 写出高压油泵的工作原理。

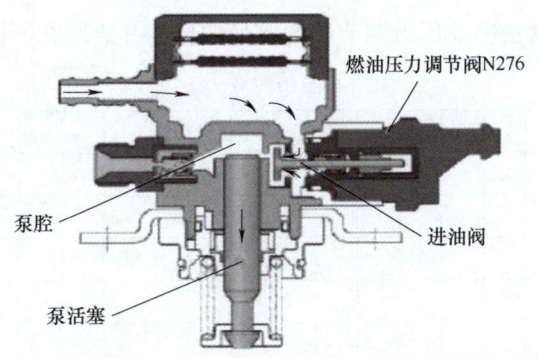

二、计划组织

小组组别	
设备工具	□ 发动机台架型号：_____ □ 整车型号：_____
组员分工	
准备工作	检查安全环保措施、熟悉布置工作场景

三、任务实施记录

1. 故障现象/故障码/数据流/动作测试记录：_____

2. 通过查阅电路图，绘制燃油压力调节阀的控制电路图。

3. 使用万用表测燃油压力调节阀及电路，记录测量结果，填写在表 3-8 中。

表 3-8 燃油压力调节阀检测记录单

端　子	测量参数 （电压、电流、电阻）	测　量　结　果	标准值	结　　论
端子 1				
端子 2				

4. 使用示波器测量燃油压力调节阀的信号波形，并绘制在下面的表格中。

信号电压 u/V

时间 t/s

四、任务评价

燃油压力调节阀检修评分标准见表3-9。

表3-9 燃油压力调节阀检修评分标准

序号	项目	操作内容	分值	得分	评分标准
1	准备	清点工具、清理工位	5分		酌情扣分
2	查阅维修手册	正确查阅维修手册,找到燃油压力调节阀的安装位置	5分		操作不当扣1~5分
3	测量各针脚电压	1)在点火开关关闭的情况下断开插头 2)使用T形线连接两个端子 3)使用万用表测量各端子参数,并正确记录 4)根据测量值和标准值得出正确结论	50分		操作不当扣1~50分
4	绘制波形	1)怠速、小负荷、中等负荷、大负荷、全负荷工况转速下对其信号波形进行测量 2)将测量波形绘制在表格中	30分		操作不当扣1~30分
5	完成时间	40min	5分		超时1~5min扣1~5分
6	结束	工具清洁归位、工作场地清洁	5分		漏1项扣1分,未做扣5分 清洁不彻底扣1~5分,未做扣5分
	总分		100分		

工作页 3-6　燃油压力传感器的检修

班　级		姓　名	
地　点		日　期	

一、收集信息

1. 在缸内直喷汽油发动机的燃油供给系统中，由于高压油泵和燃油压力调节阀需要根据发动机工况的需求调节燃油压力，为此需要通过_____对燃油压力进行检测。燃油压力传感器一般用于检测高压燃油的压力，一般安装在_____。

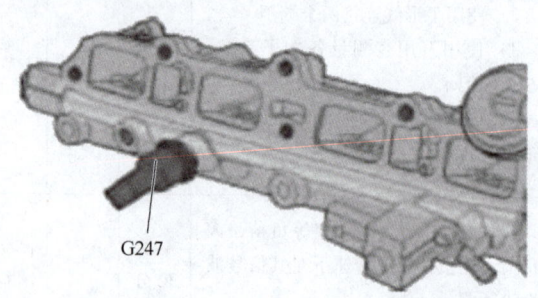

G247

2. 燃油压力传感器一般由壳体、插头、ASIC、接触桥片、隔块、印刷电路板、应变电阻和压力接口等组成。燃油压力传感器的核心就是传感器元件，在元件中有一钢膜，在钢膜上镀有_____。燃油压力经压力接口作用到钢膜的一侧时，由于钢膜弯曲，就引起应变电阻的_____发生变化。

3. 发动机 ECU 给传感器供电，供电电压为_____。当燃油压力较低时，信号电压较低，当燃油压力较高时，电压_____。信号电压在 0.3~4.65V 范围内变化。当电压值低于 0.25V 或高于 4.75V 时，说明传感器或电路_____，发动机 ECU 将记录故障码。

二、计划组织

小组组别	
设备工具	□ 发动机台架型号： □ 整车型号：
组员分工	
准备工作	检查安全环保措施、熟悉布置工作场景

三、任务实施记录

1. 故障现象/故障码/数据流/动作测试记录：
_____
_____

2. 通过查阅电路图，绘制燃油压力传感器的控制电路图。

3. 使用万用表测燃油压力传感器及电路，记录测量结果，填写在表 3-10 中。

表 3-10　燃油压力传感器检测记录单

端　　子	测量参数 （电压、电流、电阻）	测 量 结 果	标 准 值	结　　论
端子 1				
端子 2				
端子 3				

4. 使用示波器测量燃油压力传感器的信号波形，并绘制在下面的表格中。

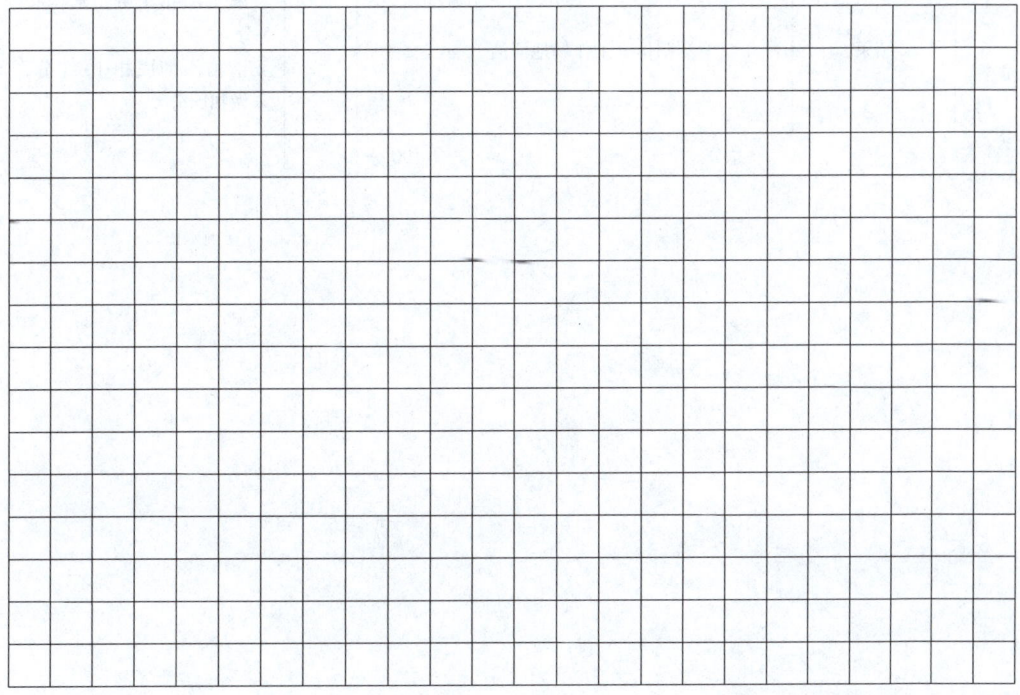

信号电压 u/V

转速 n/(r/min)

四、任务评价

燃油压力传感器检修评分标准见表3-11。

表 3-11 燃油压力传感器检修评分标准

序号	项目	操作内容	分值	得分	评分标准
1	准备	清点工具、清理工位	5分		酌情扣分
2	查阅维修手册	正确查阅维修手册,找到燃油压力传感器的安装位置	5分		操作不当扣1~5分
3	测量各针脚电压	1)在点火开关关闭的情况下断开插头 2)使用T形线连接三个端子 3)使用万用表测量各端子参数,并正确记录 4)根据测量值和标准值得出正确结论	50分		操作不当扣1~50分
4	根据数据流画数据曲线	1)怠速、小负荷、中等负荷、大负荷、全负荷工况转速下对其信号波形进行测量 2)将测量波形绘制在表格中	30分		操作不当扣1~30分
5	完成时间	40min	5分		超时1~5min扣1~5分
6	结束	工具清洁归位、工作场地清洁	5分		漏1项扣1分,未做扣5分 清洁不彻底扣1~5分,未做扣5分
	总分		100分		

工作页 3-7　缸内直喷喷油器的检修

班　级		姓　名	
地　点		日　期	

一、收集信息

1. 缸内直喷式发动机所使用的喷油器为_____高压喷油器，其工作电压为_____以上，可以把高压的燃油直接喷入气缸，安装位置在气缸盖上。

2. 缸内直喷喷油器与缸外喷射喷油器类似，一般由插接器、滤网、电磁线圈、密封圈、衔铁、喷油器针和压力弹簧等组成。该喷油器的工作电压受_____控制，在 ECU 内部通过 DC 进行升压至_____，当需要喷油时，发动机 ECU 将给喷油器的电磁线圈通电，所产生的磁力将针阀吸起，喷油器开始喷油。

3. 依据下图，说明工作原理。

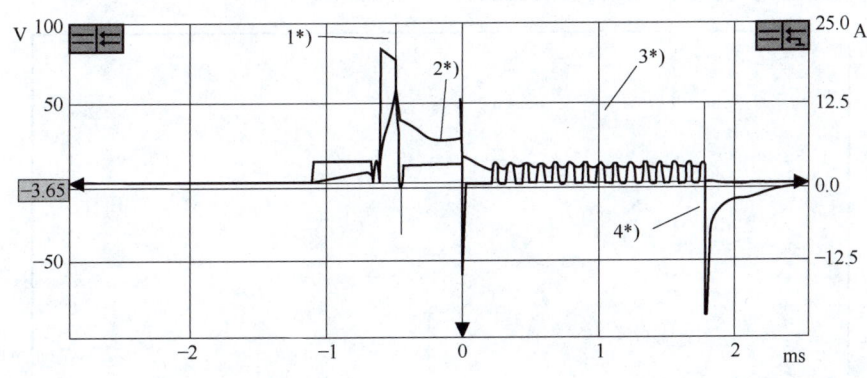

工作原理：
_____
_____
_____
_____

二、计划组织

小组组别	
设备工具	□发动机台架型号：_____ □整车型号：_____
组员分工	
准备工作	检查安全环保措施、熟悉布置工作场景

三、任务实施记录

1. 故障现象/故障码/数据流/动作测试记录：

_____

_____

2. 通过查阅电路图，绘制喷油器的控制电路图。

3. 使用万用表测量喷油器及电路，记录测量结果，填写在表3-12中。

表3-12 缸内直喷喷油器检测记录单

端 子	测量参数（电压、电流、电阻）	测量结果	标准值	结 论
端子1				
端子2				
电路				

4. 使用示波器测量喷油器的信号波形,并绘制在下面的表格中。

信号电压 u/V

时间 t/s

四、任务评价

喷油器检修评分标准见表3-13。

表3-13 喷油器检修评分标准

序号	项目	操作内容	分值	得分	评分标准
1	准备	清点工具、清理工位	5分		酌情扣分
2	查阅维修手册	正确查阅维修手册,找到喷油器的安装位置	5分		操作不当扣1~5分
3	测量各针脚电压	1)在点火开关关闭的情况下断开插头 2)使用T形线连接两个端子 3)使用万用表测量各端子参数,并正确记录 4)根据测量值和标准值得出正确结论	50分		操作不当扣1~50分
4	根据数据流画数据曲线	1)急速、小负荷、中等负荷、大负荷、全负荷工况转速下对其信号波形进行测量 2)将测量波形绘制在表格中	30分		操作不当扣1~30分
5	完成时间	40min	5分		超时1~5min扣1~5分
6	结束	工具清洁归位、工作场地清洁	5分		漏1项扣1分,未做扣5分 清洁不彻底扣1~5分,未做扣5分
		总分	100分		

工作页 3-8 冷却液温度传感器的检修

班　级		姓　名	
地　点		日　期	

一、收集信息

1. 冷却液温度传感器将被测对象的_____转换成_____信号，以使电子控制单元能进行与_____相关的控制或修正。

2. 目前，应用最多的是_____热敏电阻式温度传感器，其特点是电阻值随温度的上升而_____。

3. 请根据冷却液温度传感器电路图，绘制电路简图。并计算，当冷却液温度为 20℃，NTC 电阻为 2.5kΩ 时，信号电压为多少；当冷却液温度为 80℃，NTC 电阻为 300Ω 时，信号电压为多少。

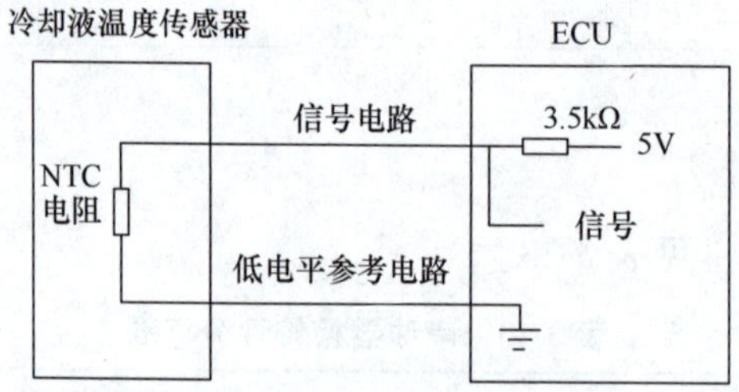

冷却液温度传感器　ECU
NTC 电阻
信号电路　3.5kΩ　5V
低电平参考电路　信号

电路简图

计算：

二、计划组织

小组组别	
设备工具	□发动机台架型号：_____ □整车型号：_____
组员分工	
准备工作	检查安全环保措施、熟悉布置工作场景

三、任务实施记录

1. 故障现象/故障码/数据流/动作测试记录：

2. 通过查阅电路图，绘制冷却液温度传感器的控制电路图。

3. 使用万用表测量冷却液温度传感器及线路，记录测量结果，填写在表3-14中。

表3-14 冷却液温度传感器检测记录单

端　子	测量参数（电压、电流、电阻）	测量结果	标准值	结　论

4. 通过加热方式测量冷却液温度传感器温度与电阻关系图，并绘制在下面的表格中。

四、任务评价

冷却液温度传感器检修评分标准见表3-15。

表3-15 冷却液温度传感器检修评分标准

序号	项目	操作内容	分值	得分	评分标准
1	准备	清点工具、清理工位	5分		酌情扣分
2	查阅维修手册	正确查阅维修手册，找到冷却液温度传感器的安装位置	5分		操作不当扣1~5分
3	测量各端子电压	1）在点火开关关闭的情况下断开插头（5min） 2）使用T形线连接2个端子（10min） 3）使用万用表各端子参数，并正确记录（25min） 4）根据测量值和标准值得出正确结论（10min）	50分		操作不当扣1~50分
4	根据温度与电阻值变化，汇总温度-电阻曲线	1）分别绘制0℃、20℃、40℃、60℃、80℃、100℃对应的冷却液温度传感器电阻值（25min） 2）将测量波形绘制在表格中（5min）	30分		操作不当扣1~30分
5	完成时间	40min	5分		超时1~5min扣1~5分
6	结束	工具清洁归位、工作场地清洁	5分		漏1项扣1分，未做扣5分 清洁不彻底扣1~5分，未做扣5分
		总分	100分		

工作页 4-1 电控点火系统的认知

班　级		姓　名	
地　点		日　期	

一、收集信息

1. 点火系统主要由_____、_____和_____三部分组成，电控点火系统的主要作用是_____。

2. 请写出下列数字所代表的部件名称。

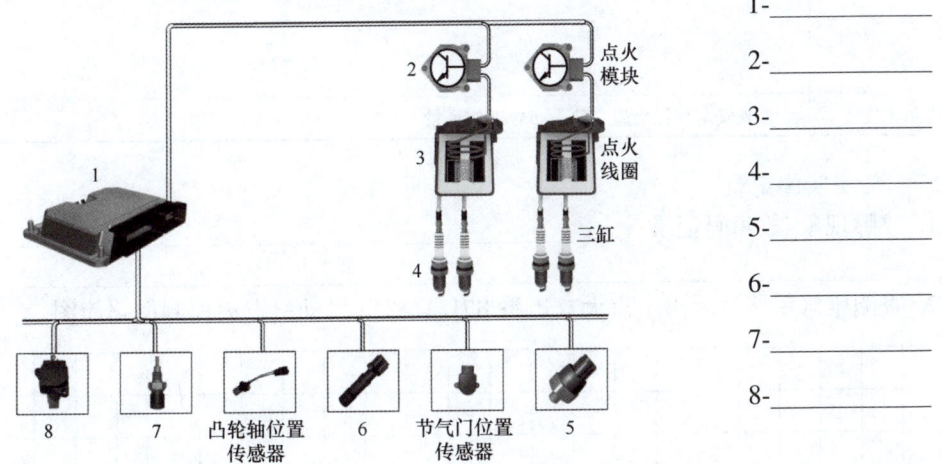

1-_____
2-_____
3-_____
4-_____
5-_____
6-_____
7-_____
8-_____

3. 看图写出电控点火系统的工作过程。

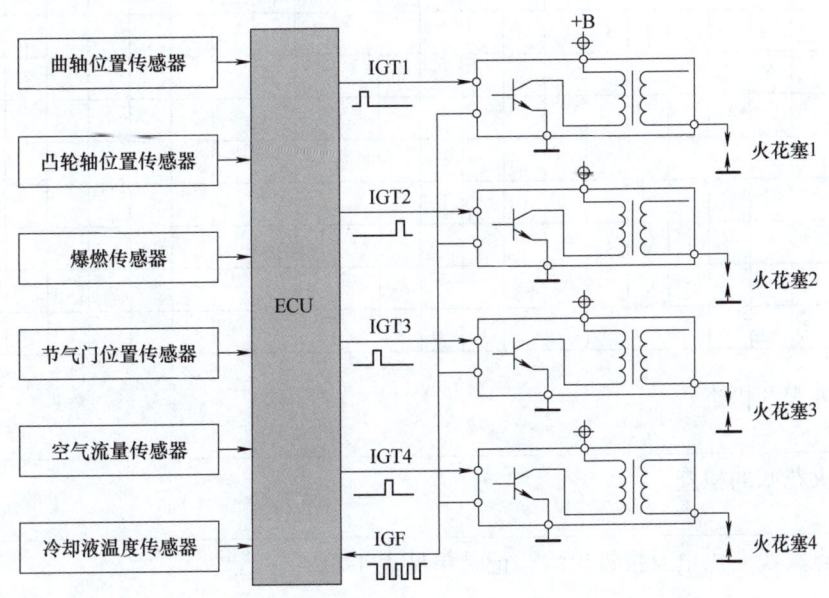

二、计划组织

小组组别	
设备工具	□发动机台架型号： □整车型号：
组员分工	
准备工作	检查安全环保措施、熟悉布置工作场景

三、任务实施记录

1. 故障现象/故障码记录：_____

2. 查阅维修手册，画出一汽大众迈腾 B7L 1.8TSI 发动机点火控制电路简图。

3. 外观的检查。

4. 火花塞的检查。

5. 点火线圈供电及搭铁检测，记录单见表 4-1。

表 4-1 点火线圈供电及搭铁检测记录单

检查项目	测量参数（电压、电流、电阻）	测量结果	标准值	结论
供电端子				
搭铁端子				

四、任务评价

电控点火系统认知评分标准见表4-2。

表 4-2 电控点火系统认知评分标准

序号	项目	操作内容	分值	得分	评分标准
1	职业素养	基本礼仪	5分		酌情扣分
		工位准备（工具、设备、仪器）	5分		
		维修手册及资料准备	5分		
		工装及安全防护准备	5分		
2	工作任务单理解及填写	明确任务内容、操作要求	5分		理解及填写不当扣1~5分
3	电路识图	正确查阅维修手册	5分		酌情扣分
		理解电控点火系统控制策略	5分		酌情扣分
		绘制电路简图	5分		酌情扣分
4	诊断作业	正确连接故障诊断仪	5分		操作不当扣1~5分
		正确读取故障码并记录	5分		不会读取不得分，记录错误、未记录扣5分
		正确查看数据流并填写分析结论	10分		不会读取不得分，分析错误、记录错误、未记录扣5分
5	检查作业	进行点火系统及关联系统部件外部直观检查	10分		漏检1处或检查不当，扣2~10分
6	检修作业	火花塞间隙测量及性能检测	10分		检查方法不当，扣2~10分，结论错误不得分
		点火线圈供电及搭铁检查	10分		检查方法不当，扣2~10分，结论错误不得分
7	质检作业	检查操作完成情况及维修质量	5分		漏检、检查方法不当，扣2~5分，未检查不得分
8	6S作业	工作场地清洁 工具、设备及仪器整理清洁 检修车辆复位	5分		清洁复位不到位，扣2~5分，未操作扣5分
		总分	100分		

工作页 4-2　曲轴位置传感器的检修

班　级		姓　名	
地　点		日　期	

一、收集信息

1. 曲轴位置传感器一般分为_____、_____和_____三种类型，其主要作用是_____。

2. 请写出下列数字所代表的部件名称。

1-_____
2-_____
3-_____
4-_____
5-_____
6-_____

3. 简要描述磁脉冲式曲轴位置传感器的工作过程。
_____
_____
_____
_____

二、计划组织

小组组别	
设备工具	□发动机台架型号：_____ □整车型号：_____
组员分工	
准备工作	检查安全环保措施、熟悉布置工作场景

三、任务实施记录

1. 故障现象/故障码记录：_____
_____

2. 查阅卡罗拉轿车维修手册，依据曲轴位置传感器的电路图，绘制电路简图。

3. 曲轴位置传感器外围线束及插头检查。
_____
_____

4. 测试曲轴位置传感器波形，记录相关数据，绘制波形图。

5. 传感器元件电阻值测量。
标准值：_____ 实测值：_____ 结论：_____

6. 传感器电路检测，记录单见表4-3。

表4-3 传感器电路检测记录单

测试端子号	测量参数（电压、电流、电阻）	测量结果	标准值	结　论

四、任务评价

曲轴位置传感器检修评分标准见表4-4。

表4-4 曲轴位置传感器检修评分标准

序号	项目	操作内容	分值	得分	评分标准
1	职业素养	基本礼仪	5分		酌情扣分
		工位准备（工具、设备、仪器）	5分		
		维修手册及资料准备	5分		
		工装及安全防护准备	5分		
2	工作任务单理解及填写	明确任务内容、操作要求	5分		理解及填写不当扣1~5分
3	电路识图	正确查阅维修手册	5分		酌情扣分
		理解曲轴位置传感器的工作机理	5分		酌情扣分
		绘制曲轴位置传感器的电路简图	5分		酌情扣分
4	诊断作业	正确连接故障诊断仪	5分		操作不当扣1~5分
		正确读取故障码、数据流并记录	5分		不会读取不得分，记录错误、未记录扣5分
		正确测试波形并分析结论	10分		不会读取不得分，分析错误、记录错误、未记录扣5分
5	检查作业	进行部件外部直观检查	10分		漏检1处或检查不当，扣2~10分
6	检修作业	曲轴位置传感器电阻检测	10分		检查方法不当，扣2~10分，结论错误不得分
		曲轴位置传感器电路检测	10分		检查方法不当，扣2~10分，结论错误不得分
7	质检作业	检查操作完成情况及维修质量	5分		漏检、检查方法不当，扣2~5分，未检查不得分
8	6S作业	工作场地清洁 工具、设备及仪器整理清洁 检修车辆复位	5分		清洁复位不到位，扣2~5分，未操作扣5分
		总分	100分		

工作页 4-3　凸轮轴位置传感器的检修

班　级		姓　名	
地　点		日　期	

一、收集信息

1. 凸轮轴位置传感器用来检测凸轮轴_____和_____信号，并将此信号传给发动机 ECU，用于识别_____，以便进行_____控制和_____控制。

2. 请写出下列数字所代表的部件名称。

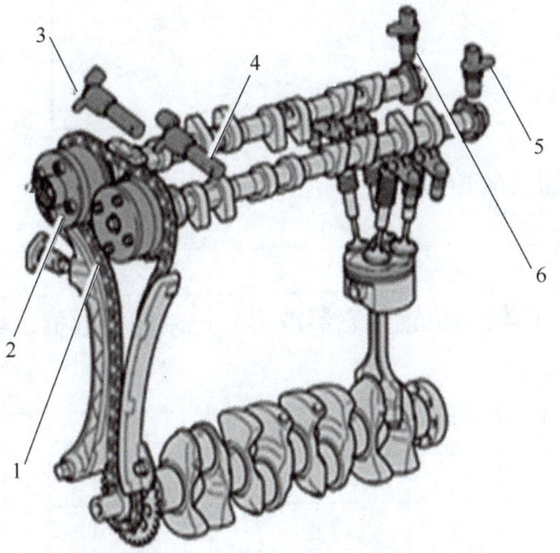

1-_____
2-_____
3-_____
4-_____
5-_____
6-_____

3. 简要描述磁脉冲式曲轴位置传感器的工作过程。
_____
_____
_____

二、计划组织

小组组别	
设备工具	□发动机台架型号： □整车型号：
组员分工	
准备工作	检查安全环保措施、熟悉布置工作场景

三、任务实施记录

1. 故障现象/故障码记录：_____
_____

2. 查阅迈腾轿车维修手册，依据凸轮轴位置传感器的电路图，绘制电路简图。

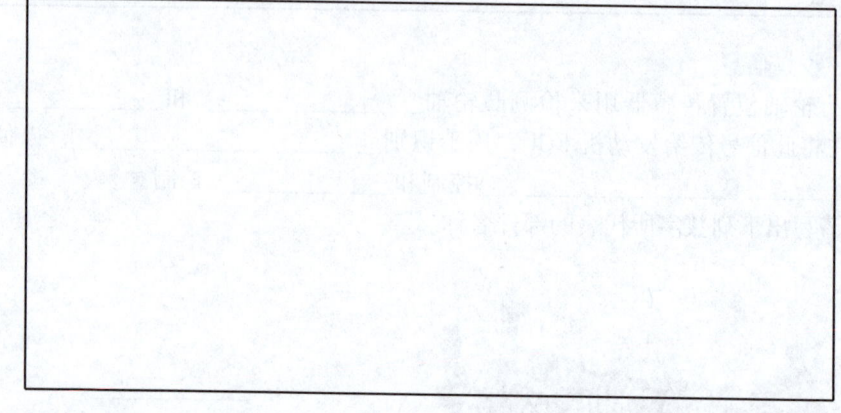

3. 凸轮轴位置传感器外围线束及插头的检查。
_____
_____

4. 测试发动机转速为 2000r/min 的凸轮轴位置传感器波形，记录相关数据，绘制波形图。

5. 传感器电路检测，记录单见表 4-5。

表 4-5　传感器电路的检测记录单

测试端子号	测量参数（电压、电流、电阻）	测量结果	标准值	结论

四、任务评价

凸轮轴位置传感器检修评分标准见表 4-6。

表 4-6　凸轮轴位置传感器检修评分标准

序号	项目	操作内容	分值	得分	评分标准
1	职业素养	基本礼仪	5 分		酌情扣分
		工位准备（工具、设备、仪器）	5 分		
		维修手册及资料准备	5 分		
		工装及安全防护准备	5 分		
2	工作任务单理解及填写	明确任务内容、操作要求	5 分		理解及填写不当扣 1~5 分
3	电路识图	正确查阅维修手册	5 分		酌情扣分
		理解凸轮轴位置传感器的工作机理	5 分		酌情扣分
		绘制凸轮轴位置传感器的电路简图	5 分		酌情扣分
4	诊断作业	正确连接故障诊断仪	5 分		操作不当扣 1~5 分
		正确读取故障码、数据流并记录	5 分		不会读取不得分，记录错误、未记录扣 5 分
		正确测试传感器波形，分析结论	10 分		不会读取不得分，分析错误、记录错误、未记录扣 5 分
5	检查作业	进行部件外部直观检查	10 分		漏检 1 处或检查不当，扣 2~10 分
6	检修作业	凸轮轴位置传感器电阻检测	10 分		检查方法不当，扣 2~10 分，结论错误不得分
		凸轮轴位置传感器电路检测	10 分		检查方法不当，扣 2~10 分，结论错误不得分
7	质检作业	检查操作完成情况及维修质量	5 分		漏检、检查方法不当，扣 2~5 分，未检查不得分
8	6S 作业	工作场地清洁 工具、设备及仪器整理清洁 检修车辆复位	5 分		清洁复位不到位，扣 2~5 分，未操作扣 5 分
		总分	100 分		

工作页 4-4 爆燃传感器的检修

班　级		姓　名	
地　点		日　期	

一、收集信息

1. 爆燃传感器一般分为＿＿＿＿＿＿、＿＿＿＿＿＿和＿＿＿＿＿＿三种，并将此信号传给 ECU，以便调整＿＿＿＿＿＿。

2. 依据迈腾轿车电路图，画出爆燃传感器的电路简图。

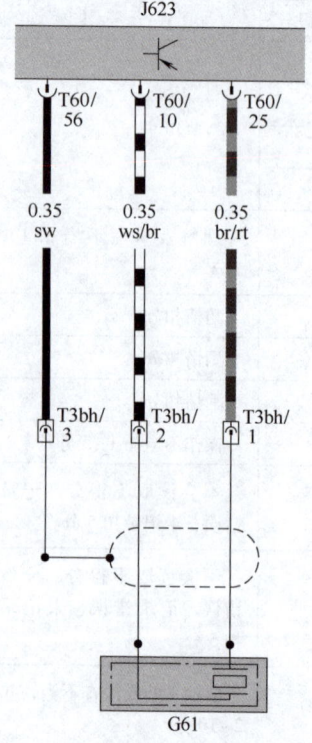

3. 简要描述磁致伸缩式爆燃传感器的工作机理。

二、计划组织

小组组别	
设备工具	□发动机台架型号：_____ □整车型号：_____
组员分工	
准备工作	检查安全环保措施、熟悉布置工作场景

三、任务实施记录

1. 故障现象/故障码记录：_____

2. 查阅迈腾轿车维修手册，分析爆燃传感器的工作机理。

3. 爆燃传感器外围线束及插头的检查。

4. 测试爆燃传感器波形，记录相关数据，绘制波形图。

5. 爆燃传感器电阻及输出信号检测，记录单见表4-7。

表4-7 爆燃传感器电阻及输出信号检测记录单

测试端子号	测量参数（电压、电流、电阻）	测量结果	标准值	结 论

四、任务评价

爆燃传感器检修评分标准见表4-8。

表4-8 爆燃传感器检修评分标准

序号	项目	操 作 内 容	分值	得分	评 分 标 准
1	职业素养	基本礼仪	5分		酌情扣分
		工位准备（工具、设备、仪器）	5分		
		维修手册及资料准备	5分		
		工装及安全防护准备	5分		
2	工作任务单理解及填写	明确任务内容、操作要求	5分		理解及填写不当扣1~5分
3	电路识图	正确查阅维修手册	5分		酌情扣分
		理解爆燃传感器的工作机理	5分		酌情扣分
		绘制爆燃传感器的电路简图	5分		酌情扣分
4	诊断作业	正确连接故障诊断仪	5分		操作不当扣1~5分
		正确读取故障码、数据流并记录	5分		不会读取不得分，记录错误、未记录扣5分
		正确测试传感器波形	10分		不会读取不得分，分析错误、记录错误、未记录扣5分
5	检查作业	进行部件外部直观检查	10分		漏检1处或检查不当，扣2~10分
6	检修作业	爆燃传感器电阻检测	10分		检查方法不当，扣2~10分，结论错误不得分
		爆燃传感器电路检测	10分		检查方法不当，扣2~10分，结论错误不得分
7	质检作业	检查操作完成情况及维修质量	5分		漏检、检查方法不当，扣2~5分，未检查不得分
8	6S作业	工作场地清洁 工具、设备及仪器整理清洁 检修车辆复位	5分		清洁复位不到位，扣2~5分，未操作扣5分
		总分	100分		

工作页 4-5　电控点火系统的检修

班　级		姓　名	
地　点		日　期	

一、收集信息

1. 电控点火系统的控制主要是指_____电路的控制，当_____切断时，_____产生感应电动势击穿_____间隙，点燃混合气。

2. 请写出下列数字所代表的部件名称。

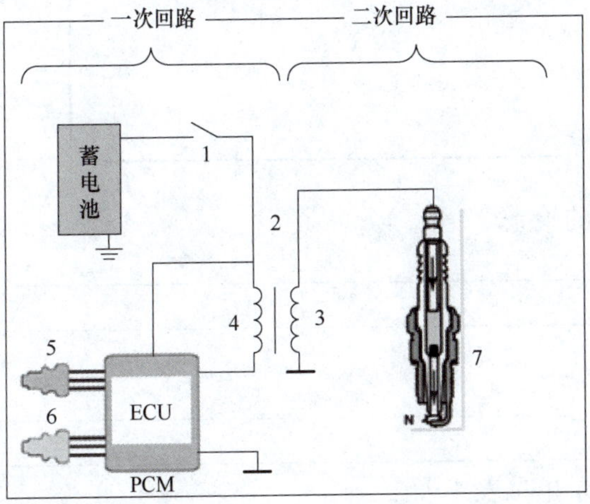

1-_____
2-_____
3-_____
4-_____
5-_____
6-_____
7-_____

3. 简要描述磁脉冲式曲轴位置传感器的工作过程。
_____
_____
_____

二、计划组织

小组组别	
设备工具	□发动机台架型号：_____ □整车型号：_____
组员分工	
准备工作	检查安全环保措施、熟悉布置工作场景

三、任务实施记录

1. 故障现象/故障码记录：_____
_____

2. 查阅迈腾轿车维修手册，依据电路图，绘制电控点火系统控制策略简图。

3. 电控点火系统外围线束及插头的检查。
_____
_____

4. 火花塞的检查。
火花塞外观：_____
火花塞间隙：_____

5. 点火线圈供电及搭铁检测，记录单见表4-9。

表4-9 点火线圈供电及搭铁检测记录单

测试端子号	测量参数（电压、电流、电阻）	测量结果	标准值	结 论

6. 点火线圈控制信号的检查，用示波器测量点火线圈端子3搭铁波形，记录相关数据，绘制波形图。

7. 点火线圈次级点火波形测试，记录相关数据，绘制波形图。

四、任务评价

电控点火系统检修评分标准见表4-10。

表4-10 电控点火系统检修评分标准

序号	项目	操 作 内 容	分值	得分	评 分 标 准
1	职业素养	基本礼仪	5分		酌情扣分
		工位准备（工具、设备、仪器）	5分		
		维修手册及资料准备	5分		
		工装及安全防护准备	5分		
2	工作任务单理解及填写	明确任务内容、操作要求	5分		理解及填写不当扣1~5分
3	电路识图	正确查阅维修手册	5分		酌情扣分
		理解电控点火系统的工作机理	5分		酌情扣分
		绘制电控点火系统的电路简图	5分		酌情扣分
4	诊断作业	正确连接故障诊断仪	5分		操作不当扣1~5分
		正确读取故障码、数据流并记录	5分		不会读取不得分，记录错误、未记录扣5分
		正确测试点火波形	10分		不会读取不得分，分析错误、记录错误、未记录扣5分
5	检查作业	进行电控点火系统部件直观检查	10分		漏检1处或检查不当，扣2~10分
6	检修作业	电控点火系统部件检测	10分		检查方法不当，扣2~10分，结论错误不得分
		电控点火系统电路检测	10分		检查方法不当，扣2~10分，结论错误不得分
7	质检作业	检查操作完成情况及维修质量	5分		漏检、检查方法不当，扣2~5分，未检查不得分
8	6S作业	工作场地清洁 工具、设备及仪器整理清洁 检修车辆复位	5分		清洁复位不到位，扣2~5分，未操作扣5分
		总分	100分		

工作页 5-1　燃油蒸发控制系统的检修

班　级		姓　名	
地　点		日　期	

一、收集信息

1. 燃油蒸发控制系统（EVAP）是为了防止_____内的燃油蒸气排入大气产生污染，其功能是收集_____内蒸发的_____，并将燃油蒸气导入气缸参与燃烧，从而防止_____直接排入大气而造成污染。同时，根据发动机工况，控制导入气缸参加燃烧的燃油蒸气量。

2. 请写出燃油蒸发控制系统的组成及工作原理。

_____
_____
_____

二、计划组织

小组组别	
设备工具	□发动机台架型号： □整车型号：
组员分工	
准备工作	检查安全环保措施、熟悉布置工作场景

三、任务实施记录

1. 故障现象/故障码记录：_____
_____

2. 查阅维修手册，依据电路图，绘制炭罐电磁阀电路简图。

3. 炭罐电磁阀供电及搭铁检查，记录单见表 5-1。

表 5-1 炭罐电磁阀供电及搭铁检测记录单

测试端子号	测量参数（电压、电流、电阻）	测量结果	标准值	结论

四、任务评价

燃油蒸发控制系统检修评分标准见表 5-2。

表 5-2 燃油蒸发控制系统检修评分标准

序号	项目	操作内容	分值	得分	评分标准
1	职业素养	基本礼仪	5 分		酌情扣分
		工位准备（工具、设备、仪器）	5 分		
		维修手册及资料准备	5 分		
		工装及安全防护准备	5 分		
2	工作任务单理解及填写	明确任务内容、操作要求	5 分		理解及填写不当扣 1~5 分
3	电路识图	正确查阅维修手册	5 分		酌情扣分
		理解燃油蒸发控制系统的控制机理	5 分		酌情扣分
		绘制炭罐电磁阀的电路简图	5 分		酌情扣分
4	诊断作业	正确连接故障诊断仪	5 分		操作不当扣 1~5 分
		正确读取故障码、数据流并记录	5 分		不会读取不得分，记录错误、未记录扣 5 分
		正确测试炭罐电磁阀数据流	10 分		不会读取不得分，分析错误、记录错误、未记录扣 5 分
5	检查作业	燃油蒸发控制系统部件盲观检查	10 分		漏检 1 处或检查不当，扣 2~10 分
6	检修作业	燃油蒸发控制系统部件检测	10 分		检查方法不当，扣 2~10 分，结论错误不得分
		炭罐电磁阀电路检测	10 分		检查方法不当，扣 2~10 分，结论错误不得分
7	质检作业	检查操作完成情况及维修质量	5 分		漏检、检查方法不当，扣 2~5 分，未检查不得分
8	6S 作业	工作场地清洁 工具、设备及仪器整理清洁 检修车辆复位	5 分		清洁复位不到位，扣 2~5 分，未操作扣 5 分
	总分		100 分		

工作页 5-2 二次空气喷射系统的检修

班　级		姓　名	
地　点		日　期	

一、收集信息

1. 二次空气喷射系统是通过_____将新鲜空气送入发动机_____，使废气中未燃烧的有害物质_____再次燃烧，从而降低排气中的_____的排放量。

2. 请写出图中部件的名称。

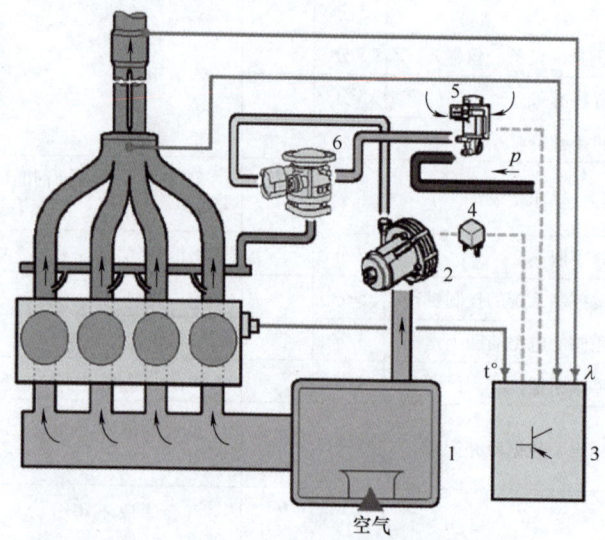

1-_____
2-_____
3-_____
4-_____
5-_____
6-_____

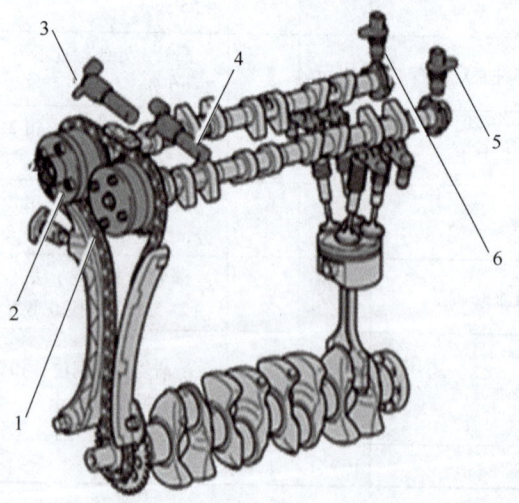

1-_____
2-_____
3-_____
4-_____
5-_____
6-_____

3. 请简述二次空气喷射系统的工作原理。

二、计划组织

小组组别	
设备工具	☐发动机台架型号： ☐整车型号：
组员分工	
准备工作	检查安全环保措施、熟悉布置工作场景

三、任务实施记录

1. 故障现象/故障码记录：

2. 查阅维修手册，依据电路图，绘制二次空气泵电路简图。

3. 二次空气泵供电及搭铁检测，记录单见表 5-3。

表 5-3 二次空气泵供电及搭铁检测记录单

测试端子号	测量参数（电压、电流、电阻）	测量结果	标准值	结论

四、任务评价

二次空气喷射系统检修评分标准见表5-4。

表5-4 二次空气喷射系统检修评分标准

序号	项目	操作内容	分值	得分	评分标准
1	职业素养	基本礼仪	5分		酌情扣分
		工位准备（工具、设备、仪器）	5分		
		维修手册及资料准备	5分		
		工装及安全防护准备	5分		
2	工作任务单理解及填写	明确任务内容、操作要求	5分		理解及填写不当扣1~5分
3	电路识图	正确查阅维修手册	5分		酌情扣分
		理解二次空气喷射系统的控制机理	5分		酌情扣分
		绘制二次空气喷射系统的电路简图	5分		酌情扣分
4	诊断作业	正确连接故障诊断仪	5分		操作不当扣1~5分
		正确读取故障码、数据流并记录	5分		不会读取不得分，记录错误、未记录扣5分
5	检查作业	二次空气喷射系统部件直观检查	10分		漏检1处或检查不当，扣2~10分
6	检修作业	二次空气喷射系统部件检测	10分		检查方法不当，扣2~10分，结论错误不得分
		二次空气泵电路检测	20分		检查方法不当，扣2~10分，结论错误不得分
7	质检作业	检查操作完成情况及维修质量	5分		漏检、检查方法不当，扣2~5分，未检查不得分
8	6S作业	工作场地清洁 工具、设备及仪器整理清洁 检修车辆复位	5分		清洁复位不到位，扣2~5分，未操作扣5分
	总分		100分		

工作页 5-3　废气再循环系统的检修

班　级		姓　名	
地　点		日　期	

一、收集信息

1. 废气再循环（Exhaust Gas Recirculation，EGR）系统的作用是把一部分排气引入_____中使其和新鲜混合气一起进入气缸中参与燃烧，其主要目的是减少_____的排放。

2. 请写出图中部件的名称。

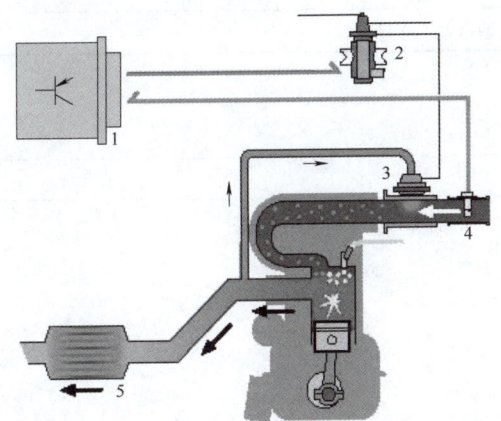

1-_____
2-_____
3-_____
4-_____
5-_____

3. 请结合下图简述废气再循环系统的工作原理。

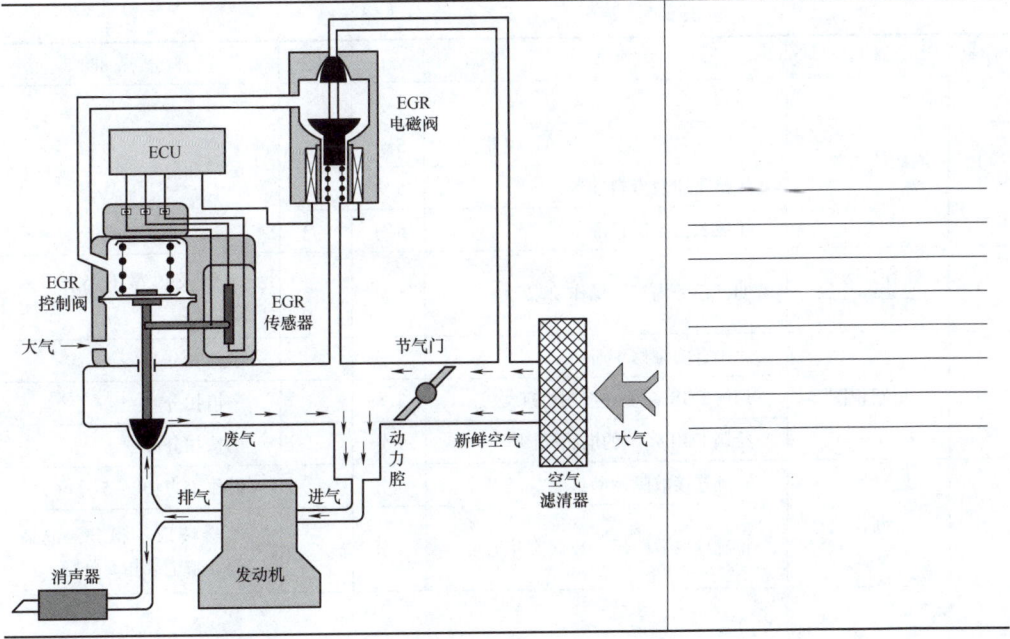

二、计划组织

小组组别	
设备工具	☐发动机台架型号： ☐整车型号：
组员分工	
准备工作	检查安全环保措施、熟悉布置工作场景

三、任务实施记录

1. 故障现象/故障码记录：_____

2. 查阅维修手册，依据电路图，绘制 EGR 阀电路简图。

四、任务评价

废气再循环系统检修评分标准见表 5-5。

表 5-5　废气再循环系统检修评分标准

序号	项目	操作内容	分值	得分	评分标准
1	职业素养	基本礼仪	5分		酌情扣分
		工位准备（工具、设备、仪器）	5分		
		维修手册及资料准备	5分		
		工装及安全防护准备	5分		
2	工作任务单理解及填写	明确任务内容、操作要求	5分		理解及填写不当扣 1~5 分
3	电路识图	正确查阅维修手册	5分		酌情扣分
		理解 EGR 系统的控制机理	5分		酌情扣分
		绘制 EGR 系统的电路简图	5分		酌情扣分
4	诊断作业	正确连接故障诊断仪	5分		操作不当扣 1~5 分
		正确读取故障码、数据流并记录	5分		不会读取不得分，记录错误、未记录扣 5 分

（续）

序号	项目	操作内容	分值	得分	评分标准
5	检查作业	EGR系统部件直观检查	20分		漏检1处或检查不当，扣2~10分
6	检修作业	EGR阀部件检测	10分		检查方法不当，扣2~10分，结论错误不得分
		EGR阀电路检测	10分		检查方法不当，扣2~10分，结论错误不得分
7	质检作业	检查操作完成情况及维修质量	5分		漏检、检查方法不当，扣2~5分，未检查不得分
8	6S作业	工作场地清洁 工具、设备及仪器整理清洁 检修车辆复位	5分		清洁复位不到位，扣2~5分，未操作扣5分
		总分	100分		

工作页 5-4　氧传感器故障的检修

班　级		姓　名	
地　点		日　期	

一、收集信息

1. 氧传感器（lambda sensor，也称为空燃比传感器，用l表示）的作用是测定发动机燃烧后的排气中氧是否过剩的信息，即_____含量，并把_____转换成电压信号传递到发动机计算机，使发动机能够实现以过量空气系数为目标的_____控制；确保三元催化转化器对排气中的 HC、CO 和 NO_x 三种污染物都有_____的转化效率，最大限度地进行排放污染物的转化和净化。

2. 请写出图中部件的名称。

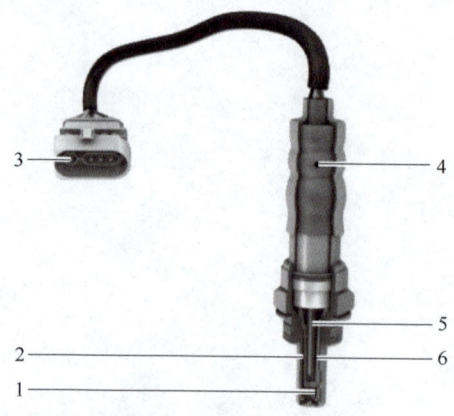

1-_____
2-_____
3-_____
4-_____
5-_____
6-_____

3. 请结合下图简要说明氧化锆式氧传感器的工作原理。

4. 请结合下图说明宽带型氧传感器的工作原理。

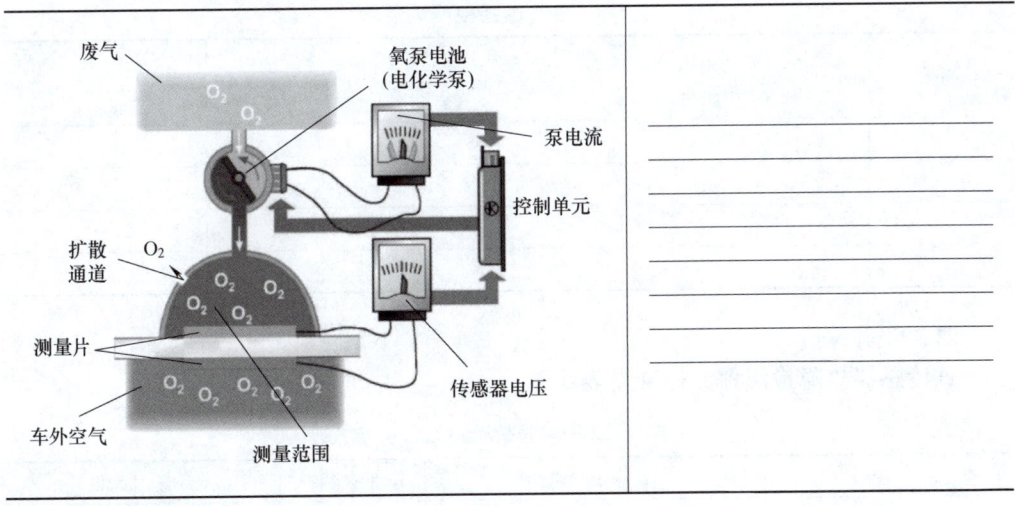

二、计划组织

小组组别	
设备工具	□发动机台架型号： □整车型号：
组员分工	
准备工作	检查安全环保措施、熟悉布置工作场景

三、任务实施记录

1. 故障现象/故障码记录：

2. 查阅维修手册，依据电路图，绘制氧传感器电路简图。

3. 氧传感器检查记录,记录单见表 5-6。

表 5-6 氧传感器检测记录单

测试端子号	测量参数(电压、电流、电阻)	测量结果	标准值	结论

四、任务评价

氧传感器故障检修评分标准见表 5-7。

表 5-7 氧传感器故障检修评分标准

序号	项目	操作内容	分值	得分	评分标准
1	职业素养	基本礼仪	5分		酌情扣分
		工位准备(工具、设备、仪器)	5分		
		维修手册及资料准备	5分		
		工装及安全防护准备	5分		
2	工作任务单理解及填写	明确任务内容、操作要求	5分		理解及填写不当扣1~5分
3	电路识图	正确查阅维修手册	5分		酌情扣分
		判断氧传感器的类型	5分		酌情扣分
		绘制氧传感器的电路简图	5分		酌情扣分
4	诊断作业	正确连接故障诊断仪	5分		操作不当扣1~5分
		正确读取故障码、数据流并记录	5分		不会读取不得分,记录错误、未记录扣5分
5	检查作业	氧传感器直观检查	20分		漏检1处或检查不当,扣2~10分
6	检修作业	氧传感器部件检测	10分		检查方法不当,扣2~10分,结论错误不得分
		氧传感器电路检测	10分		检查方法不当,扣2~10分,结论错误不得分
7	质检作业	检查操作完成情况及维修质量	5分		漏检、检查方法不当,扣2~5分,未检查不得分
8	6S作业	工作场地清洁 工具、设备及仪器整理清洁 检修车辆复位	5分		清洁复位不到位,扣2~5分,未操作扣5分
		总分	100分		

工作页 5-5 汽油机颗粒捕集器的检修

班 级		姓 名	
地 点		日 期	

一、收集信息

1. 汽油机颗粒捕集器是一种用于减少_____的后处理装置,该系统主要由_____,_____和_____组成。

压差传感器通过_____与汽油机颗粒捕集器相连。压差传感器测量颗粒过滤器上游和下游之间的_____,然后将压力差转换成_____。发动机 ECU 接收信号并评估汽油机颗粒捕集器中的_____含量。

OPF 温度传感器安装在 OPF 的_____,用于检测 OPF 上游、下游的_____。OPF 温度传感器采用_____原理,热电偶的电动势随温差的变化而变化。

颗粒过滤器再生过程的频率和持续时间因累积水平和再生条件而异,存在_____、_____和_____三种类型的再生。

2. 请写出下列数字所代表的部件名称。

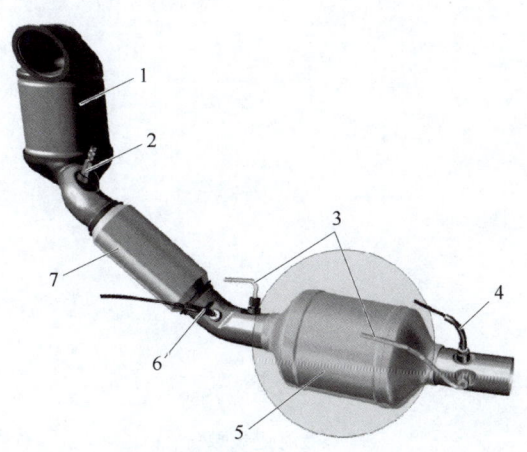

1-_____ 2-_____

3-_____ 4-_____

5-_____ 6-_____

7-_____

二、计划组织

小组组别	
设备工具	□发动机台架型号：_____ □整车型号：_____
组员分工	
准备工作	检查安全环保措施、熟悉布置工作场景

三、任务实施记录

1. 故障现象/故障码记录：_____

2. 查阅维修手册，依据电路图，绘制 OPF 压差及温度传感器电路简图。

3. 传感器供电、接地及 SENT 信号检查

检测记录单

测试端子号	测量参数（电压、电流、电阻）	测量结果	标准值（V）	结　论

4. 系统功能测试

测试记录：_____

四、任务评价

表 5-8　汽油机颗粒捕集器的检修

序号	项目	操作内容	分值	得分	评分标准
1	职业素养	基本礼仪	5 分		酌情扣分
		工位准备（工具、设备、仪器）	5 分		
		维修手册及资料准备	5 分		
		工装及安全防护准备	5 分		
2	工作任务单理解及填写	明确任务内容、操作要求	5 分		理解及填写不当扣 1～5 分
3	电路识图	正确查阅维修手册	5 分		酌情扣分
		理解汽油机颗粒捕集器控制机理	5 分		酌情扣分
		绘制 OPF 压力及温度传感器电路简图	5 分		酌情扣分
4	诊断作业	正确连接故障诊断仪	5 分		操作不当扣 1~5 分
		正确读取故障码、数据流并记录	5 分		不会读取不得分；记录错误、未记录扣 5 分
		正确测试汽油机颗粒捕集器数据流	10 分		不会读取不得分；分析错误、记录错误、未记录扣 5 分
5	检查作业	汽油机颗粒捕集器目视检查	10 分		漏检 1 处或检查不当，扣 2~10 分
6	检修作业	汽油机颗粒捕集器部件检测	10 分		检查方法不当，扣 2~10 分，结论错误不得分
		颗粒捕集器状态检查	10 分		检查方法不当，扣 2~10 分，结论错误不得分
7	质检作业	检查操作完成情况及维修质量	5 分		漏检、检查方法不当，扣 2~5 分，未检查不得分
8	6S 作业	工作场地清洁； 工具、设备及仪器整理清洁； 检修车辆复位	5 分		清洁复位不到位，扣 2~5 分，未操作扣 5 分
		总分	100 分		

工作页 6-1　车载诊断系统的认知

班　级		姓　名	
地　点		日　期	

一、收集信息

1. OBD（On-Board Diagnostics）是一种_____，此系统可以向驾驶人发出故障警示信息，也可以帮助维修工人诊断故障。其发展经历了两个阶段，即_____。

2. 请写出下列故障码的组成与定义。
P0123
_____
_____

3. 请写出下图各个端子的定义。

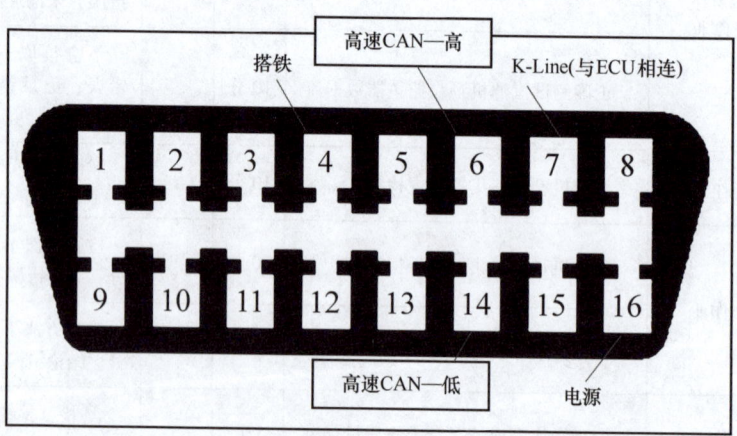

端　子	定　义

二、计划组织

小组组别	
设备工具	☐发动机台架型号：_____ ☐整车型号：_____
组员分工	
准备工作	检查安全环保措施、熟悉布置工作场景

三、任务实施记录

1. 请根据实训所用诊断设备记录故障诊断仪型号_____。
2. 记录使用方法和步骤。

_____
_____
_____
_____
_____
_____
_____
_____
_____
_____
_____

3. 记录读取的故障码和数据流。

_____
_____
_____
_____
_____
_____
_____
_____
_____

四、任务评价

车载诊断系统评分标准见表 6-1。

表 6-1 车载诊断系统评分标准

序号	项目	部件名称	分值	得分	评分标准
1	部件认知	诊断接口	10 分		一次性找到该部件得分，如果该车型未装该部件回答正确得分，否则不得分
2		故障指示灯	10 分		
3		OBD 灯	10 分		
4		故障诊断仪及数据线	10 分		
5	使用方法	关闭点火开关，连接诊断接口	10 分		
6		启动诊断仪，选择车型信息	10 分		
7		读取故障码	10 分		
8		读取数据流	10 分		
9		动作测试等功能	10 分		
10	完成时间	20min	5 分		超时 1~5min 扣 1~5 分
11	结束	工具清洁归位、工作场地清洁	5 分		漏 1 项扣 1 分，未做扣 5 分 清洁不彻底扣 1~5 分，未做扣 5 分
		总分	100 分		

工作页 6-2　信号技术与测量及故障诊断流程的认知

班　级		姓　名	
地　点		日　期	

一、收集信息

1. 写出信号的类型及特点。

类型	特点

2. 开关类信号一般包括点火开关信号、制动踏板开关信号、P/N 位开关信号等。此类信号可以选用_____进行测量。

3. 电磁感应类信号一般有曲轴位置传感器等。其信号是交变的电压信号，在测量时需要使用_____进行检测。

4. 常用的示波器有_____

5. 请填写故障诊断流程表，见表 6-2。

表 6-2　故障诊断流程表

序号	项　目	内　容	备　注
1	前期准备		
2	安全检查	安装车轮挡块，检查机油、冷却液，插汽车排气抽气管，现场安全检查确认	任意位置、前后油标尺目测
3	仪器连接		
4	故障码检查（不起动发动机）	正确读取并记录故障码	内容要求填写
5	正确读取数据和清除故障码	与故障码相关的数据确认，清除故障码	填写与故障码相关的数据
6	安装状态检查	相关器件安装状态检查	
7	确认故障症状		
8	再次检查故障码	正确读取并记录故障码与故障码相关的定格数据确认、与故障码相关的动态数据确认	
9	根据检测出的故障码，画出相关信号的正确波形并画出相关电路的测试点，写出测试内容		画出正确波形、相关电路的测试点波形的标出幅值和时间

(续)

序号	项　目	内　　容	备　注
10	元件测量及安装状态检查	正确查阅资料，确认测试插头及电路，正确选择、连接和使用测量仪具，正确读取和记录测试数据，正确分析测量结果	测试结果 标准值 得出分析结论
11	电路测量（ECU侧的电路测量采用背插）	正确查阅资料，确认测试插头及电路，正确选择、连接和使用测量仪具，正确读取和记录数据，正确分析测量结果	备测量插针
12	故障点确认和排除		
13	故障码再次检查	正确清除故障码，正确读取并记录故障码，定格数据确认、相关数据内容（如未能排除故障，按上述步骤重复检测）	
14	尾气测量 注：分别在急速和2500r/min工况点测量		1）转速的确定参照本车仪表中发动机转速值 2）NO_x值不读
15	文明安全作业	正确使用工具、量具，清洁整理工作台面及工具，作业安全	

二、计划组织

小组组别	
设备工具	□发动机台架型号： □整车型号：
组员分工	
准备工作	检查安全环保措施、熟悉布置工作场景

三、任务实施记录

1. 示波器型号：
2. 测量霍尔传感器信号波形，写出操作步骤。

_____
_____
_____
_____

3. 将以上测得的波形绘制在下表中。

信号电压 u/V

转速 $n/(\text{r/min})$

四、任务评价

信号测量评分标准见表6-3。

表6-3 信号测量评分标准

序号	项目	操作内容	分值	得分	评分标准
1	准备	清点工具、清理工位	5分		酌情扣分
2	查阅维修手册	正确查阅维修手册，找到霍尔传感器的安装位置	5分		操作不当扣1~5分
3	测量	1）在点火开关关闭的情况下准备示波器 2）开机，设置 3）连接测试线 4）读取波形	50分		操作不当扣1~50分
4	绘制波形	将测量结果绘制在表格中	30分		操作不当扣1~30分
5	完成时间	40min	5分		超时1~5min扣1~5分
6	结束	工具清洁归位、工作场地清洁	5分		漏1项扣1分，未做扣5分 清洁不彻底扣1~5分，未做扣5分
		总分	100分		

工作页 6-3　发动机 ECU 无法通信故障诊断与排除

班　级		姓　名	
地　点		日　期	

一、收集信息

1. 根据以下发动机 ECU 电路图，分析其控制策略。

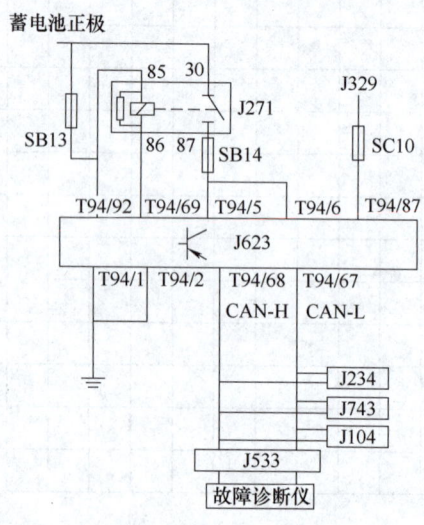

_____

_____

2. 根据无法通信故障现象，分析故障原因。

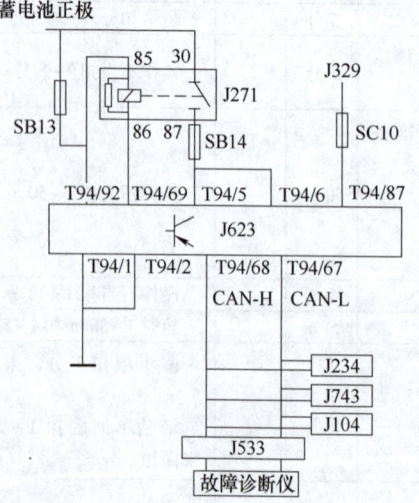

1. _____

2. _____

3. _____

4. _____

二、计划组织

小组组别	
设备工具	□发动机台架型号：_____ □整车型号：_____
组员分工	
准备工作	检查安全环保措施、熟悉布置工作场景

三、任务实施记录

1. 故障现象/故障码/数据流记录：_____
_____
_____

2. 初步分析。
ECU 是否能够通信：_____
故障诊断仪能否进入网关模块：_____
能否进入驱动 CAN 系统的其他模块：_____
从其他模块能否读出相关故障码：_____

3. 诊断检修步骤。

1）测量发动机 ECU J623 的供电端子电压。

用万用表电压档，分别测量发动机 ECU J623 的 T94/92、T94/5、T94/6、T94/87 四个端子搭铁电压，标准值应为 12V。如果电压异常，则应进一步检查各端子的上游供电电路。实测值：_____

2）测量发动机 ECU J623 的搭铁端子电压。

用万用表电压档分别测量发动机 ECU J623 的 T94/1、T94/2 两个端子搭铁电压，标准值应为 0V。如果搭铁电压异常，应进一步检查各端子下游 2 搭铁电路或搭铁点是否正常。实测值：_____

3）测量发动机 ECU J623 端 T94/67、T94/68 两个端子驱动 CAN 波形，并绘制在下表中。

用示波器双通道进行测量，将测量探针分别接在发动机 ECU J623 端 T94/67、T94/68 两个端子上，搭铁连接可靠。

四、任务评价

发动机 ECU 无法通信故障检修评分标准见表 6-4。

表 6-4 发动机 ECU 无法通信故障检修评分标准

序号	项目	操作内容	分值	得分	评分标准
1	准备	清点工具、清理工位	5 分		酌情扣分
2	查阅维修手册	正确查阅维修手册,找到发动机 ECU 的安装位置	5 分		操作不当扣 1~5 分
3	测量供电和搭铁	1) 在点火开关关闭的情况下断开发动机 ECU 插头 2) 使用 T 形专用工具连接 3) 使用万用表测量各端子参数,并正确记录 4) 根据测量值和标准值得出正确结论	50 分		操作不当扣 1~50 分
4	测量并记录 CAN 波形	1) 正确测量驱动 CAN 波形 2) 将测量值绘制在表格中	30 分		操作不当扣 1~30 分
5	完成时间	40min	5 分		超时 1~5min 扣 1~5 分
6	结束	工具清洁归位、工作场地清洁	5 分		漏 1 项扣 1 分,未做扣 5 分 清洁不彻底扣 1~5 分,未做扣 5 分
		总分	100 分		

工作页 6-4　起动机不转故障诊断与排除

班　级		姓　名	
地　点		日　期	

一、收集信息

1. 依据起动系统控制电路，写出其控制原理。

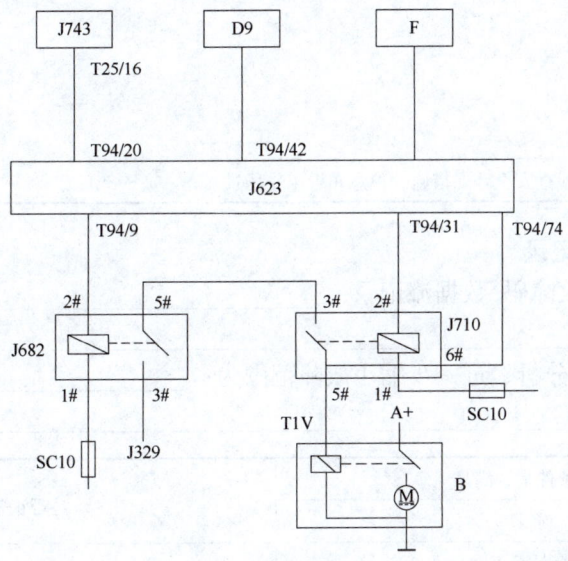

2. 以起动机为中心，分析起动系统控制电路，影响起动机不能运转的原因有：

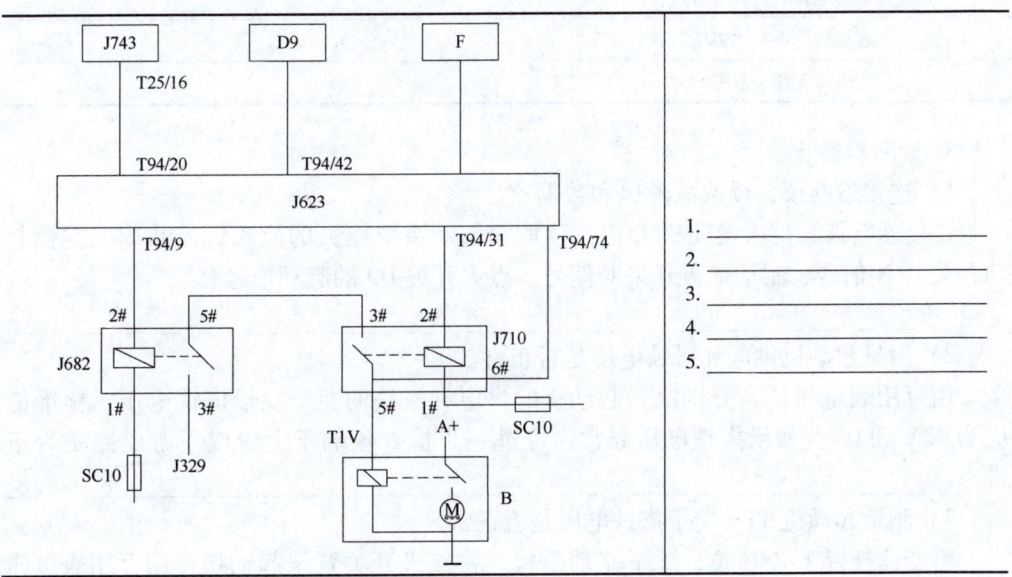

1. _____
2. _____
3. _____
4. _____
5. _____

89

二、计划组织

小组组别	
设备工具	□发动机台架型号：_____ □整车型号：_____
组员分工	
准备工作	检查安全环保措施、熟悉布置工作场景

三、任务实施记录

1. 故障现象/故障码/数据流记录：_____
_____

2. 初步检查和分析，进一步缩小故障范围为：_____
_____

启动条件是否满足	
项目	是否正常
EPC 灯是否正常：	
发动机 ECU 是否正常通信：	
CAN 是否正常通信：	
继电器是否有吸合声：	
起动机是否有"嗒嗒"声：	
有无相关故障码：	

3. 诊断检修步骤。

1）连接诊断仪，读取故障码和数据流。

连接诊断仪，进入发动机 ECU，读取与起动系统相关的故障码，并读取空档起动开关 P/N 信号、制动踏板开关 F 信号、点火开关 D9 的起动信号。

2）测量起动机供电和搭铁电压是否正常。

用万用表电压档，分别测量起动机的供电和搭铁的两个端子搭铁电压，标准值应为 12V 和 0V。如果搭铁电压异常，应进一步检查各端子上游或下游电路是否正常。

3）测量起动机 T1V 端子搭铁电压是否正常。

将变速杆置于 P/N 位，踩下制动踏板，将点火开关置于起动档，用万用表电压

档测量起动机 T1V 端子搭铁电压，标准值为 12V。如果电压异常，则应进一步检查其上游控制电路。_____

4）测量继电器是否正常。

①测量继电器 1 _____ 和 2 _____ 之间的电阻，正常值为 60~200Ω，测量值：_____

②如果继电器线圈正常，应进一步测量触点的工作情况。把继电器的 2 _____ 端子接蓄电池负极，然后 1 _____ 端子接蓄电池正极，用万用表测量 3 _____ 和 5 _____ 端子之间的电阻，应从无穷大切换到导通。否则说明继电器触点存在故障。测量值：_____

5）测量电路是否正常。

测量各点的搭铁电位，电位差应小于 0.5V，测量值：_____

6）如果以上测量均正常，则需更换发动机 ECU J623。

四、任务评价

起动机无法运转检修评分标准见表 6-5。

表 6-5　起动机无法运转检修评分标准

序号	项目	操作内容	分值	得分	评分标准
1	准备	清理工位、工具设备、车辆防护等	5 分		酌情扣分
2	确认故障现象	在整车或台架上进行确认故障现象并记录	10 分		操作不当扣 1~10 分
3	初步检查	检查蓄电池电压、发动机线束插头连接情况	10 分		操作不当扣 1~10 分
4	读取故障码或数据流	读取故障码或数据流	10 分		操作不当扣 1~10 分
5	结合电路图分析故障原因	结合电路图分析故障原因	10 分		操作不当扣 1~10 分
6	故障诊断过程	使用诊断设备进行规范测试和检测	20 分		操作不当扣 1~20 分
7	确认故障点并排除	明确故障点并排除	10 分		操作不当扣 1~10 分
8	完成时间	30min	10 分		超时 1~5min 扣 1~5 分，超时 5min 以上扣 10 分
9	安全文明	无安全隐患，无不文明操作	5 分		未达标扣 1~5 分
10	结束	工量具清洁归位	5 分		漏 1 项扣 1 分，未做扣 5 分
		工作场地清洁	5 分		清洁不彻底扣 1~5 分，未做扣 5 分
		总分	100 分		

工作页 6-5　发动机无法起动故障诊断与排除

班　级		姓　名	
地　点		日　期	

一、收集信息

1. 请写出影响发动机无法起动的原因。

   1. _____
   2. _____
   3. _____
   4. _____
   5. _____

2. 记录车型及发动机信息。

   _____

   _____

二、计划组织

小组组别	
设备工具	□发动机台架型号：_____ □整车型号：_____
组员分工	
准备工作	检查安全环保措施、熟悉布置工作场景

三、任务实施记录

1. 故障现象/故障码/数据流/动作测试记录：_____

   _____

2. 初步检查与分析，缩小故障范围_____。

3. 诊断检修步骤。

1) 连接诊断仪，读取故障码。

连接诊断仪，进入发动机 ECU，读取故障码。如果有与发动机无法起动相关的故障码生成，则按照故障码的指向进行诊断和排除。

相关故障码：_____

2）连接诊断仪，读取数据流。

① 读取油压值。

用故障诊断仪读取油轨压力（106/2）测量值（起动档）：01 区显示 40bar 左右；标准油压：40bar 左右，说明燃油供给系统压力正常。实测值：_____

② 利用诊断仪读取控制信号。

在起动过程中，读取进气量、转速信号等主要数据。如果信号不正常则应对相关信号对应的传感器及电路进行检修。

进气量：_____

转速：_____

3）检查喷油器工作。

利用故障诊断仪的动作测试功能，对喷油器进行动作测试，如果能听到喷油器的动作声，则说明喷油器至发动机 ECU 之间正常。测量结果：_____

4）检查点火系统。

根据故障现象，说明所有的火花塞均未点火，根据故障概率，测量供电熔丝 SB10。

输入端电压：_____ 输出端电压：_____

4. 故障点和故障机理。

_____

_____

四、任务评价

发动机无法起动检修评分标准见表 6-6。

表 6-6 发动机无法起动检修评分标准

序号	项目	操作内容	分值	得分	评分标准
1	准备	清理工位、工具设备、车辆防护等	5 分		酌情扣分
2	确认故障现象	在整车或台架上进行确认故障现象并记录	10 分		操作不当扣 1~10 分
3	初步检查	检查蓄电池电压、发动机线束插头连接情况	10 分		操作不当扣 1~10 分
4	读取故障码或数据流	读取故障码或数据流	10 分		操作不当扣 1~10 分
5	结合电路图分析故障原因	结合电路图分析故障原因	10 分		操作不当扣 1~10 分
6	故障诊断过程	使用诊断设备进行规范测试和检测	20 分		操作不当扣 1~20 分
7	确认故障点并排除	明确故障点并排除，清码	10 分		操作不当扣 1~10 分
8	完成时间	30min	10 分		超时 1~5min 扣 1~5 分，超时 5min 以上扣 10 分
9	安全文明	无安全隐患，无不文明操作	5 分		未达标扣 1~5 分
10	结束	工量具清洁归位	5 分		漏 1 项扣 1 分，未做扣 5 分
		工作场地清洁	5 分		清洁不彻底扣 1~5 分，未做扣 5 分
		总分	100 分		

工作页 6-6　发动机运行不良故障诊断与排除

班　级		姓　名	
地　点		日　期	

一、收集信息

1. 请写出影响发动机运行不良的原因。

   _____
   _____
   _____

2. 发动机运行不良的形式有：

   _____
   _____

二、计划组织

小组组别	
设备工具	□发动机台架型号：_____ □整车型号：_____
组员分工	
准备工作	检查安全环保措施、熟悉布置工作场景

三、任务实施记录

1. 故障现象/故障码/数据流/动作测试记录：_____
   _____

2. 初步检查与分析，缩小故障范围_____。

3. 诊断检修步骤。

1）连接诊断仪，读取故障码。

打开点火开关，用故障诊断仪扫描网关，读取故障码，记录故障码：

2）读取节气门位置传感器的数据值。

_____
_____

3）测量节气门位置传感器的信号电压。

打开点火开关，反复踩加速踏板，用万用表分别测量 ECU T60/41、T60/24 端搭铁电压，标准值为 0~5V 的反相互补线性变化，测量值为_____

4）检查 G187、G188 传感器信号端子电压。

打开点火开关，反复踩加速踏板，用万用表分别测量节气门位置传感器 T6as/1 和 T6as/4 端子搭铁电压，标准值为 0~5V 的反相互补线性变化，实际测量值为_____

5）检查传感器负极电源端子电压。

打开点火开关，用万用表测量传感器 T6as/6 端子搭铁电压，正常情况下，该端子搭铁电压应为 0V，实测结果为_____

6）检查发动机 ECU J623 端的节气门位置传感器搭铁端子搭铁电压。

打开点火开关，用万用表测量 ECU T60/44 的端子电压，标准值为搭铁电压，测量值为_____

4. 故障点和故障机理。

_____

四、任务评价

发动机运行不良检修评分标准见表 6-7。

表 6-7 发动机运行不良检修评分标准

序号	项目	操作内容	分值	得分	评分标准
1	准备	清理工位、工具设备、车辆防护等	5分		酌情扣分
2	确认故障现象	在整车或台架上进行确认故障现象并记录	10分		操作不当扣 1~10 分
3	初步检查	检查蓄电池电压、发动机线束插头连接情况	10分		操作不当扣 1~10 分
4	读取故障码或数据流	读取故障码或数据流	10分		操作不当扣 1~10 分
5	结合电路图分析故障原因	结合电路图分析故障原因	10分		操作不当扣 1~10 分
6	故障诊断过程	使用诊断设备进行规范测试和检测	20分		操作不当扣 1~20 分
7	确认故障点并排除	明确故障点并排除，清码	10分		操作不当扣 1~10 分
8	完成时间	30min	10分		超时 1~5min 扣 1~5 分，超时 5min 以上扣 10 分
9	安全文明	无安全隐患，无不文明操作	5分		未达标扣 1~5 分

（续）

序号	项目	操作内容	分值	得分	评分标准
10	结束	工量具清洁归位	5分		漏1项扣1分，未做扣5分
		工作场地清洁	5分		清洁不彻底扣1~5分，未做扣5分
		总分	100分